TUI T. SUTHERLAND

LES ROYAUMES DE FEU

L'ÎLE AU SECRET

Traduit de l'anglais (États-Unis)
par Vanessa Rubio-Barreau

GALLIMARD JEUNESSE

Précédemment dans

Les Royaumes de Feu

Livres 1, 2 et 3

Une terrible guerre divise le monde de Pyrrhia. Selon la prophétie, seuls cinq jeunes dragons – Argil, Tsunami, Gloria, Comète et Sunny – pourront y mettre fin. Enlevés à leurs familles alors qu'ils étaient encore dans l'œuf, ils ont été élevés en secret par les Serres de la Paix.

Mais les dragonnets rêvent d'être libres. Cependant, à peine ont-ils échappé à leurs gardiens qu'ils sont capturés par la sanguinaire reine des Ailes du Ciel. Révélant des capacités insoupçonnées, ils s'évadent au royaume de la Mer, où Tsunami retrouve sa mère, la reine Corail. Toutefois, des complots se trament à la cour et la reine Fièvre, alliée de la reine Corail, s'en prend aux dragonnets. Ils décident alors de porter leurs espoirs sur la reine des Ailes de Sable.

Avant de la rencontrer, ils font halte au royaume de Pluie. Mais cet endroit paradisiaque n'est pas épargné par la guerre : meurtres et disparitions de dragons sévissent. Avec l'aide de ses amis, Gloria découvre les coupables, les Ailes de Nuit, et parvient à sauver plusieurs de ses congénères. Elle devient reine des Ailes de Pluie.

Titre original : *Wings of Fire, The Dark Secret*

Création graphique : Phil Falco

Pour le clan d'origine d'Elliot et Jonah :
Willamina et Wyatt, Ashwin et Syrus, Leo
et Maya, Amelie, Charlie, Adam, Stella,
Rady et Lyla, Sylvie et Penelope, Calvin,
Evie et Joshua ainsi que Noah et Grace

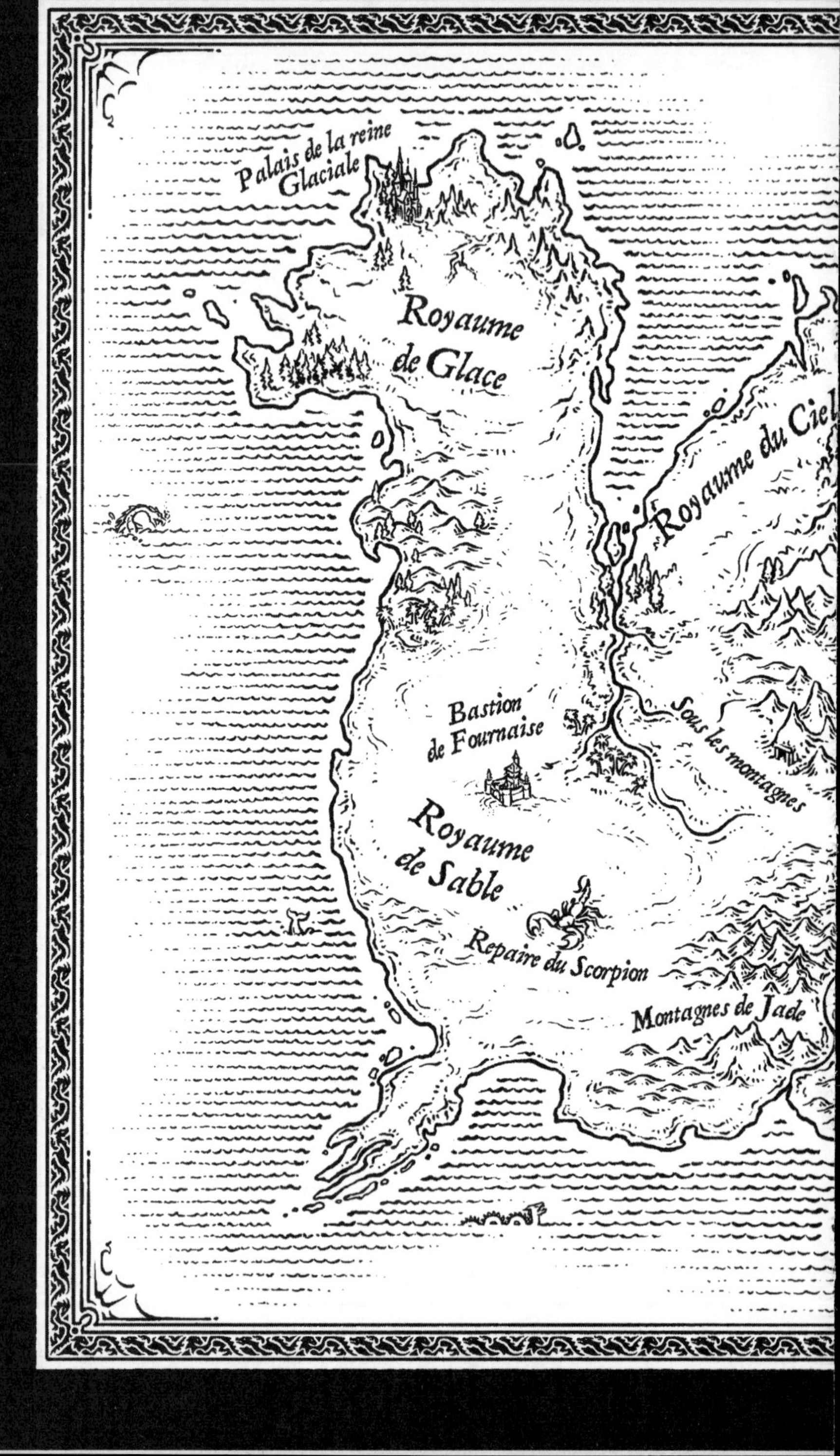

Palais de la reine Glaciale
Royaume de Glace
Royaume du Ciel
Bastion de Fournaise
Sous les montagnes
Royaume de Sable
Repaire du Scorpion
Montagnes de Jade

alais de la reine
Scarlet
ivière des Éclats de Diamant
Royaume
de la Mer
O
E
Delta des Éclats
de Diamant
Royaume de Boue
Repaire de
charognards
Repaire
de charognards
Royaume de Pluie

GUIDE DES DRAGONS DE PYRRHIA

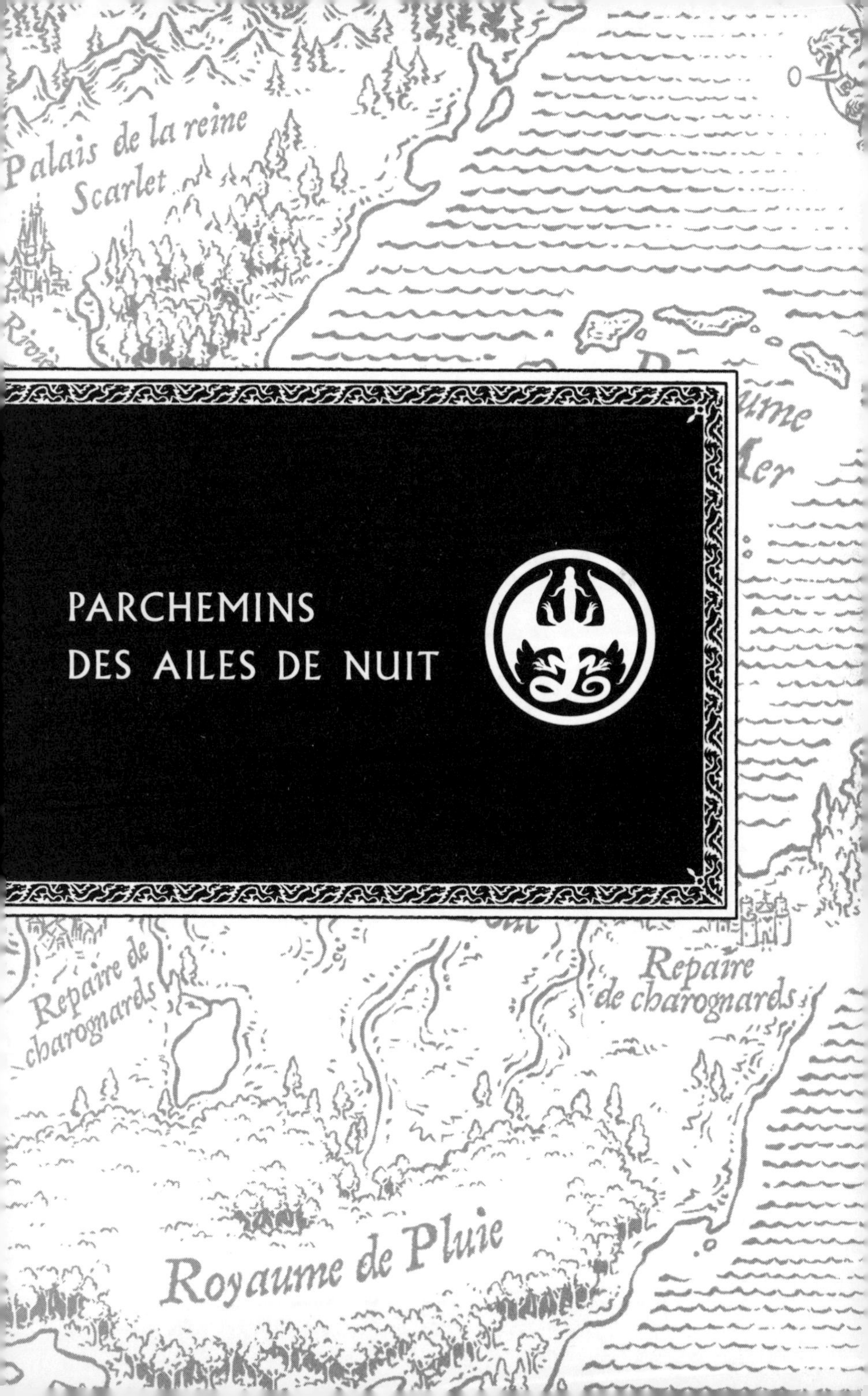

PARCHEMINS DES AILES DE NUIT

AILES DE SABLE

Description : leurs écailles sont d'un doré très pâle, presque blanc, couleur sable du désert ; leur queue est munie d'un aiguillon venimeux ; leur langue noire est fourchue.

Aptitudes : ils peuvent survivre très longtemps sans eau, piquer leurs ennemis comme des scorpions, se camoufler en s'enterrant dans le sable et cracher du feu.

Reine : depuis la mort de la reine Oasis, ses trois filles se disputent le trône : Fournaise, Fièvre et Flamme.

Alliés : Fournaise est soutenue par les Ailes du Ciel et les Ailes de Boue ; Fièvre est alliée avec les Ailes de Mer, et Flamme a le soutien de la plupart des Ailes de Sable ainsi que des Ailes de Glace.

AILES DE BOUE

Description : leurs écailles épaisses et marron ont parfois une sous-couche dorée ou cuivrée, leur tête est plate et large avec des narines rondes.

Aptitudes : de constitution robuste, ils peuvent cracher du feu (après avoir accumulé assez de chaleur), retenir leur souffle durant près d'une heure et se cacher au fond d'une flaque de boue.

Reine : Esterre

Alliés de Fournaise et des Ailes du Ciel dans la Grande Guerre.

AILES DE SABLE

AILES DU CIEL

Description : ils ont des écailles rouge orangé, voire dorées, et des ailes immenses.

Aptitudes : doués pour le vol et le combat, ils crachent du feu.

Reine : Scarlet

Alliés de Fournaise et des Ailes de Boue dans la Grande Guerre.

AILES DE MER

Description : ils ont des écailles bleues, vertes ou turquoise, des pattes palmées et des branchies, des bandes lumineuses sur la queue, le ventre et/ou le museau.

Aptitudes : excellents nageurs, ils respirent sous l'eau, voient dans le noir et peuvent générer d'énormes vagues d'un seul coup de queue.

Reine : Corail

Alliés de Fièvre dans la Grande Guerre.

AILES DE GLACE

Description : leurs écailles sont argentées comme la lune ou bleutées comme la glace ; ils possèdent des griffes striées pour se cramponner à la glace, une langue bleue et fourchue et une queue en pinceau semblable à un fouet.

Aptitudes : ils sont capables de supporter des températures polaires et une lumière intense ; leur souffle de glace est mortel.

Reine : Glaciale

Alliés avec Flamme et la plupart des Ailes de Sable dans la Grande Guerre.

AILES DE PLUIE

AILES DE PLUIE

Description : ils ont des écailles changeantes, généralement de couleur vive, comme les oiseaux tropicaux de leur jungle, et une queue préhensile, qui peut s'enrouler autour d'un objet ou d'un support pour l'agripper.

Aptitudes : ils se camouflent grâce à leurs écailles, qui adoptent la couleur du décor, et se suspendent par la queue ; ils ne possèdent pas de défense naturelle connue.

Reine : Viva

Alliés à personne. Ils ne sont pas impliqués dans la Grande Guerre.

AILES DE NUIT

Description : leurs écailles noir violacé comportent quelques touches d'argent sous les ailes, telles des étoiles brillant dans la nuit; leur langue noire est fourchue.

Aptitudes : ils crachent du feu, se fondent dans l'obscurité, lisent dans les pensées et voient l'avenir.

Reine : son identité est un secret bien gardé.

Alliés : aucun. Ils sont trop puissants et mystérieux pour s'impliquer dans la guerre.

AILES DE NUIT

La prophétie des dragonnets

Quand la guerre aura duré vingt longues années,
Viendra le temps des dragonnets.
Quand la terre sera de sang et de larmes imbibée,
Viendra le temps des dragonnets.

De tous les œufs,
Celui des Ailes de Mer sera le plus bleu.
Au sommet de la montagne, très haut,
Celui des Ailes du Ciel sera le plus gros.
Quant aux Ailes de Nuit,
Ils viendront à vous sans bruit.
Dans la terre des Ailes de Boue, au fond,
Repose l'œuf couleur sang-de-dragon.
Enfin, caché, à l'abri des reines rivales,
Se trouve l'œuf des Ailes de Sable.

Des trois reines Flamme, Fièvre et Fournaise,
Deux mourront et l'autre apprendra
Que si un destin plus haut elle veut bien accepter,
Au pouvoir des Ailes de Feu elle accédera.

Cinq œufs écloront par la Nuit-la-plus-Claire,
Cinq dragons nés pour mettre fin à la guerre.
L'obscurité fera place à la lumière.
Voici venu le temps des dragonnets.

PROLOGUE

Les Ailes de Glace avaient surgi de nulle part.

Cela aurait pourtant dû être une nuit tranquille; ils n'auraient dû croiser personne à part quelques Ailes du Ciel et peut-être d'autres Ailes de Boue qui patrouillaient le long des frontières montagneuses de leurs royaumes respectifs. Il n'y avait pas eu de bataille dans les environs du village depuis celle où ils avaient perdu Grue, six jours plus tôt.

Dès qu'il y repensait, Roseau sentait un gouffre s'ouvrir dans sa poitrine. Il avait parfois envie de fermer les yeux et de se jeter au fond de ce gouffre pour ne plus jamais en ressortir. Mais il ne pouvait pas faire ça : il avait quatre autres frères et sœurs qui comptaient sur lui. Il était leur chef, leur grand-aile – même s'il savait maintenant que, en principe, il n'aurait pas dû jouer ce rôle. Cela aurait dû être leur frère Argil, mais son œuf avait été volé avant d'éclore.

– Tu as entendu ? avait chuchoté Jonc, en le rejoignant d'un coup d'aile.

Jonc avait beau être le plus petit de leur fratrie, c'était le plus observateur. Roseau avait appris à l'écouter avec attention.

– Quoi ? avait-il soufflé, penchant la tête et tendant l'oreille.

Ils avaient pris un courant ascendant et s'étaient élevés dans les airs. Roseau avait scruté les pics déchiquetés des griffes des montagnes Nuageuses, mais il n'avait distingué aucun mouvement en contrebas, aucun battement d'ailes dans les parages.

Il s'était néanmoins retourné pour vérifier que ses frères et sœurs le suivaient bien, et leur avait fait signe de se rapprocher d'un battement sec de la queue. Aussitôt, Glaise, Grès et Ocre s'étaient mis en formation serrée autour de lui.

– J'ai cru entendre un sifflement, leur avait confié Jonc. Tout près.

Roseau avait balayé d'un regard inquiet les arbres sombres qui couvraient le flanc de la montagne. N'importe qui, n'importe quoi pouvait s'y cacher.

Mais le seul bruit qu'il percevait était la voix du général Aile de Sable, au loin, qui interpellait ses troupes à pleine voix, comme s'il ignorait le sens du terme « patrouille furtive ».

– Bougez-vous, les dragons de boue, tonnait-il.

Son escadron de sept Ailes de Sable, défendant tous fidèlement la reine Fournaise, le suivait en râlant.

– J'ai envie d'expédier cette patrouille pour pouvoir dormir un peu cette nuit, moi !

Jonc avait glissé à l'oreille de son frère :

– Ce n'était sans doute rien.

Il avait à peine fini sa phrase que neuf dragons de glace avaient brusquement surgi de la forêt pour attaquer les Ailes de Sable.

Une intervention si rapide, soudaine, fluide et maîtrisée que, avant même que Roseau n'ait eu le temps de réaliser ce qui se passait, deux dragons de sable dégringolèrent, les ailes en lambeaux et la gorge tranchée.

Grès poussa un hurlement de terreur et s'agrippa à Roseau, au risque de le précipiter dans le vide. Il ne s'était jamais remis de leur première bataille, où il avait vu leur sœur Grue mourir sous ses yeux.

« Il faut que je m'occupe de ça, pensa Roseau, mais pas maintenant. »

– Grès, reprends-toi ! cria-t-il en se dégageant de son étreinte. Venez vite, il faut qu'on les aide !

Voyant ses frères et sœurs hésiter, il se demanda, comme souvent, ce qu'Argil aurait fait à sa place et si les autres l'auraient suivi plus facilement, s'ils auraient été plus confiants... Peut-être se posaient-ils d'ailleurs les mêmes questions.

Mais personne ne dit tout haut ce qu'ils pensaient

tous : « C'est du suicide ! On ne peut pas les aider ! On n'a aucune envie de perdre encore quelqu'un ! »

À la place, ils se mirent en formation derrière lui et fondirent sur les agresseurs.

Roseau détestait se battre contre les Ailes de Glace. Leurs griffes striées semblaient dix fois plus tranchantes que celles des autres clans et leur queue fine comme un fouet laissait des cicatrices brûlantes sur le museau et les ailes. Mais le pire, c'est qu'il leur suffisait de souffler sur leur adversaire pour le tuer.

Il cracha une gerbe de flammes sur la plus grosse des dragonnes de glace qui s'était jetée sur le général Aile de Sable. Elle claqua des mâchoires et siffla, agacée, mais elle était trop occupée avec le général pour se soucier de Roseau. Il fit volte-face dans les airs et griffa les écailles blanc argenté d'un Aile de Glace qui l'avait attaqué par le flanc. Ils se cramponnèrent l'un à l'autre avec leurs serres puissantes tandis que le vent faisait claquer leurs ailes. Finalement, Roseau réussit à cracher un nouveau jet de flammes, obligeant son adversaire à esquiver vivement pour ne pas avoir le museau carbonisé.

Roseau repéra alors un Aile de Glace qui fonçait sur Jonc. Il s'interposa, écartant son frère, et encaissa le choc du dragon blanc contre sa poitrine. Tandis qu'il reculait en titubant, il en vit un autre qui tentait d'étrangler Glaise. Il rugit, furieux. Ocre se rua au secours de sa sœur, mais le dragon blanc ouvrit la gueule pour les pétrifier de son souffle glacial.

« Hors de question de perdre un autre membre de la famille, je ne m'en remettrai pas », pensa Roseau. Il percuta la dragonne de glace en plein flanc et lui trancha la gorge de ses griffes avant qu'elle ait pu se retourner contre lui. Elle écarquilla les yeux et émit un gargouillis étranglé tandis qu'un flot de sang jaillissait de la blessure. Lorsqu'il la lâcha, elle tomba comme une pierre vers la forêt, battant faiblement des ailes tel un insecte à l'agonie.

– Repliez-vous ! ordonna soudain une voix.

Le cœur de Roseau bondit dans sa poitrine, plein d'espoir. Il crut sur le coup que les Ailes de Glace abandonnaient la bataille. Hélas, c'était le général.

– Repliez-vous ! hurla à nouveau le dragon de sable.

Roseau estimait pourtant qu'ils auraient pu vaincre leurs adversaires s'ils avaient continué le combat, mais ça n'en valait pas la peine. À chaque instant, un de ses frères et sœurs risquait d'être tué. Alors que, s'ils se repliaient, ils resteraient en vie.

– Repliez-vous ! répéta-t-il, reprenant les ordres du général.

Il attrapa Jonc et le tira en arrière.

– Viens ! Toi aussi, Ocre.

Il plissa les yeux, comptant leurs silhouettes à la lueur de la lune : ils étaient tous vivants, pour le moment.

Sa sœur planta les dents dans la patte avant de son adversaire qui la lâcha en hurlant de douleur, puis elle les rejoignit aussitôt. Toute la fratrie s'éleva dans les airs d'un même mouvement.

Roseau vit les Ailes de Sable se diriger vers les montagnes. La plupart des dragons de glace se lancèrent à leurs trousses, seuls deux d'entre eux restèrent pour les poursuivre, lui et ses frères et sœurs.

– Par ici ! cria-t-il en piquant vers la forêt.

Si les Ailes de Glace avaient pu se cacher là-dedans, alors eux aussi. Il n'était pas obligé de suivre les Ailes de Sable – de toute façon, ils avaient sans doute filé droit au palais du Ciel. Et il n'avait pas envie de mener les Ailes de Glace jusqu'à son village.

Lorsqu'il s'enfonça entre les arbres, les branches de pin lui fouettèrent le visage. Ils s'étaient déjà entraînés à ce genre de vol, zigzaguer entre les troncs tout en restant groupés. Il fallait espérer que les autres s'en souviendraient et qu'ils le suivraient de près.

Entendant des battements d'ailes retentir derrière lui, il risqua un coup d'œil par-dessus son épaule. Même dans la pénombre, il était capable de reconnaître ses frères et sœurs à la manière dont ils volaient. Ils étaient tous là. Ce devait être les Ailes de Glace qui s'étaient pris dans les branches à la cime des arbres.

Roseau se posa. Les autres atterrirent autour de lui et se tapirent immédiatement au sol, les ailes déployées, afin de se fondre avec le tapis de terre et de mousse de la forêt.

Le silence se fit. Ils retenaient leur souffle. Des branches craquèrent au-dessus de leur tête. De petits animaux nocturnes s'affairaient dans les buissons. Roseau sentit un écureuil qui lui grimpait sur la patte mais il ne bougea pas.

Au bout d'un long moment, ils entendirent un sifflement, puis des battements d'ailes, au loin. Comme si les Ailes de Glace s'étaient rassemblés avant de s'éloigner.

Roseau ne remuait toujours pas. Il attendit presque une heure, jusqu'à ne plus pouvoir retenir sa respiration, jusqu'à ce que tous les bruits signalant la présence de dragons se soient tus depuis longtemps.

Puis, avec un maximum de précautions et de discrétion, il inspira. Il entendit les autres faire de même.

– Il y a des blessés ? chuchota-t-il.

– C'était affreux, murmura Grès. J'ai cru qu'on allait tous mourir.

– Ça va, fit Ocre. Juste des égratignures qui seront vite guéries.

– Moi aussi, ça va, enchaîna Glaise d'une voix rauque.

Comme le plus petit des dragonnets ne répondait pas, Roseau l'appela :

– Jonc ?

– Je n'en peux plus de cette guerre ! décréta-t-il. Je ne comprends même pas pour quoi on se bat ! Qu'est-ce que ça peut nous faire que ce soit telle ou telle dragonne, la reine des Ailes de Sable ? Je n'ai jamais rencontré Fournaise et je n'en ai pas la moindre envie ! Pourquoi est-on obligés d'affronter les Ailes de Glace pour défendre un trône qui ne concerne ni notre clan ni le leur ?

– Parce que notre reine en a décidé ainsi, répondit Ocre avec un peu plus d'ironie que Roseau ne le jugeait prudent, bien qu'il n'y eût personne pour l'entendre.

– La reine Esterre doit avoir une bonne raison de s'être alliée avec Fournaise et les Ailes du Ciel, déclara-t-il. Il ne faut pas remettre en cause ses décisions.

– En plus, la guerre va bientôt finir, intervint Glaise, à leur grande surprise.

Elle prenait rarement la parole, surtout depuis la mort de Grue. Roseau se tourna vers elle et vit ses yeux étinceler à la lueur de la lune.

– Argil va y mettre fin, affirma-t-elle.

Il y avait tant de ferveur dans la manière dont elle prononçait le nom de leur frère que Roseau eut envie de s'enfoncer dans une flaque de boue et d'y rester un mois entier. Elle avait une telle confiance en lui… alors qu'elle le connaissait à peine. Ils suivaient Roseau et ils l'aimaient, aucun doute là-dessus. Mais ils devaient sans doute se demander ce qu'aurait été leur vie si Argil avait été leur grand-aile comme prévu… et surtout si, avec lui, Grue serait encore en vie.

– C'est vrai, reprit Jonc en levant la tête. Argil et ses amis… ils vont bientôt venir nous sauver.

– Mais quand ça, « bientôt » ? gémit Grès. La prophétie prévoyait vingt ans, non ? Ça voudrait dire qu'il reste encore deux ans avant qu'ils stoppent la guerre.

– En fait, selon certains dragons, cela dépend comment on compte, expliqua Ocre. Si on part de la première bataille, ça ne fait que dix-huit ans, en effet. Mais si on remonte à la mort de la reine Oasis – et c'est bien à ce moment-là que tout a commencé –, cela fait presque vingt ans.

Remarquant l'air surpris de Roseau, elle se justifia :

– Je me suis renseignée au sujet de la prophétie depuis qu'on a rencontré Argil.

Il y eut un silence durant lequel chacun pensa à la guerre, à Argil et à la prophétie.

– Si vous n'êtes pas satisfaits de notre vie, on pourrait… enfin, on pourrait essayer de rejoindre les Serres de la Paix, proposa Roseau.

Ocre émit un sifflement indigné.

– Ce n'est pas parce qu'on n'aime pas la guerre qu'on doit abandonner notre clan. Nous sommes des Ailes de Boue. Notre place est dans notre village.

– Sauf si, toi, tu penses qu'on doit partir, fit Grès en s'appuyant contre Roseau. On fait comme tu veux.

– Oui, on te suit, renchérit Jonc.

Roseau le savait bien. Mais n'avaient-ils pas tort ? Il

n'avait aucune idée de ce qu'il fallait faire. C'était un dilemme impossible : trahir son clan ou bien continuer à risquer la vie de ses frères et sœurs.

– On n'est pas obligés de décider ce soir, reprit Ocre d'un ton plus posé. On l'a échappé belle aujourd'hui. On ferait mieux de rentrer dormir. On y verra plus clair demain matin.

Roseau acquiesça. Ils se rassemblèrent, étirant leurs ailes engourdies du mieux qu'ils purent sous les arbres. Une pluie d'aiguilles de pin tomba sur leurs écailles, dégageant une bonne odeur de feu de bois.

– Qu'est-ce qu'ils fabriquaient par ici, ces Ailes de Glace ? s'interrogea Grès en secouant ses pattes.

– Aucune idée, répondit Roseau. On aurait dit qu'ils étaient en embuscade, à nous attendre… Et pourtant, on n'est pas une patrouille très importante. Peut-être qu'ils étaient dans les parages pour une autre raison et qu'on a eu le malheur de passer par là.

– Ils cherchaient peut-être le repaire des charognards, suggéra Jonc.

– Quel repaire ? s'étonna Roseau.

– Vous ne sentez pas ? On l'a survolé. Il est caché au cœur de la forêt.

– Tu veux dire que tu l'as remarqué alors qu'on prenait la fuite ?

Jonc haussa les épaules.

– Pourquoi les Ailes de Glace s'intéresseraient-ils à un

repaire de charognards ? demanda Glaise de sa petite voix.

Ils réfléchirent tous un instant, avant de se tourner vers Roseau.

– Je n'en sais rien, avoua-t-il.

Il avait l'impression de répéter cette phrase constamment, ces derniers temps.

– Bah, fit Ocre en déployant les ailes. Ça ne fait rien. L'important, c'est qu'on soit tous sortis vivants de cette nouvelle bataille, grâce à Roseau.

« Je me demande s'ils en sont tous convaincus, pensa ce dernier. Moi pas, en tout cas. »

– J'espère qu'on survivra à la prochaine, ajouta Grès d'un ton sinistre.

– J'espère qu'il n'y aura pas de prochaine fois, décréta Jonc. J'espère qu'Argil va accomplir la prophétie et sauver le monde très bientôt pour qu'on n'ait plus à se battre. Pas vrai ? Vous croyez que c'est possible ?

– Peut-être, soupira Ocre. J'espère.

– Moi aussi, renchérit Roseau.

Il leva les yeux vers les étoiles.

« Avant que la guerre ne m'arrache quelqu'un d'autre auquel je tiens. Avant que notre village soit détruit. Avant que j'aie à choisir entre la fidélité à mon clan et la sécurité de mes frères et sœurs. Avant que nous ayons à tuer à nouveau. »

– J'espère aussi.

Royaume de Glace

Royaume du Ciel

Bastion de Fournaise

Sous les montagnes

Royaume de Sable

Repaire du Scorpion

Montagnes de Jade

PREMIÈRE PARTIE
LE PLAN SECRET

CHAPITRE 1

« Où est-elle ? »

Comète aurait pu croire qu'il était mort s'il n'avait pas eu aussi mal partout. Quand il tentait d'ouvrir les paupières, tout demeurait sombre. Il avait le museau et la gorge qui piquaient, à vif comme s'ils avaient été frottés contre une peau de crocodile.

« Comment va-t-elle ? »

Il n'arrivait plus à distinguer ce qu'il avait vu en rêve de ce qui était bien réel.

Peut-être était-il encore dans la grotte, au cœur de la montagne. Peut-être ses amis n'avaient-ils jamais essayé de s'échapper. Peut-être n'était-ce qu'un long cauchemar dû à l'annonce de la visite de Loracle.

Mais Comète se rappelait le moment où le grand dragon noir l'avait pris à part. Lui avait fait un long discours sur le fait que les Ailes de Nuit avaient « une réputation à préserver», qu'ils étaient «naturellement doués pour diriger les autres dragons» et qu'il devait s'arranger pour que les dragonnets le respectent, le craignent et le suivent, ou bien il serait «une immense déception pour tout le clan»...

Comète n'aurait pas pu inventer ça tout seul. Ces phrases résonnaient encore à ses oreilles, bien réelles.

Il se roula en boule sur le côté et sentit des rochers pointus contre son flanc.

Et le palais du Ciel? C'était vrai, ça aussi? Les dragonnets capturés avant même d'avoir pu profiter de leur liberté. Retenus prisonniers au sommet d'immenses colonnes de pierre. L'arène au sable brûlant qui sentait la peur et le sang. La joie de la reine Scarlet à l'idée de détenir un véritable Aile de Nuit, de pouvoir le faire combattre dans l'arène, de le voir mourir sous ses yeux.

Ça devait être vrai aussi, parce que Comète se rappelait avoir été «sauvé» de justesse par les Ailes de Nuit. Il revoyait encore ses amis réduits à de minuscules points – un bleu, un marron et un noir –, tandis qu'il s'élevait dans le ciel. Il savait que c'était vrai parce qu'il sentait encore l'angoisse qui l'avait étreint, l'impression d'être un rouleau de parchemin déchiré en deux, si bien que le texte n'avait plus aucun sens.

«La reverrai-je un jour?»

«J'espère qu'elle n'est pas là. J'espère qu'elle est ailleurs, en sécurité.»

– Je crois qu'il a un problème.

Une voix ?

Il voulut tendre l'oreille, mais il ne parvenait pas à s'extirper de ses rêves.

Loracle lui avait encore fait la leçon. Il fallait absolument que Comète soit le leader du groupe de dragonnets, « tout reposait sur lui ». Le gros dragon noir lui avait donné de nouvelles instructions : il devait convaincre les autres de choisir Fièvre comme reine des Ailes de Sable.

– Peut-être qu'ils l'ont tué sans le faire exprès. Ce ne serait pas grave, je pourrais le remplacer dans la prophétie.

– Je ne pense pas que cela fonctionne de cette manière, Mordante.

Puis ils s'étaient retrouvés au royaume de la Mer. Personne n'avait voulu l'écouter. Ses amis lui avaient ri au nez lorsqu'il avait proposé de soutenir Fièvre.

Nouvelle prison, nouvelle évasion, toujours sans que Comète intervienne. Puis la forêt de Pluie et ses étranges tunnels maléfiques : un qui menait vers le royaume de Sable, l'autre, visiblement, vers le repaire secret des Ailes de Nuit.

Ça, Comète s'en souvenait parfaitement.

Il se rappelait avoir plongé les yeux dans ce trou noir, au creux d'un arbre, qui menait vers sa terre d'origine, une terre où il n'avait jamais mis les pattes.

– Je parie que, si je le mors, il se réveillera.

– Je parie que Loracle te jettera dans le cratère s'il voit la marque de tes dents sur son petit chouchou prophétique.

– Je parie que ma mère le dévorera tout cru s'il essaie.

Il entendait des voix, c'était une certitude. Des voix inconnues, tout près de lui.

Après cela, ses souvenirs de la forêt de Pluie devenaient flous. Non, il fallait qu'il se concentre, qu'il se rappelle les derniers instants. Quand il montait la garde devant le tunnel pour empêcher les Ailes de Nuit de venir attaquer les Ailes de Pluie. Que s'était-il passé ?

– En tout cas, il a intérêt à se réveiller et à être un peu intéressant, parce que, sinon, Loracle va s'en débarrasser avant même qu'on ait pu lui demander quoi que ce soit.

– Ooh ! J'ai une idée.

Il y eut un crissement de griffes contre la roche, puis le silence.

Les paupières de Comète étaient trop lourdes, il ne parvenait pas à les ouvrir, comme si une couche d'écailles supplémentaires était posée dessus. Il se laissa à nouveau submerger par l'obscurité.

Oui… c'était ça. Il gardait le trou. Avec Argil. Les rayons du soleil matinal filtraient à travers le feuillage. Des fleurs bleu turquoise se tournaient vers la lumière, Sunny était retournée au village avec Tsunami pour voir Gloria devenir reine des Ailes de Pluie.

La veille au soir, Sunny leur avait apporté à manger. Ses ailes dorées avaient effleuré les siennes tandis qu'elle lui tendait d'étranges petits fruits violets.

« Je t'aime. » Ça, il ne lui dirait jamais.

« Ne me tiens pas rigueur de ce que les autres Ailes de Nuit ont fait. Ne pense pas que j'apprécie mon clan. N'écoute pas Gloria quand elle décrit mon royaume, la fumée, le feu, l'odeur, la mort, les Ailes de Pluie emprisonnés, torturés, et les cruels dragons noirs. Ne me regarde pas comme si j'étais l'un des leurs, comme si je risquais de faire la même chose un jour, je t'en prie. »

Elle lui avait souri. À ses yeux, il serait toujours le Comète qu'elle appréciait tel qu'il était.

Son ami.

D'un côté, c'était tant mieux ; de l'autre, c'était pire que tout.

– Attention ! Je ne retournerai pas en chercher si tu la renverses, imbécile !

– Alors dégage tes grandes ailes de mon passage, gros malin.

Les voix, à nouveau.

Comète s'accrocha à ses souvenirs, en s'efforçant de se rappeler ce qui était arrivé juste avant qu'il ne sombre dans l'obscurité.

Il était en train de fixer ce trou, en se posant mille questions sur les autres Ailes de Nuit. Étaient-ils tous aussi terrifiants que Loracle ? Et s'il décidait de s'enfoncer dans ce tunnel pour aller leur parler, l'écouteraient-ils ? Pourrait-il éviter que les Ailes de Nuit et les Ailes de Pluie s'affrontent ? Peut-être que son clan le comprendrait, croirait en lui. Peut-être estimaient-ils que l'intelligence valait mieux que le courage. Peut-être que cela leur serait égal qu'il ne possède aucun des mystérieux pouvoirs des Ailes de Nuit.

« Mais qu'est-ce que Sunny penserait de moi ? s'était-il demandé. Elle dirait probablement : "Qui es-tu et qu'as-tu fait de Comète ?" »

Parce que jamais, au grand jamais, il n'aurait eu le courage d'emprunter ce tunnel en solo.

C'est alors qu'Argil avait crié :

– Tu as vu ? Je crois que c'était un sanglier ! Je reviens tout de suite !

Et le pauvre Aile de Boue perpétuellement affamé s'était engouffré entre les arbres, laissant Comète surveiller le trou tout seul…

En un clin d'œil, des ailes sombres avaient surgi du trou, des griffes sombres lui avaient agrippé le museau, une voix sombre avait sifflé à son oreille :

– Pas un bruit si tu tiens à ton ami.

Et une autre voix sinistre avait ajouté :

– Mieux vaut prendre toutes les précautions.

Alors qu'il n'avait pas émis un son. Il avait su que ça allait faire mal avant même de recevoir le coup sur la tête, que la douleur l'envahisse et c'était la dernière chose qu'il...

SPLASH!

Comète sursauta en hurlant. Il ouvrit brusquement les yeux. De l'eau glacée et salée dégoulinait sur son museau, coulait dans son cou, s'infiltrait sous ses écailles. L'impression de torpeur et de confusion se dissipa instantanément.

– Ça a marché! exulta l'une des voix inconnues.

– Zut! grommela une autre. Je croyais vraiment qu'il était mort.

Lorsque Comète secoua la tête, une douleur intense lui vrilla le crâne. Il se frotta le museau, s'efforçant de chasser l'eau de mer qui lui piquait les yeux.

Six, sept, peut-être même huit silhouettes sombres et floues l'encerclaient. Dans leur dos, les parois de pierre noire étaient zébrées de lignes rougeoyantes, jetant une lueur dansante alentour. L'eau glacée lui avait dégagé le nez un instant, mais l'air enfumé s'engouffrait maintenant dans ses narines.

« Qui êtes-vous? » voulut-il crier, mais il n'émit qu'un couinement rauque.

– Bah... Moi qui pensais qu'il allait nous attaquer, fit une troisième voix. C'est ce que j'aurais fait.

– Il n'a pas l'air très dangereux, constata une autre, sceptique. Ils auraient dû choisir un dragonnet plus costaud, non? Plus gros, plus fort, plus féroce!

– Comme moi, fit la voix qui avait espéré sa mort.

– Bande d'écervelés, vous êtes pires que des Ailes de Pluie ! s'écria encore une autre voix.

Comète avait perdu le compte.

– Il était encore dans l'œuf quand ils l'ont pris. Ils ne savaient pas s'il serait gros ou fort, ni même si ce serait un mâle ou une femelle. Sinon, ils auraient choisi une fille, c'est évident.

– Salut, lança Comète en toussotant. Salut ?

L'une des silhouettes s'approcha assez près pour qu'il distingue une dragonnette à l'air furibond, qui devait avoir deux ou trois ans de plus que lui. Elle toucha sa gueule pour regarder ses dents, lui pointa une griffe dans la poitrine – ce qui le fit tousser à nouveau –, et enfin inspecta ses griffes avant de pousser un soupir exaspéré.

– Faiblard ! Je l'aurais renvoyé aussi.

– Tu dis ça parce que tu aurais aimé être choisie à sa place, intervint un autre dragonnet en s'avançant.

Il tapota la tête de Comète d'un geste presque amical.

– Mais les prophéties, ça ne fonctionne pas comme ça !

– C'est ce qu'on va voir, marmonna-t-elle.

– Je te présente Mordante, annonça le dragonnet le plus sympathique. Ne fais pas attention à elle. Les grandes sœurs pensent toujours qu'elles font tout mieux que leurs petits frères. Je le sais, j'en ai une aussi. Au fait, je m'appelle Lagriffe.

– Ma grande sœur ? répéta Comète en fixant Mordante, stupéfait.

– Oui, c'est la séquence émotion des retrouvailles familiales, dit-elle. Même mère, pères différents, faut croire. Comment tu te sens ?

Elle le toisa de la pointe des cornes au bout de la queue.

– Patraque ? Très patraque ? À l'agonie, peut-être ?

– Il y a quelque chose qui t'échappe dans la définition du mot « prophétie », Mordante ? la coupa un autre dragonnet. Les événements doivent se dérouler exactement comme c'est écrit dans la prophétie. Salut, étrange dragon. Je suis Télépathe. Mais ne t'inquiète pas, je te promets que je n'irai pas voir dans ta tête.

Les autres explosèrent de rire, comme s'il s'agissait de la blague la plus drôle de toute l'histoire de Pyrrhia.

Les trois dragonnets qui semblaient plus jeunes que Comète levèrent les yeux au ciel, visiblement habitués à leur humour vaseux.

Comète s'ébroua pour sécher ses écailles mouillées, perplexe.

Maintenant qu'il y voyait plus clair, il se rendit compte qu'il se trouvait dans une grotte tout en longueur, étroite, bordée de petites alcôves creusées dans la roche à intervalles réguliers, pile de la taille d'un lit de dragonnet. Il était justement allongé sur l'une de ces couchettes, non loin d'une porte voûtée qui semblait être la seule issue. Sur le sol, il aperçut la pierre creuse qui avait sûrement servi à l'arroser d'eau de mer.

Ça ne ressemblait pas à une prison, mais à un dortoir.

Des trous ménagés dans le mur abritaient des braises ardentes, qui baignaient les lieux d'une lueur rougeoyante. Une lucarne à chaque bout de la grotte laissait filtrer une faible lumière grisâtre.

Il y avait au moins cinquante couchettes, à ce que Comète pouvait voir, mais seules onze d'entre elles paraissaient occupées. Sur ces dernières, des couvertures rugueuses gisaient en tas, tandis que d'autres étaient jonchées de coquillages ou de cailloux biscornus. Sur certains des lits occupés, on apercevait parfois un rouleau de parchemin – il en avait les griffes qui le chatouillaient d'envie. Mais la plupart des couchettes étaient complètements nues.

« Des lits pour les dragonnets, mais pas de dragonnets pour y dormir », pensa-t-il.

Une phrase que Loracle avait laissée échapper, peu après l'avoir sauvé des griffes des Ailes du Ciel, lui revint alors en mémoire : « On ne peut pas se permettre de perdre le moindre Aile de Nuit, même les plus petits et bizarres. »

« On dirait que mon clan a un problème... Soit leurs dragonnets disparaissent... soit ils n'en ont pas assez dès le départ. »

Cette grotte sentait le soufre et la chair en décomposition. Quand Mordante se pencha pour lui donner un nouveau coup dans le ventre, il s'aperçut que cette odeur d'animal pourri venait des dragonnets eux-mêmes. Ils avaient une haleine abominable ! Loracle ne sentait déjà pas très bon de la gueule, mais là, c'était insoutenable. Comète devait se faire violence pour ne pas reculer lorsque l'un d'eux s'adressait à lui.

Ils étaient également d'une maigreur extrême, tous autant qu'ils étaient, les côtes saillantes, les yeux injectés de sang, secoués de violentes quintes de toux.

« Même les dragonnets qui survivent sont en mauvaise forme », constata Comète.

Il s'étira discrètement, tout en fixant la porte. Elle ne semblait pas barricadée. Pour autant qu'il puisse en juger, on pouvait quitter la grotte librement. « Il doit y avoir un garde posté à la sortie, supposa-t-il. Ou même un bataillon de gardes. Ou alors un système plus vicieux, comme les anguilles électriques de la reine Corail. Ou une rivière de lave comme celle qui empêche les Ailes de Pluie prisonniers de s'échapper de leur cellule. »

Il frissonna.

– Qu'est-ce que je fais là ? s'inquiéta-t-il.

La petite bande de dragonnets échangea un regard.

– C'est parce que tu as échoué, suggéra Mordante. J'imagine.

– Ça, on n'en sait rien, intervint Lagriffe. Deux gros dragons t'ont déposé ici il y a quelques heures. Depuis, tu n'as fait que marmonner et t'agiter dans ton sommeil.

– Ouais, visiblement, tu te fais du mouron pour une certaine Sunny. C'est qui ? le questionna l'un des autres dragonnets.

Comète eut brusquement envie de se jeter dans le cratère.

– Une dragonnette, murmura-t-il, tout en pensant : « J'espère qu'elle est en vie. »

– Tu pourrais nous parler du continent ? demanda Télépathe, tout excité. Dis-nous tout. On a entendu dire qu'il y avait des arbres plus grands que des dragons et que, à certains endroits, le ciel était bleu. C'est vrai ou c'est des bobards ? Et c'est quoi le truc le plus cool que tu aies vu ? Le truc le meilleur que tu aies mangé ?

– Vous n'êtes jamais allés sur le continent ? s'étonna Comète.

– Les dragonnets ne sont pas autorisés à quitter l'île avant l'âge de dix ans, expliqua Lagriffe. Avant, nous ne serions soi-disant pas capables de tenir notre langue et de garder pour nous les secrets des Ailes de Nuit.

Tous les dragonnets poussèrent en chœur un soupir exaspéré.

– Tu es la seule exception, déclara Mordante d'une voix chargée de mépris.

– Lui et un autre, corrigea Télépathe. J'ai entendu ma mère dire qu'il y en avait un autre.

– Je ne connais aucun des secrets des Ailes de Nuit, avoua Comète.

– Oh…, fit Lagriffe. Évidemment, c'est le meilleur moyen de s'assurer que tu ne les répéteras pas.

Une cavalcade de pattes griffues dans le couloir précéda l'irruption d'une dragonnette plus petite que les autres, qui devait avoir environ trois ans. Elle s'engouffra dans la grotte en haletant :

– Il arrive !

Les dragonnets regagnèrent instantanément leurs couchettes. Pour la plupart, ils se cachèrent sous leurs couvertures, comme s'ils dormaient déjà. Certains prirent un parchemin, l'air studieux, tandis que d'autres firent semblant de ranger leurs affaires. Mordante se contenta de s'asseoir sur son lit, les ailes repliées, fixant la porte.

En entendant les pas lourds approcher, Comète regretta de ne pas être resté inconscient. Il leva les yeux vers la lucarne et envisagea un instant de se faufiler au travers tout en sachant parfaitement qu'il n'aurait jamais le cran d'essayer.

Sa queue crissant sur le sol de pierre, Loracle pénétra dans la grotte. Il gratifia Mordante d'un regard noir avant de toiser Comète de toute sa hauteur.

– Debout ! gronda-t-il. La reine des Ailes de Nuit veut te voir.

CHAPITRE 2

Jusque-là, chaque fois que Comète avait croisé une reine… ça ne s'était pas franchement bien passé.

– M-m-moi ? bégaya-t-il. Maintenant ? Vous voulez dire tout de suite ? Ne vaudrait-il mieux pas que je… enfin, je ne suis pas vraiment en état… je n'ai pas vraiment le… enfin pour voir une reine… peut-être que…

– Arrête de radoter et suis-moi.

Loracle fit volte-face et sortit de la grotte avec un grognement.

– Allez, allez, allez, siffla Lagriffe en agitant les ailes, voyant que Comète hésitait.

En voulant rattraper l'immense Aile de Nuit, Comète se prit les griffes dans les petits trous du sol rocheux et trébucha. « Pierre volcanique, constata-t-il en scrutant la paroi. Je me demande quand a eu lieu la dernière éruption. » À en juger par les grondements qui ébranlaient la roche sous ses pattes et par la chaleur qui en montait, le volcan n'avait pas l'air vraiment endormi.

Loracle le conduisit dans un tunnel sinueux sans jeter un regard en arrière.

– Mes amis…, commença Comète. Sunny et les autres… sont-ils… ?

Le gros dragon noir ne se retourna même pas.

Comète continua d'avancer durant quelques minutes en silence, puis prit une profonde inspiration et réessaya :

– Quand pourrai-je retourner là-bas ?

Pour seule réponse, Loracle émit un reniflement méprisant. Le dragonnet ravala ses questions et serra nerveusement ses ailes contre son dos. Le couloir était de plus en plus exigu.

Il ne vit ni gardes ni rivière de lave. En fait, il ne vit pas un seul autre Aile de Nuit.

Mais à mesure qu'ils avançaient, Comète distingua un brouhaha, une sorte de murmure sifflant, de plus en plus fort.

Des éclats de voix, des dragons qui criaient, se disputaient.

Un frisson hérissa les écailles de Comète jusqu'à la dernière. S'il n'avait pas autant craint Loracle, il aurait tourné les talons pour repartir dans l'autre sens.

Enfin, ils débouchèrent dans une grotte remplie de dragons, pour la plupart pendus au plafond comme des chauves-souris. Leurs ailes masquaient presque complètement la paroi rocheuse. Un à un, ils tournèrent la tête vers eux. Le silence se fit.

Une dernière voix résonna :

– On devrait attaquer maintenant. On aurait même dû attaquer hi…

Elle s'interrompit abruptement lorsque son propriétaire aperçut Comète.

Le dragonnet se demanda à nouveau s'il était en train de rêver, parce que son pire cauchemar se réalisait : il se retrouvait au milieu d'une grotte pleine d'Ailes de Nuit qui le fixaient, furibonds.

– Attention ! grommela Loracle lorsque Comète lui rentra dedans.

Le dragonnet aperçut par-dessus son épaule l'intérieur de la grotte.

Au bout de quelques mètres, le sentier caillouteux s'arrêtait brusquement, débouchant sur une étroite langue de pierre. Tout autour bouillonnait un lac de feu liquide et flamboyant. Il sentait déjà la chaleur dessécher ses écailles.

Loracle retourna prudemment se poster à l'entrée de la grotte et le poussa devant lui, le laissant seul sur l'éperon rocheux, cerné par la lave.

La lave et les Ailes de Nuit.

« En plus, ils sont tous en train de lire dans mes pensées, se dit-il, paniqué. Ils voient tout ce qui se passe dans ma tête. Ils savent que je suis terrifié, vulnérable, impuissant et que je ne juge pas Fièvre digne d'être la prochaine reine des Ailes de Sable et que je trouve cet endroit abominable et que… Arrête de penser à tout ce que tu ne veux pas qu'ils sachent ! »

Au prix d'un effort monstrueux, il réussit à se concentrer sur le décor qui l'entourait.

« Pense à ce que tu as sous les yeux et à rien d'autre. »

Pour commencer, ils n'étaient pas des centaines à le regarder. Il effectua une rapide estimation du nombre d'Ailes de Nuit présents, enfouissant ses autres pensées sous une montagne de chiffres. Quarante tout au plus. Il y avait environ quarante dragons dans cette grotte, la plupart aussi grands que Loracle.

Il remarqua un espace libre sur les parois de la grotte, juste en face de lui. Une sorte de cercle gravé dans la pierre, à peu près de son envergure ailes déployées, et percé de dizaines de petits trous à peine plus grands qu'un œil de dragon.

Les Ailes de Nuit ne cessaient de fixer ce cercle, avec attention.

Une dragonne à la poitrine zébrée par une cicatrice se tenait sur un parapet, à côté du cercle. Elle avait les ailes étrangement basses, comme si elles étaient lestées par des cailloux, et elle portait une rivière de diamants autour du cou. Une autre guirlande de diamants en gouttes d'eau ornait ses cornes.

« Il ne s'agit pourtant pas de la reine… Impossible », pensa Comète. Elle ne dégageait aucune autorité. Elle n'irradiait pas d'un pouvoir majestueux de la pointe des griffes au bout des ailes, contrairement aux autres reines qu'il avait rencontrées.

Il ne mit qu'un instant à trouver la clé de l'énigme et à comprendre qu'il y avait quelqu'un derrière cet écran de pierre, quelqu'un qui l'observait à travers les petits trous. Un frisson parcourut ses écailles. Personne ne pouvait la voir, et pourtant elle emplissait la pièce de sa présence, telle une épaisse fumée.

« La reine des Ailes de Nuit. »

Les parchemins la présentaient toujours comme une dragonne mystérieuse, dont l'identité demeurait inconnue, mais Comète n'aurait jamais imaginé qu'elle se cachait même à la vue de son propre clan.

« Pourquoi ? Parce que c'est encore plus terrifiant. »

– C'est lui ? aboya l'un des Ailes de Nuit.

– Oui, confirma Loracle. Nous l'avons enlevé dans la forêt de Pluie ce matin.

Ici et là, dans la grotte, quelques dragons agitèrent les ailes, mal à l'aise.

– Nous a-t-il livré des informations ? demanda un des spectateurs. Toi, dragonnet, dis-nous ce qu'ils savent ! Ce qu'ils préparent !

– Quand vont-ils attaquer ? renchérit un autre.

– Et comment l'Aile de Pluie a-t-elle fait pour s'évader ?

cria une dragonne tandis qu'ils se mettaient tous à parler en même temps. Nous avons entendu dire qu'elle était en compagnie d'un Aile de Boue. Un Aile de Boue ! Comment a-t-il pu s'introduire chez nous ? Pourquoi ne les a-t-on pas tués avant qu'ils ne s'échappent ?

« Ils font référence à Gloria et Argil », réalisa Comète avec effroi.

– Il s'agit de l'Aile de Pluie dont je vous avais parlé, gronda Loracle. Celle que les Serres de la Paix ont prise pour remplacer l'œuf d'Aile du Ciel qu'ils avaient perdu.

Il cracha dans la lave.

– Voilà pourquoi je leur avais ordonné de la tuer.

– Choisir une Aile de Pluie, non mais franchement..., s'emporta la dragonne aux diamants. Quelle bande d'imbéciles !

– Qui sait ce qu'elle a vu ! lança un autre dragon, paniqué. Si elle prévient les Ailes de Pluie de ce que nous préparons...

– Elle n'a aucun moyen de le savoir, assura Loracle.

– Elle est au courant de l'existence d'un tunnel entre nos royaumes, insista quelqu'un dans le fond. Et la toute petite s'est échappée avec elle. Elle a dû lui raconter tout ce qu'elle a vu à l'intérieur de la forteresse. Ils pourraient parfaitement en déduire quelles sont nos intentions.

Une clameur affolée emplit la grotte. Comète fixait le bout de ses pattes qui, hélas, ne cessaient de trembler. À tel point qu'il craignait presque de perdre l'équilibre et de plonger dans la lave. Cependant, il craignait tant d'autres choses que tomber n'était que le cadet de ses soucis.

Il jeta un regard vers l'écran de pierre derrière lequel s'abritait la reine. Elle n'avait pas encore pris la parole, mais il sentait qu'elle n'en perdait pas une miette. Ce picotement sur ses écailles ne pouvait signifier qu'une chose : elle ne l'avait pas quitté des yeux depuis son arrivée.

Soudain, la dragonne aux diamants se pencha vers l'écran, dans une posture attentive.

Le silence se fit instantanément dans la grotte. Pas un geste, pas un bruit, mis à part le *plop, plop* des bulles de lave. Tous les Ailes de Nuit présents semblaient retenir leur souffle.

Comète n'entendit rien, la voix majestueuse de la reine ne s'échappa pas de derrière l'écran. Cependant, la dragonne aux diamants acquiesça avant de se redresser.

– La reine Conquérante nous ordonne de nous taire et de le laisser parler.

Au grand désarroi du dragonnet, elle le désigna du menton.

– C'est pour ça qu'il est là. Qu'il nous dise ce que les Ailes de Pluie savent et ce qu'ils mijotent.

Tous les dragons se tournèrent vers lui.

Finalement, plonger dans la lave n'était peut-être pas une si mauvaise solution.

– Hum… je… je-je…, bégaya Comète.

– Parle ou je te tue sur-le-champ, menaça Loracle dans son dos.

Comète joignit les pattes et prit une profonde inspiration avant de déclarer :

– Elle s'appelle Gloria.

Les dragons sifflèrent. Ça leur était complètement égal.

– Elle… elle a raconté que vous reteniez des Ailes de Pluie prisonniers.

« Dites-moi qu'elle se trompait, je vous en prie. Dites-moi que c'est un malentendu. »

Mais personne ne le corrigea.

Devait-il leur révéler le plan de Gloria ? Qu'elle voulait devenir reine des Ailes de Pluie afin de rassembler une armée et de venir libérer leurs prisonniers ? Qu'il ne fallait pas la sous-estimer ?

Trahirait-il ses amis s'il révélait tout cela aux Ailes de Nuit ?

Ou bien trahirait-il son clan s'il se taisait ?

Il se sentait de plus en plus oppressé dans cette grotte enfumée.

« Et si je pouvais tout arranger ? C'est l'occasion que j'attendais. J'ai demandé à Gloria de me laisser parler aux Ailes de Nuit. Je voulais leur donner une chance de s'expliquer. Essayer de trouver une solution pacifique, pour éviter d'avoir à choisir un camp en cas de guerre. »

Sauf que, maintenant qu'il était là, sous leur regard noir et perçant, il ne trouvait plus les mots. Le brillant discours qu'il avait prévu de leur faire s'était envolé. Soudain, un dragon tout proche de lui rugit :

– Allez, dis-nous s'ils ont prévu de nous attaquer !

– Oui, laissa échapper Comète. Enfin… je pense.

Un tel vacarme accueillit cette révélation que le dragonnet dut s'asseoir, la tête sous les ailes. Il avait choisi la pire solution. Il avait mis en danger Gloria et les Ailes de Pluie, et il n'osait même pas prendre la parole pour tenter la fameuse diplomatie dont il avait toujours vanté les mérites.

« De toute façon, ils ne m'écouteraient même pas », se dit-il. Il ne pouvait en être sûr, mais il n'avait pas le courage de vérifier.

– Peu importe ! intervint une voix rauque. Quoi qu'il en soit, les Ailes de Pluie ne sont pas de taille à nous affronter.

Un dragon horriblement défiguré passa devant Loracle, se faufila à l'intérieur de la grotte et balaya l'assemblée d'un regard noir. Il avait le museau déformé par une terrible cicatrice, une narine obstruée, toute une plaque d'écailles fondues et de vilaines boules de chair suintante le long de la mâchoire.

La dragonne aux diamants fronça les sourcils.

– Tu n'as pas été convié à ce conseil, Vengeur.

– Oui, j'avais remarqué, siffla-t-il. Pourtant, j'en sais

plus qu'aucun autre sur les Ailes de Pluie et ce dont ils sont capables.

Il désigna son museau.

– Et je peux vous dire que ça, c'était un coup de veine de leur part. Les dragons de pluie sont trop stupides et lâches pour représenter un quelconque danger. La plupart d'entre vous sont au courant que j'ai écopé de cette blessure en capturant leur reine – enfin, une de leurs reines, en réalité – quel clan d'imbéciles ! Et elle ne l'a pas fait exprès, sinon je serais mort. C'était involontaire. Ils ne crachent jamais leur venin sur d'autres dragons.

Vengeur secoua la tête en respirant bruyamment par la bouche.

– Ils ont en leur possession l'arme la plus puissante de tout Pyrrhia et ils sont trop bêtes pour oser s'en servir !

– C'était peut-être ainsi *avant* l'arrivée de cette Gloria, fit valoir l'un des dragons. D'après ce qu'en dit Loracle, elle n'est pas aussi faible que le reste du clan.

« Ça, vous n'avez pas idée ! » pensa Comète.

– Et c'est par ta faute qu'ils nous ont découverts, Vengeur, reprit la dragonne aux diamants. C'est toi qui l'as amenée ici alors que Lassassin nous avait avertis que les dragonnets étaient dans la forêt et qu'il fallait éviter de s'y rendre tant qu'ils s'y trouveraient.

– Lassassin, grinça Vengeur. Oh, oui. Comment va votre petit chouchou, Somptueuse ? J'ai entendu une anecdote très croustillante à son sujet.

Il se tourna pour faire un signe de la queue.

Comète reconnut le tueur Aile de Nuit, que quatre gardes escortaient dans la grotte. Il commençait à y avoir beaucoup de monde sur le parapet rocheux près de l'entrée. Vengeur prit Lassassin par l'oreille et le jeta sur la langue de pierre où se tenait Comète. Ils se cognèrent l'un dans l'autre et furent obligés de déployer leurs ailes pour retrouver leur équilibre.

Comète réalisa que Lassassin n'était guère plus grand que lui, finalement. Il lui avait paru beaucoup plus costaud lorsqu'il avait attaqué la reine Flamme et menacé Gloria. Mais ici, encerclé par la lave, dans la même galère que lui, il était beaucoup moins intimidant.

– Ah ! fit Lassassin d'un ton amical. Tu es là aussi !

Ses yeux brillaient d'une question qu'il n'osait pas poser.

– Ce dragon, reprit Vengeur en le désignant, le tueur préféré de la princesse Somptueuse, complotait avec l'ennemi. C'est lui qui a amené l'Aile de Boue jusqu'ici. C'est lui qui les a aidés à s'échapper.

« Princesse ? Alors la dragonne aux diamants, Somptueuse, est la voix de sa mère... mais pour quelle raison ? » se demanda Comète.

– Attendez ! fit Lassassin en sautant habilement pardessus la tête de Comète, mettant le dragonnet entre Vengeur et lui.

Il pivota sur lui-même afin d'embrasser du regard

l'assemblée des dragons et écarta les ailes dans un geste d'innocence.

– Moi ? Comploter avec l'ennemi ? Et tu en as la preuve ?

– Oui, j'ai des témoins, siffla Vengeur. L'un des gardes qu'elle a agressés en s'évadant t'a vu les aider. Et les soldats que tu as distraits pour que l'Aile de Boue puisse sortir du tunnel, ils peuvent témoigner.

Un silence terrible se fit dans la grotte. Comète imagina qu'ils essayaient peut-être tous de lire dans les pensées de Lassassin pour voir si c'était vrai. Il s'efforça de faire le vide dans son esprit, au cas où.

Somptueuse tortilla sa rivière de diamants entre ses griffes.

– Lassassin… pour ce genre de trahison, le châtiment… c'est la mort.

Celui-ci déploya largement ses ailes et s'inclina bien bas en direction de la reine.

– Je jure de n'avoir agi que dans le meilleur intérêt de mon clan.

– Ah, oui ?

Vengeur eut une toux grasse.

– Alors pourquoi les dragonnets sont-ils toujours en vie, dans ce cas ?

Lassassin glissa un coup d'œil en coulisse à Comète. Ce dernier y lut une question, qu'il devina cette fois : « Sont-ils toujours en vie ? » Comète hocha imperceptiblement la tête. Il vit un immense soulagement se peindre brièvement sur le visage de Lassassin.

– Je n'ai pas fini d'accomplir ma mission, c'est vrai, dit-il. Je dois retourner dans la forêt de Pluie et…

– Et nous trahir une fois de plus? suggéra Vengeur. Ça, oui, je parie que tu as hâte.

Comète remarqua que Somptueuse se penchait à nouveau vers l'écran de roche percé, mais la plupart des regards étaient tournés vers Lassassin et personne ne s'en aperçut.

– Je vous assure que je suis loyal envers notre clan, reprit le jeune dragon noir en élevant la voix. Je suis d'avis qu'il faudrait discuter de la nécessité de tuer ces dragonnets, mais…

– Vous voyez? rugit Vengeur. Il est…

– Vengeur! le coupa Somptueuse.

Elle se redressa de toute sa hauteur sur son estrade et déploya les ailes, révélant les écailles argentées qui étincelaient du même éclat que les diamants autour de son cou. Bombant le torse, elle s'efforça de prendre un air majestueux et menaçant, sauf que ce n'était pas naturel. Elle n'avait clairement pas l'étoffe d'une future reine.

– Sa Majesté a parlé, annonça Somptueuse, rompant le silence pesant. Vengeur, tu as mis en danger le clan tout entier. Tu as désobéi aux ordres. Tu as fait entrer le loup dans la bergerie.

– Non! Attendez! protesta-t-il. Comparé à lui, ce n'est

rien. J'ai juste capturé un Aile de Pluie, comme d'habitude ! Comment aurais-je pu savoir… ? Vue de l'extérieur, elle n'avait rien de différent des autres !

– En outre, tu exaspères la reine, affirma Somptueuse.

Elle esquissa un infime mouvement de queue à l'adresse des gardes qui se tenaient à l'entrée.

– NOOON ! hurla Vengeur.

Il battit des ailes, mais il avait à peine décollé du sol que les quatre gardes fondaient déjà sur lui. D'un seul mouvement, avant même que Comète ait eu le temps de réaliser ce qui se passait, ils avaient poussé le dragon balafré dans le lac de lave.

CHAPITRE 3

Lassassin bondit dans les airs pour éviter les projections de lave. Comète ne fut pas assez rapide et une gouttelette orange vif s'écrasa sur sa patte. La douleur se propagea dans tout son corps, si vive qu'il crut s'évanouir.

Soudain, une forme hurlante et sombre ressortit du lac de lave : c'était Vengeur qui tentait de s'échapper, d'éviter d'être brûlé vif.

Cette fois, Lassassin saisit Comète entre ses serres et le tira vers le haut. Une gerbe de lave en fusion éclaboussa les environs tandis que le dragon à l'agonie battait des ailes.

– NE FAITES PAS ÇA ! AU SECOURS ! gémissait-il.

Les gardes s'approchèrent du bord, impassibles. Vêtus d'une sorte d'armure, comprenant un casque fermé et des plaques épaisses qui leur protégeaient le ventre, ils brandissaient des lances à trois piques, semblables à celle que Gloria avait rapportée dans la forêt de Pluie.

Ils les utilisèrent pour repousser Vengeur et le maintenir sous la surface jusqu'à ce qu'il cesse de se débattre et que la silhouette noire du dragon balafré sombre dans la lave rougeoyante et disparaisse.

Au bout d'un long moment, Comète se rendit compte qu'il retenait son souffle, et il reprit sa respiration. Il jeta un coup d'œil à Lassassin qui voletait à ses côtés. Il avait la mine sombre de celui qui vient d'apercevoir ce qui risque de lui arriver dans un futur proche – une vision qui n'avait rien de magique ni de prophétique.

– Merci, Majesté, fit-il finalement en s'inclinant en direction de la reine cachée.

– Pas si vite, Lassassin, intervint Somptueuse.

Comme sa voix se brisait, elle se racla la gorge en détournant les yeux.

– Nous n'en avons pas fini avec toi.

Elle se tourna vers les gardes.

– Jetez-le au cachot. Nous allons mener l'enquête, puis Sa Majesté décidera de son sort.

Lassassin rejoignit les gardes d'un coup d'aile, et se laissa pousser dehors, lançant un bref coup d'œil à Comète par-dessus son épaule. Hélas, celui-ci ne parvint pas à le décoder.

« Il croit sans doute que je lis dans les pensées. On

dirait qu'il essaie de me faire passer un message. Désolé, mon vieux. Mauvaise pioche. »

Somptueuse se massa les tempes, l'air épuisé.

– Bien, nous avons tous besoin d'une pause. Si c'est votre tour de manger cette semaine, allez-y. Nous nous réunirons de nouveau ce soir.

Elle balaya la grotte du regard, puis se pencha vers l'écran de pierre percé, avant d'ajouter :

– La reine vous demande de revenir au crépuscule proposer vos stratégies de défense et d'attaque. En attendant, Loracle essaiera de tirer des informations plus précises de ce dragonnet.

Le grand dragon noir acquiesça. Comète espérait qu'il n'avait pas l'intention de mettre en œuvre des techniques barbares pour lui soutirer des informations.

Les Ailes de Nuit se dispersèrent, la plupart filant par des trouées dans le plafond de la grotte. Comme Loracle lui indiquait le chemin d'un signe de tête, Comète le suivit à contrecœur dans le tunnel par lequel ils étaient arrivés.

Entendre Somptueuse parler de manger lui avait rappelé à quel point il avait faim. Mais il n'osait pas réclamer, ne sachant s'il était considéré comme un prisonnier, un espion ou juste un raté. Et après ce qui était arrivé à Vengeur, il préférait ne pas savoir ce que les Ailes de Nuit avaient l'intention de faire de lui.

Ses immenses ailes flottant derrière lui comme des

nuages d'orage, Loracle s'éloigna à grands pas pressés. Comète s'aperçut bientôt qu'ils ne retournaient pas au dortoir. Ils avaient bifurqué à un moment... et maintenant, il distinguait une lueur grisâtre au bout du tunnel.

Ils débouchèrent sur un parapet rocheux, à flanc de muraille. En contrebas s'étendait un paysage étrange, jonché de rochers noirs, comme les écailles d'un immense dragon noir, cernées d'orange vif rougeoyant. Un champ de lave...

Comète avait bien lu quelques lignes sur les volcans au fil des innombrables parchemins qu'il avait étudiés dans la grotte, il y avait une éternité. Mais comme il n'y avait pas de volcan en activité à Pyrrhia, il n'y avait pas prêté beaucoup attention. Il n'aurait jamais imaginé que les Ailes de Nuit, auteurs de la plupart de ces textes, étaient des spécialistes en vulcanologie, parce qu'ils vivaient justement sur un volcan.

N'ayant pas repéré de grotte ni de rivière de lave correspondant à la description de Gloria, il supposa qu'il se trouvait sur l'autre face de la montagne. Cependant, l'air était aussi âcre et enfumé qu'elle le lui avait dit. Il avait toujours l'impression que chaque bouffée lui irritait les narines, jusque dans la gorge.

Dans le ciel gris cendre, deux dragons noirs décrivaient des cercles sans fin, tels des vautours. Comète se demandait s'ils apercevaient le continent de là-haut. À quelle distance du reste de Pyrrhia cette île pouvait-elle bien se trouver ? Les Ailes de Nuit avaient-ils un autre moyen de s'y rendre que les tunnels secrets qui menaient à la forêt de Pluie ?

Tant et tant d'interrogations. Depuis toujours, il se posait mille questions sur son clan, sur leur repaire secret. Des questions auxquelles il allait peut-être enfin avoir la réponse.

« Ça y est, j'y suis ! Voici mon clan. Voici mon royaume. Voici ce que j'ai toujours cherché », se dit-il.

Sauf qu'il n'arrivait pas à y croire. Cet endroit sordide n'avait rien à voir avec ses rêveries sur les Ailes de Nuit. Il s'était imaginé un lieu de toute beauté où régnaient la musique et l'art, peuplé de dragons qui adoraient lire, avec des flèches montant jusqu'au ciel, des cascades, du soleil, des bibliothèques dans tous les coins. Pas ça – pas la fumée, la puanteur, ce paysage hostile et inhospitalier.

Et même un million de réponses, même toutes les réponses à toutes les questions qu'il pourrait inventer ne remplaceraient pas Sunny et les autres dragonnets.

Loracle contempla le champ de lave en inspirant longuement à plusieurs reprises, les narines dilatées, dardant sa langue fourchue. Il resta ainsi si longtemps que Comète commençait à se demander s'il avait un problème. Il se risqua enfin à toussoter :

– Hum…

Loracle lui jeta un regard noir au beau milieu d'une inspiration particulièrement intense.

– Je… hum… Je voulais juste vous dire que je ne sais rien d'autre. Vraiment. À propos de l'attaque des Ailes de Pluie.

Presque aussitôt, une petite voix se mit à protester traîtreusement dans sa tête : « Sauf que Gloria est sans doute leur reine, à l'heure qu'il est ! Et qu'en principe, les Ailes de Pluie sont des pacifistes ! Et… »

Il garda les yeux rivés sur la roche en ne pensant à rien d'autre qu'à la lave.

Loracle émit un reniflement méprisant.

– Ça ne m'étonne pas. Tu es le plus mauvais espion que j'aie jamais vu.

Il déploya ses ailes avant d'inspirer une dernière fois.

– Allons-y !

Il faillit faucher Comète avec sa queue en s'élançant dans les airs.

– On descend en bas, là ? s'étonna Comète en fixant d'un œil inquiet les fissures fumantes qui zébraient la roche.

Il rejoignit Loracle en battant nerveusement des ailes.

– C'est pas trop dangereux ?

– Bien sûr que si ! le coupa celui-ci. Nombre de dragons ont commis l'erreur d'essayer de se poser là-dessus, la croûte s'est brisée et ils ont sombré dans la lave.

Il désigna du menton une forme blanche qui dépassait des rochers.

Comète plissa les yeux, tentant de distinguer de quoi

il s'agissait… et le regretta bientôt. L'estomac retourné, il en aperçut quelques autres : des crânes de dragon, la gueule béante, figée dans un cri perpétuel.

– Je te conseille de ne pas y regarder de trop près, fit sèchement Loracle. On va par là.

Il indiqua l'autre côté du champ de lave, où Comète repéra un méli-mélo d'arbrisseaux grisâtres, couverts de cendre.

– Au fait… euh…

Le dragonnet s'éclaircit la voix.

– … quand Somptueuse dit « si c'est votre tour de manger cette semaine », ça veut dire quoi ?

Loracle siffla :

– On a un planning de rotation. Tous les Ailes de Nuit sont autorisés à chasser cinq jours par mois. Bien entendu, ces restrictions ne me concernent pas.

– Bien entendu ? répéta Comète d'un ton qui était plus interrogatif qu'il ne l'aurait voulu.

« Cinq jours par mois seulement ? Pas étonnant qu'ils soient tous si maigres… Les réserves de nourriture de l'île doivent commencer à s'épuiser. »

Le grand dragon noir le toisa, sourcils froncés.

– Le rôle que j'ai à jouer dans l'avenir du clan me rend indispensable.

– Mmm…, fit Comète, sans oser le questionner davantage.

En approchant des arbres, il découvrit une forêt plus

étendue qu'il ne l'aurait cru, couvrant un quart de l'île environ, du champ de lave jusqu'à la mer.

– Ah ! fit-il, soulagé. Je me demandais où vous chassiez.

Il ne devait pas y avoir beaucoup de proies qui se baladaient sur un volcan en éruption.

– Ici, quand on n'a pas le choix, cracha Loracle. Par exemple, lorsqu'on ne peut pas se rendre dans la forêt de Pluie ou au royaume de Sable.

Il darda sa langue noire et fourchue.

« Oh, ce qui explique pourquoi ils sont de si mauvaise humeur en ce moment. Ils ont l'habitude d'aller chercher du gibier supplémentaire dans la forêt, comme ce paresseux qu'on a trouvé près de la rivière. »

Comète avait eu du mal à chasser la puanteur de l'animal en décomposition de ses narines. Il eut un instant l'impression que le seul fait d'y avoir repensé avait ravivé ce souvenir déplaisant... avant de s'apercevoir que la même odeur putride montait de la forêt.

– Toute l'île était ainsi quand nous sommes arrivés, commenta Loracle.

– Vous voulez dire... couverte d'arbres ? s'étonna Comète. Et qu'est-ce qui s'est passé ? C'est le volcan ?

« Question idiote ! Bien sûr que c'est le volcan. »

Il se tourna vers la montagne de feu, dont les éruptions successives avaient dû petit à petit recouvrir la forêt de lave, changeant l'île en champ de roche nue.

Le grand dragon noir ne lui répondit pas. Tandis qu'ils décrivaient un cercle dans les airs, Comète repéra quelques autres Ailes de Nuit entre les arbres. Loracle leur lança un regard mauvais tout en adressant un bref signe de la queue au dragonnet.

– Vite, avant que l'un d'eux ne découvre ma proie !

– Votre… ? commença-t-il, intrigué.

Mais Loracle avait déjà replié les ailes pour descendre en piqué vers un bouquet d'arbrisseaux rabougris, non loin de la plage.

Il atterrit lourdement, soulevant un nuage de poussière grise, et colla aussitôt les naseaux au sol. Il émit un grognement monstrueux puis traversa la clairière à pas pressés, en inspirant bruyamment tout en dardant la langue avec vivacité.

Comète n'avait jamais vu un dragon chasser de cette façon. Dune leur avait appris ce qu'il pouvait dans la grotte – Comète était d'ailleurs assez doué pour flairer une piste. Mais en principe, il fallait guetter la proie en silence, afin de l'attaquer d'un mouvement fluide, sans se faire voir.

Vu le boucan que faisait Loracle, tous les animaux de l'île avaient dû l'entendre arriver !

Il suivit néanmoins le grand dragon noir en repensant aux leçons de chasse de Dune. Leur gardien Aile de Sable n'était pas particulièrement gentil avec eux, sans jamais cependant se montrer aussi cruel que Crécerelle.

Néanmoins, il avait remarqué l'assiduité de Comète pour les études et, parfois, il lui donnait des leçons particulières sur certains parchemins, quand le dragonnet avait du mal à comprendre.

Leur autre gardien, Palm, s'efforçait de lui en rapporter le plus possible lorsqu'il revenait de ses voyages à l'extérieur. Tous deux, ils l'avaient traité avec davantage d'égards que les autres dragonnets – craignant peut-être que ses pouvoirs surnaturels d'Aile de Nuit ne se manifestent soudainement.

« Alors que j'attends toujours », songea-t-il avec amertume, rentrant la tête entre ses ailes.

Avec un cri de triomphe guttural, Loracle arracha un buisson sans feuilles de son passage, découvrant un animal à demi mort.

« Pire, même ! constata le dragonnet. Presque complètement mort. »

C'était un tas de plumes grises et blanches, gros comme une tête de dragon. Lorsque l'Aile de Nuit y planta une griffe pour le tirer vers lui, il laissa échapper un couinement pathétique.

– Qu'est-ce que c'est ? demanda Comète, qui ne se rappelait pas avoir croisé la description d'un pareil volatile au cours de ses lectures.

Poussé par la curiosité, il oublia presque sa peur et s'enhardit à questionner Loracle.

– Je n'ai jamais vu une mouette aussi grosse !

– Un albatros géant, l'informa l'Aile de Nuit, en le retournant. J'aurais cru qu'il serait déjà mort.

Il haussa les ailes avant de trancher la gorge de l'oiseau d'un coup de griffe.

Comète se couvrit le museau d'une de ses ailes. La puanteur était presque insoutenable. Il devait se retenir de courir jusqu'à la mer plonger sa tête dans l'eau pour ne plus rien sentir.

Lorsque Loracle souleva le cadavre, Comète repéra une trace de morsure dans son cou, semblable à celle du paresseux mort de la forêt de Pluie. La plaie était infectée, grouillante d'insectes.

– Vous êtes sûr qu'on peut le manger ? s'inquiéta-t-il.

– C'est moi qui l'ai tué. J'ai bien l'intention de le manger.

– Mais ça ne risque pas de vous rendre malade ?

Loracle le gratifia d'un regard noir.

– Les Ailes de Nuit ne sont jamais malades. Ne me dis pas que tu as l'estomac délicat en plus de tous tes autres défauts !

– N-non… je ne pense pas, répondit Comète en espérant qu'il n'allait pas vomir et prouver qu'il mentait. Mais… il doit y avoir plein d'affreuses bactéries qui prolifèrent dans cette blessure.

– Évidemment ! confirma le dragon. À ton avis, comment est-il mort, cet oiseau ? Parce que ma morsure s'est infectée. C'est…

Il s'interrompit, toisant le dragonnet, sourcils froncés.

– Ce n'est pas comme ça que tu chasses ?

Comète jeta un coup d'œil à l'oiseau puant. Mieux valait sans doute ne pas avouer que c'était Argil qui s'était chargé de chasser pour eux depuis qu'ils avaient quitté la grotte. Mais en même temps, il ne voulait pas admettre qu'il ne saisissait pas du tout sa technique de chasse.

« Sers-toi de ton cerveau, se dit-il. Tu vas finir par comprendre... »

– Vous mordez votre proie, reprit-il lentement. Puis vous attendez qu'elle meure. Et ensuite, vous revenez la manger – une fois qu'elle est morte et en décomposition. Mais ça ne vous rend pas malade.

Il examina les dents de Loracle, les yeux plissés.

– Il y a quelque chose dans votre gueule qui les tue, même si la blessure n'est pas mortelle. Vous possédez du venin ?

Loracle secoua la tête.

– Certains le croient, mais nos scientifiques n'ont découvert aucun venin en étudiant les cadavres de nos congénères. Nous ne pouvons pas non plus cracher de venin à la manière des Ailes de Pluie.

Il arracha brusquement une aile de l'oiseau.

– Tiens, prends ça, dit-il d'un ton sec en la jetant à Comète.

Le dragonnet fit un bond en arrière pour l'éviter.

Lorsque l'aile s'écrasa devant ses pattes, plusieurs bestioles rampantes s'en échappèrent et il s'empressa de détourner les yeux.

– Hum… non merci.

Loracle avait déjà planté les dents dans le ventre de l'albatros. Il arracha une bouchée de viande puis la mâcha longuement, sans cesser de fixer Comète.

– Qu'est-ce que tu espères pouvoir manger, alors ? aboya-t-il. C'est notre manière de faire, à nous, les Ailes de Nuit.

– Je m'attraperai autre chose, assura Comète en regardant autour de lui. Une tortue, un lézard, un truc comme ça.

– Je commence à comprendre pourquoi tu n'es qu'un bon à rien, siffla Loracle. Personne ne t'a jamais appris à être un Aile de Nuit. Nous pensions que tu serais supérieur aux autres de naissance, comme nous tous, mais tu es sans doute déficient. Enfin, bref, nous n'avons pas de temps à perdre pour épargner ta sensibilité ridicule et traîner à chasser les tortues. Tu manges cette aile ou rien.

Comète était trop intrigué par cet étrange phénomène biologique pour s'offusquer d'avoir été traité de déficient et de bon à rien.

– Écoutez, ça ne vous rendra peut-être pas malade, mais moi oui, dit-il.

Il aurait aimé pouvoir noter ça par écrit. Existait-il

un parchemin traitant des morsures d'Ailes de Nuit et de leurs techniques de chasse ? Il pourrait étudier son propre clan et écrire le premier texte à ce sujet.

– Je n'ai pas l'habitude de manger de la charogne avariée. D'un point de vue scientifique, je suppose que le corps s'y accoutume au fil du temps, car vos dragonnets suivent ce régime depuis la naissance. Moi, je ne possède pas les anticorps nécessaires pour me protéger. Je préfère ne pas prendre le risque.

L'énorme dragon noir avait interrompu son festin et contemplait Comète, bouche bée.

– Eh bien…, déclara-t-il au bout d'un long moment, voilà qui répond à la question.

– Quelle question ?

Loracle se cura les dents du bout de la griffe et fouetta l'air de sa queue.

– Je sais qui est ton père.

CHAPITRE 4

Une violente bourrasque de vent marin secoua les branches des arbres.

Comète planta fermement ses griffes dans le sol.

Bien sûr, il s'était souvent demandé qui étaient ses parents, mais il était terrifié à l'idée de connaître la réponse. Si son père était comme Loracle ou Vengeur… et sa mère comme Somptueuse ou Mordante… sans doute valait-il mieux continuer à l'ignorer, que de confronter ses rêves à l'implacable réalité.

Mais soudain, l'idée que, quelque part sur cette île, un vrai dragon était lié à lui et se souciait peut-être de son sort… c'était presque insoutenable.

« Dire qu'on en a tant parlé, Sunny et moi, du jour où l'on rencontrerait nos parents… »

– Mon père…, murmura-t-il. Vous ne saviez pas qui c'était avant ?

– J'avais plusieurs hypothèses, déclara Loracle d'un

ton sinistre. Mais je ne connais qu'un seul dragon qui parle comme toi.

« Il parle comme *moi.* »

– Et cette nouvelle va immanquablement le rendre encore plus insupportable qu'il ne l'est déjà, marmonna Loracle en arrachant l'autre aile de l'albatros et en fourrant des bouts de viande dans sa gueule. Ça fait six ans qu'il se vante que c'était son œuf !

– Je peux le rencontrer ? demanda Comète.

– Oh, tu ne vas pas y couper.

Loracle cingla l'air de sa queue.

– Je suis même étonné qu'il n'ait pas rappliqué à l'instant où tu as posé la patte sur l'île. Il doit encore être au beau milieu d'une expérience capitale. Le nez dans ses parchemins… il n'a sans doute même pas remarqué qu'on était au bord de la guerre.

« Il veut me voir. Il va me chercher. »

– Et ma mère ? demanda Comète. Je… je pourrais faire sa connaissance ?

– Non, fit Loracle en ôtant une plume de sa langue. Elle est morte. Il y a quelques années.

– Oh.

Comète fut surpris par la vague de tristesse qui le submergea. Il ne la connaissait pas. Elle avait accepté de donner son œuf pour la prophétie, elle ne devait donc pas tenir beaucoup à lui. C'était sûrement une aussi mauvaise mère que celle de Tsunami ou d'Argil.

« Peu importe. »

– De quoi est-elle morte ?

Comète évitait de regarder le carnage que Loracle faisait de cet albatros. Dune et Crécerelle avaient toujours tenu à ce que les dragonnets mangent proprement et se tiennent bien pendant les repas, étant donné la promiscuité de la grotte.

– Elle s'est retrouvée prise dans une bataille, elle a voulu aider un Aile de Mer qui avait été attaqué par deux Ailes du Ciel, grogna Loracle. Idiote. Il est évident que tu ne tiens pas ton intelligence d'elle.

Il fixa Comète en agitant un os d'oiseau dans sa direction.

– Ça suffit. J'ai des questions à te poser, moi aussi.

– Je ne sais pas grand-chose, s'empressa de préciser le dragonnet.

– Cette Aile de Pluie, elle est vraiment dangereuse ? demanda Loracle, ignorant sa réponse. Il ressort de nos études que la majorité de ces dragons ne se soucient que de leur propre sort et préfèrent se la couler douce. Exact ?

Comète acquiesça. Il n'avait aucune envie de trahir Gloria, mais il ne voyait pas comment il aurait pu esquiver les questions de l'Aile de Nuit ou bien lui mentir alors qu'il pouvait lire dans ses pensées !

À sa grande surprise, Loracle parut se détendre.

– C'est bien ce que je pensais. Alors ils ne feront

peut-être rien. Ils préféreront rouler sur le côté et se rendormir.

Comète s'aperçut alors que le dragon l'avait mal compris : il lui avait juste confirmé que la plupart des Ailes de Pluie étaient effectivement paresseux, mais Loracle en avait déduit qu'il en était de même pour Gloria.

– Peut-être, répondit-il sans s'engager.

Il chassa de son esprit l'idée que Gloria ne laisserait jamais passer cela – elle se battrait toutes dents et griffes dehors pour libérer les Ailes de Pluie prisonniers. Il avait d'ailleurs été étonné par sa réaction, comme si elle avait soudain emprunté la férocité de Tsunami. Pendant des années, Gloria avait fait comme si elle se fichait de tout. Mais apparemment, emprisonner et torturer des membres de son clan était une bonne manière d'attirer son attention.

Il se remémora soudain ce qui s'était dit au Grand Conseil des Ailes de Nuit.

– De quoi parlaient les dragons au Grand Conseil ? Qu'est-ce que que… qu'on doit cacher aux Ailes de Pluie ?

Il buta sur le « on », en essayant de s'inclure dans le clan. Il voulait que Loracle le considère comme un membre du clan, un allié, en qui il pouvait avoir confiance. Il avait souvent vu Sunny employer cette technique quand Gloria et Tsunami se disputaient – « On a des raisons d'en vouloir à Tsunami aujourd'hui ? » ou « Qu'est-ce que Gloria nous a encore fait ? » – et en général, ça fonctionnait.

Pas là, hélas.

– Moins tu en sais, mieux c'est, répliqua Loracle. Tu t'éviteras bien des ennuis.

Ce n'était pas la philosophie de Comète. Il voulait toujours en savoir plus.

Le grand dragon noir arracha le dernier morceau de chair de l'oiseau et recracha quelques plumes.

– Puisque tu es déterminé à te laisser mourir de faim, marmonna-t-il avant de reprendre l'aile qu'il avait lancée au dragonnet pour n'en faire qu'une bouchée. Allons rendre visite à Legénie.

Il jeta les restes de son repas dans les buissons et prit son envol.

– Puis je t'emmènerai voir les doublures, lança-t-il par-dessus son épaule.

– Les quoi ? s'étonna Comète, mais Loracle filait à tire-d'aile et il ne se retourna pas.

Le dragonnet le suivit, en réfléchissant à nouveau à la technique de chasse des Ailes de Nuit. Cela expliquait beaucoup de choses, y compris la mauvaise haleine de tous les dragonnets du dortoir. Bizarrement, Lassassin ne sentait pas pareil. Sans doute avait-il passé davantage de temps sur le continent que ses congénères et préférait-il dorénavant le gibier vivant à la charogne.

Devant eux se dressait la forteresse des Ailes de Nuit,

qui se découpait en noir sur le ciel gris. Elle était massive, construite à flanc de montagne. Elle semblait cependant en équilibre précaire, comme si, au moindre mouvement de la roche, l'ensemble risquait de basculer dans l'océan.

En fait…

Comète plissa les yeux. On ne le distinguait pas au premier regard, en noir sur noir dans l'atmosphère enfumée, mais en approchant, il en fut convaincu. Une partie de la forteresse avait déjà été engloutie par la lave il y avait quelque temps, c'était évident. On aurait dit qu'un dragon géant avait sorti une patte de la montagne et avait écrasé un pan de la muraille.

Le dragonnet, terrifié, suivit du regard le panache de fumée qui montait du sommet du volcan. Une lueur orangée flamboyante s'échappait de l'intérieur et il savait qu'une coulée de lave en fusion dévalait l'autre face de la montagne, vers les grottes où les Ailes de Pluie étaient emprisonnés, si la description de Gloria était exacte. Le volcan pouvait entrer en éruption à tout moment, menaçant le reste de la forteresse.

Du coup, Comète était encore plus angoissé à l'idée de retourner à l'intérieur avec Loracle, mais il n'avait pas trop le choix. Le grand Aile de Nuit s'engouffra dans une ouverture semblable à une gueule béante, au dernier niveau de la forteresse. Ici, les tunnels étaient éclairés par des torches, en plus des braises dans leurs niches. Sous ses pattes, la pierre semblait plus lisse et douce, comme si elle était fréquemment balayée et polie, contrairement au sol des étages inférieurs.

Comète revit défiler dans son esprit les empreintes de dragon dorées du palais du Ciel, le trône incrusté d'émeraudes du palais de la Mer et les fleurs multicolores qui ornaient le village des Ailes de Pluie. Il n'y avait aucune décoration de ce genre ici, rien pour rompre la monotonie des parois de pierre, rien pour témoigner de la richesse et de la puissance des Ailes de Nuit.

« Mais, bon, de toute façon, personne ne vient jamais ici, pensa-t-il. Au lieu d'impressionner les autres dragons par leur opulence, ils le font en cultivant le mystère. »

Il comprenait leur stratégie. Cependant, ça aurait été sympa qu'il y ait un peu autre chose que du feu et des cailloux à perte de vue.

En bifurquant à une intersection, Comète s'arrêta et se retourna. Il croyait avoir entendu quelque chose – mais peut-être était-ce juste le fruit de son imagination… Pourtant, il avait bien distingué le *tip tap* de griffes sur la pierre dans leur dos.

Il scruta le long tunnel sombre, submergé par une soudaine bouffée d'espoir. « Et si c'était Gloria ? Elle est peut-être juste derrière moi, camouflée. Elle est peut-être venue à mon secours. »

Sauf qu'il ne voyait pas comment elle aurait pu échapper aux Ailes de Nuit qui montaient la garde autour du trou. En fait, s'il avait été responsable de la sécurité, il aurait posté un dragon à l'intérieur même du tunnel pour s'assurer que personne d'invisible ne puisse s'y faufiler. Mais si ça se trouve, les Ailes de Nuit n'étaient pas aussi malins.

Ça recommençait. *Tap tap tap*. Des pas, c'était sûr. Et celui qui les suivait n'était pas très discret. « Gloria est beaucoup plus douée que ça. Peut-être Argil ? »

Son cœur se gonfla d'un tel espoir que c'en était douloureux. Si seulement c'était Argil ! Si seulement sa grosse tête marron surgissait au coin du tunnel, l'apercevait et souriait. Comète se promit, en prenant l'univers à témoin, de ne plus jamais jamais se moquer d'Argil, si seulement l'Aile de Boue débarquait maintenant pour voler à son secours.

– Allez ! le pressa Loracle qui avait continué à avancer.

Comète se rendit alors compte qu'il était vraiment idiot. Si quelqu'un les suivait dans le but de le sauver, ce n'était franchement pas malin de rester planté là. Il fit volte-face pour suivre Loracle… quand, soudain, une tête apparut au coin du tunnel.

Sauf que ce n'était pas Argil.

Ni Gloria ni Tsunami… ni Sunny.

C'était une dragonnette de nuit.

Elle le dévisagea un instant, surprise, tandis qu'il haussait les épaules et tournait les talons, mais juste à ce moment-là, elle s'écria :

– Oh ! Nom d'un dragon ! C'est toi !

Et elle se jeta sur lui, lui prenant les deux pattes entre ses griffes.

– Tu m'es apparu dans une de mes visions, annonça-t-elle d'un ton pompeux. Et toi, as-tu déjà eu une vision à mon sujet ?

Alors qu'il essayait de se dégager de son étreinte, il se figea.

– Ah… ah bon ? bafouilla Comète en clignant des yeux, abasourdi.

Elle devait avoir son âge. Si elle avait déjà des visions, cela signifiait que les pouvoirs des dragonnets apparaissaient avant l'âge adulte. Et qu'ils auraient déjà dû se développer chez lui.

Sauf que pas du tout. Dès qu'il essayait de lire dans les pensées ou de voir l'avenir, c'était comme s'il contemplait le ciel nocturne – noir, vide, sans le moindre sens.

Et il ne l'avait pas encore avoué à Loracle.

En parlant de lui, ses pas pressés ébranlèrent le sol sous leurs pattes tandis qu'il fonçait sur eux en courant. Ses yeux faillirent sortir de leurs orbites lorsqu'il aperçut la dragonnette.

– DESTINY ! rugit-il si fort que Comète eut peur que les vibrations ne déclenchent une éruption volcanique. Je t'avais dit de rester dans ta grotte avec les autres !

– Je sais bien, répondit-elle d'un ton léger. Mais je

m'ennuyais, alors je suis partie explorer un peu les environs et je vous ai vus passer en volant… Du coup, je me suis dit que j'allais vous suivre. Dire que je suis enfin à l'intérieur de la forteresse des Ailes de Nuit ! J'ai du mal à y croire ! J'ai fait tellement de rêves prémonitoires à ce sujet ! ajouta-t-elle d'un ton de conspiratrice à l'oreille de Comète.

Elle serrait toujours ses pattes dans les siennes.

– Même si dans mes rêves, c'était plus grand, plus clair et ça sentait beaucoup moins mauvais et, en plus, la forteresse était pleine de trésors et les dragons beaucoup moins grincheux !

Elle réfléchit un instant avant de déclarer :

– Mm… finalement, ce n'était peut-être que des rêves ordinaires.

– Destiny ! siffla Loracle. Qu'est-ce que je t'ai dit à propos de tes visions ?

– Vous m'avez dit : « Garde tes visions pour toi, ça ne m'intéresse pas du tout ! » répondit la dragonnette. Mais ça ne veut pas dire que ça ne l'intéresse pas, lui. Ça t'intéresse ? demanda-t-elle à Comète.

Oui, ça l'intéressait, mais ce n'était sans doute pas une bonne idée de le reconnaître devant Loracle, d'autant plus qu'il avait de la fumée qui lui sortait des naseaux. Comète essaya d'examiner la dragonnette sans la fixer trop ouvertement.

Les écailles noires de Destiny ressortaient, toutes

brillantes, sur un fond bleu violacé. Comme celles de Comète, ses ailes étaient constellées d'écailles argentées au-dessous, tel un ciel nocturne. Mais Destiny possédait d'autres écailles argentées – une au coin de chaque œil, toute une bande autour de la cheville et quelques-unes, ici et là, qui scintillaient le long de sa queue comme des taches de rousseur étoilées.

– Enfin bref, je sais que tu es terriblement important, reprit-elle en lui lâchant enfin les pattes. Et que nous avons un grand destin à accomplir ensemble.

« Ah, bon ? » pensa-t-il, plein d'espoir. Peut-être allait-il ressortir vivant de la forteresse des Ailes de Nuit, finalement.

« J'ai un rôle à jouer dans ce grand destin, alors ? Et mes amis aussi ? Et Sunny ? »

Il aurait aimé pouvoir lui poser toutes ces questions sans Loracle qui soufflait bruyamment au-dessus de leurs têtes.

– Retourne avec les autres, ordonna-t-il.

– Ooh ! Je ne peux pas venir avec vous ? fit-elle en lui adressant un regard suppliant. Je vois… je vois… que je vais vous être très utile pour ce que vous allez faire ! Et que je vais trouver ça passionnant !

– Je… je ne crois pas que ce soit vraiment de la divination, dans ce cas, risqua Comète. C'est juste une supposition.

Loracle émit un grognement sourd.

– Très bien. Mais alors tais-toi et ne reste pas dans nos pattes.

– Comme si c'était mon genre ! s'écria joyeusement la dragonnette en manquant faucher Comète d'un coup de queue.

Le grand Aile de Nuit s'éloigna en marmottant entre ses dents. Destiny adressa à Comète un sourire radieux qui lui rappela Sunny. Il se demandait s'il lui manquait aussi et si sa gorge se serrait comme la sienne chaque fois qu'il pensait à elle.

Destiny lui donna un coup de coude.

– Bah, fais pas cette tête-là ! Allez, souris ! C'est quoi, ton nom ?

Comète pencha la tête sur le côté, intrigué.

– Ça n'apparaissait pas dans ta vision ?

Justement, il s'était toujours demandé quel était le degré de précision de ce genre de visions. La prophétie de Loracle était particulièrement énigmatique, mais peut-être ne leur avait-il pas tout exposé dans les détails.

– Mm…

Destiny le dévisagea, les yeux plissés, tout en remuant pensivement la tête.

– Mais oui… je sais ! Longuepatte !

– Quoi ?

Comète jeta un coup d'œil à ses pattes, un peu vexé.

– Non, non, pas du tout. Je m'appelle Comète.

– Ah… Tu es sûr ?

– Tout à fait certain.

Elle haussa les ailes.

– Bah, je n'étais pas loin. Salut, Comète ! Moi, c'est Destiny. Tu dois te demander pourquoi tu ne m'avais jamais rencontrée avant.

Comète se figea, une patte en l'air, et la considéra, sourcils froncés.

– Ah, bon ?

– Oui, c'est parce que je ne vivais pas ici, poursuivit-elle sans remarquer sa réaction.

Le grondement de Loracle résonna dans le tunnel, leur faisant presser le pas.

– Je suis arrivée sur l'île hier. Je sais que ça va te paraître fou, mais j'ai été élevée par les Serres de la Paix.

Comète se cogna de plein fouet contre l'une des torches fixées au mur. Il tituba, à moitié assommé.

– Ouille !

Destiny lui tapota doucement l'épaule.

– Ça doit faire mal. Enfin, bref, il se trouve que je fais partie de la fameuse prophétie des dragonnets dont tout le monde parle. Tu y crois, toi ?

« Non », pensa Comète.

– Je suis l'Aile de Nuit, annonça-t-elle fièrement. Loracle dit que c'est à moi de faire cesser la guerre. Mais bizarrement, ça n'a pas l'air de lui faire plaisir.

La gorge de Comète se serra. Il avait espéré qu'il s'agissait d'une nouvelle intervention des Ailes de Nuit pour le mettre sur la voie. Qu'ils lui feraient la leçon avant de le renvoyer à ses amis.

Mais, apparemment, Mordante avait raison : il était là parce qu'il avait échoué.

Et Destiny allait le remplacer.

CHAPITRE 5

C'était logique. Destiny possédait des pouvoirs et pas lui. Il avait échoué à exécuter les ordres de Loracle à plusieurs reprises. Il était aussi nul comme Aile de Nuit que comme Dragonnet du Destin.

– Waouh ! souffla la dragonnette en remarquant enfin son expression. On dirait que tu viens d'avaler un morse tout rond. Ça va ?

– Je..., commença-t-il. Je pensais juste...

Arrivé à un tournant du tunnel, ils faillirent marcher sur la queue de Loracle. Celui-ci leur lança un regard qui fit aussitôt taire Comète.

Destiny, en revanche, ne se laissa pas impressionner.

– LABORATOIRE, lut-elle sur la porte qui se dressait devant eux. Oooh ! Qu'est-ce que ça veut dire ?

– Ça veut dire : ne touchez à rien ! répliqua Loracle d'un ton sévère. Nous sommes là pour que Comète fasse connaissance avec son père. Et avec un peu de malchance, celui-ci aura le temps de nous montrer toutes ses expériences en cours.

Il ajouta dans un sifflement :

– Autant en finir le plus vite possible.

La porte s'ouvrit sur une immense salle, largement plus claire et plus propre que le reste de la forteresse. Ils se tenaient sur une sorte de balcon, il y avait un étage au-dessus et un étage en dessous ainsi que tout un réseau de tuyaux biscornus juste devant eux.

– Non ! Non ! cria une voix.

Un dragon noir maigre comme un clou s'élança du niveau supérieur et voleta sur place à leur hauteur. Sa tête disparaissait sous un vieux casque, percé seulement de quelques petits trous pour lui permettre de voir – un peu comme l'écran de pierre de la reine, nota Comète.

– Il ne faut pas me déranger ! Je suis à une étape cruciale de mon expérience ! Et Somptueuse m'a dit que je risquais de devoir quitter le labo à tout instant. Alors, dehors !

Il agita les pattes sous leur nez.

– Legénie, intervint froidement Loracle, visiblement, tu avais raison depuis le début. Le dragonnet de l'œuf de Doublevue serait bien ton fils. Et il est ici, je l'ai donc amené pour te le présenter.

Comète se raidit, croyant que l'autre dragon allait hausser les épaules et les chasser.

Mais, à la place, Legénie ôta son casque, révélant un

museau constellé de petites cicatrices rondes et des yeux curieux, injectés de sang.

– Mon fils ? dit-il.

Le cœur de Comète se gonfla en entendant son ton émerveillé. Le dragon atterrit à côté d'eux sur le balcon, posa son casque par terre et prit les épaules de Comète dans ses pattes.

– Par les trois lunes ! Quel beau dragonnet ! Il me ressemble… je le savais ! Cette mâchoire carrée est un trait génétiquement dominant, je m'en doutais !

Il désigna la même zone sur lui-même et sur Comète.

– Ah… et oui ! Voyez comme le motif d'écailles argentées sous nos ailes se diffuse vers l'extérieur, telle une cascade, alors que celui de Loracle, par exemple, se recroqueville vers l'intérieur, à la manière d'un escargot.

Il écarta l'une de ses ailes et saisit celle du grand dragon de nuit, qui le repoussa en grognant.

– Ce ne sont que des théories, pour l'instant, bien sûr, avoua Legénie.

Comète rendit à son père son large sourire.

– Il faudrait un éventail de données plus large afin de prouver quoi que ce soit. Mais un, c'est déjà mieux que pas du tout… beaucoup mieux, merveilleux, même ! Surtout comparé au reste du clan. Toi y compris, n'est-ce pas, Loracle ? Toujours pas de dragonnet ?

Le visage de l'intéressé indiquait clairement qu'il ne daignerait pas répondre à ce genre de question.

– Mais moi, j'ai un fils, répéta fièrement Legénie. Moi… de tous les dragons ! Fortaile va moins rire, maintenant ! Attendez qu'ils voient tous ma magnifique descendance !

Il reposa la patte sur l'épaule de Comète.

– Si costaud ! En pleine forme ! Tu pourrais être l'assistant que j'attends depuis toujours ! Tu t'intéresses à quoi, fiston ?

« Fiston. » Comète avait l'impression que ses genoux allaient se dérober sous lui.

– Hum… à tout, bafouilla-t-il. Les parchemins. J'adore les parchemins.

– Fantastique ! s'écria Legénie. J'en ai des tas, des parchemins ! Et la désalinisation ? Tu y connais quelque chose ?

Comète se redressa.

– Un peu… C'est ôter le sel de l'eau de mer pour la rendre potable, n'est-ce pas ?

– Potable ? intervint Destiny.

Comme elle les dévisageait avec de grands yeux écarquillés, Comète se rappela qu'elle ignorait qu'il n'avait pas non plus été élevé sur l'île.

– Ça veut dire qu'on peut la boire, expliqua-t-il. C'est à cela que servent tous ces tuyaux ?

– Tout à fait ! confirma Legénie, tout excité. Nous n'avons qu'une source d'eau fraîche sur l'île et elle a été contaminée par les cendres, ces dernières années, alors j'ai inventé cette magnifique machine pour fournir de l'eau potable à tout le clan…

Il poursuivit son petit discours, désignant un à un les tuyaux afin de leur exposer le processus scientifique. Comète l'écoutait, fasciné. Il n'avait jamais croisé de dragon aussi savant, une vraie bibliothèque sur pattes !

Enthousiaste, Legénie prit son casque avant de s'élancer du balcon.

– Viens, viens ! Je vais te montrer mes autres travaux en cours.

Comète demanda l'autorisation de Loracle d'un regard. Le grand Aile de Nuit leva les yeux au ciel et s'assit en bâillant. Destiny n'attendit pas d'avoir été invitée, elle suivit Legénie en voletant jusqu'au niveau inférieur.

– Ici, je m'occupe de vulcanologie, dit-il en zigzaguant parmi les tables chargées de chaudrons de lave et les trous fumants creusés à même le sol. Je teste les matériaux résistants aux éruptions, je fais des maquettes de barrières, tout en réfléchissant à leur implantation sur place. Pas étonnant que j'aie besoin d'un assistant, pas vrai ?

– C'est cool ! commenta Destiny en contemplant les expériences sur les volcans.

– C'est incroyable, oui ! s'extasia Comète.

Il observa la fumée qui sortait d'un trou. Il avait envie d'étudier la moindre parcelle du labo en détail. Dans un coin, il repéra un étrange engin qui semblait conçu pour être porté par un dragon, et ensuite rempli de quelque chose… de l'eau, peut-être ? Impossible à savoir. Il avait déjà un million de questions et deux ou trois idées sur la lave qu'il pourrait être intéressant de tester, si son père acceptait les suggestions.

Legénie tendit la queue vers un coin du labo où il avait construit plusieurs modèles réduits de la montagne, avec la forteresse en miniature sur son flanc. Plusieurs d'entre eux n'étaient plus qu'un tas de décombres fumants.

– Ça ne se passe pas très bien, comme tu peux le constater.

Il eut un petit rire nerveux.

– Et ça ne plaît pas à la reine Conquérante. Évidemment, elle a son propre avis sur les sujets dont je devrais m'occuper en priorité. Viens, viens.

Il s'envola vers le niveau supérieur. Comète jeta un dernier regard alentour, en se demandant ce qui pouvait bien être plus intéressant ou plus important que de protéger le clan du volcan.

« Je me demande s'il a déjà fait des recherches sur la manière dont les Ailes de Nuit infectent leurs proies en les mordant. Je pourrais l'aider à étudier ce phénomène. »

Il secoua soudain la tête, réalisant ce que cela impliquait.

« On dirait bien que je prévois de rester. »

Il jeta un bref coup d'œil à Destiny, puis détourna vite le regard pour contempler les chaudrons de lave brûlante.

« Je n'aurai peut-être pas le choix. Mais… il faut qu'ils me laissent revoir Sunny. Je ne peux pas me retrouver bloqué ici à jamais sans même avoir pu lui dire adieu… »

– Allez, viens ! fit Destiny, qui le tira de ses pensées en l'entraînant dans les airs.

Ils se dépêchèrent de rattraper Legénie et découvrirent que le troisième niveau était constitué par un autre balcon où s'ouvraient plusieurs portes, portant chacune trois ou quatre symboles différents.

Le père de Comète s'arrêta devant l'une d'elles et déclara en se frottant les pattes :

– Il y a environ un an, nous avons découvert un phénomène naturel absolument stupéfiant. Vous ignorez tout sur le sujet. Les Serres de la Paix ne sont pas au courant, ni aucun des autres clans. Notre compréhension de cette anomalie biologique étant encore récente et incomplète, nous n'en avons pas fait état dans les parchemins pour l'instant – certainement pas dans ceux que nous diffusons sur le continent, ni même dans ceux qui sont classifiés « réservés exclusivement aux Ailes de Nuit ». Je suis en train de rédiger un mémoire sur le sujet, mais il y a encore tellement à apprendre que je ne sais pas quand il pourra être publié.

Il se pencha vers eux pour ajouter un ton plus bas :

– Vous n'allez pas le croire mais l'un des clans a développé un mécanisme de défense inhabituel. Ils crachent du venin par leurs canines, un venin toxique dont le simple contact fait fondre animaux et plantes. Vous ne devinerez jamais quelle tribu…

Il ne leur laissa même pas le temps de deviner.

– Les Ailes de Pluie !

– Les Ailes de Pluie ? s'étonna Destiny.

La gorge de Comète se serra. Il n'avait brusquement plus du tout envie de découvrir ce qui se trouvait derrière ces portes.

– Voyons… Nous allons commencer par là, annonça son père.

Il poussa l'un des battants, révélant une salle étroite, tout en longueur, creusée dans la roche. Des anneaux de métal munis de chaînes très courtes étaient scellés dans le sol, juste à l'entrée. Les parois et le sol de pierre étaient maculés de grosses taches noires, flanquées de notes indéchiffrables à la craie.

Comète contempla les anneaux, luttant contre la nausée.

Legénie s'enfonça dans la pièce, évitant les zones noircies, qui semblaient pourtant bien sèches et inoffensives, un peu comme de la lave durcie.

– Voilà la première question que nous avons étudiée lorsque nous avons appris que les Ailes de Pluie crachaient du venin : à quelle distance ? Était-ce une arme de courte portée ou de portée plus longue ? L'enjeu était de savoir si, grâce à des projectiles lancés à une distance de sécurité, nous pourrions les approcher et les neutraliser.

Il s'arrêta au fond de la pièce en désignant une marque au sol.

– Voici le plus long lancer de venin auquel j'ai assisté, réalisé par un vieux mâle Aile de Pluie. J'en ai donc déduit que cette aptitude se développait avec le temps.

Il se frotta pensivement les cornes.

– Je me demande s'ils ont des dragons très âgés que nous pourrions faire venir ici pour les tester.

« Faire venir, pensa amèrement Comète. Comme s'il s'agissait d'invités et non de prisonniers qui ont été capturés. »

Destiny couvait les anneaux d'un œil inquiet également. Elle avait l'air d'hésiter à poser une question.

– Ma seconde interrogation fut : quels matériaux résistent à ce venin ? Que pourrions-nous utiliser pour fabriquer des armures ou des boucliers de protection ?

Legénie poursuivit en revenant vers eux :

– Venez, venez !

Il les fit sortir de la salle pour les pousser dans la pièce voisine.

– Naturellement, nous avons dû mettre au point des procédures afin d'étudier les dragons sans nous mettre en danger. Très rares sont les Ailes de Pluie qui ont volontairement essayé de nous atteindre avec leur venin, mais chaque fois, c'était... absolument affreux, pour tout avouer.

Des objets de différentes formes, tailles et matériaux étaient disposés sur les tables, en petits groupes. Sur l'une d'elles étaient alignées des plantes en pot, des fleurs jaunes fanées, dégoulinantes de liquide noir. Sur une autre, c'était des pierres. Quant à la troisième... Comète détourna aussitôt les yeux en comprenant que tous les plateaux contenaient des restes de créatures vivantes – paresseux, lézards, poissons – qui n'avaient pas survécu à l'expérience.

– Beurk ! s'écria Destiny.

– Nous l'avons testé sur tout, affirma Legénie avec fierté. Et il s'avère que le venin n'a aucun effet sur le métal, alors...

Il donna un petit coup sur son casque qui émit un *clong* étouffé.

– En revanche, tous les êtres vivants, plantes ou animaux, sont détruits. Si le venin atteint les yeux ou pénètre dans le système sanguin, on meurt en quelques minutes. S'il ne touche que les écailles, on préférerait être mort. Nous avons ici quelques victimes récentes que je me ferai un plaisir d'étudier dès que les guérisseurs les laisseront repartir.

Il se frotta à nouveau les pattes.

– Si tu veux, je te laisserai regarder, dit-il à Comète. C'est une opportunité unique de voir le venin d'Aile de Pluie à l'œuvre !

– Je sais ce que fait ce venin, avoua le dragonnet d'une voix étranglée. Je l'ai vu tuer deux dragons.

« Peut-être même trois, si la reine Scarlet est morte. »

Il repensa à Fjord, l'Aile de Glace qui s'apprêtait à tuer Argil dans l'arène, et contre lequel Gloria avait utilisé son venin pour la première fois. Le poison avait atterri sur une plaie ouverte qu'il avait au cou. Voilà sans doute pourquoi il était mort aussi rapidement. Et il y avait également Crocodile, l'Aile de Boue qui avait trahi les Serres de la Paix et conduit l'ennemi droit au palais d'Été des Ailes de Mer – Gloria l'avait tuée pour qu'ils puissent s'échapper, lui crachant son venin dans les yeux.

Quant à la reine Scarlet… Comète se balança d'une patte sur l'autre, mal à l'aise. S'il se souvenait bien, le jet de venin avait aspergé tout un côté de son visage. La reine pouvait donc fort bien avoir survécu. Elle était sans doute vivante, mais défigurée, comme Vengeur – ce qui ne présageait rien de bon pour les dragonnets.

Legénie le regardait avec envie.

– Deux dragons ? Tués sous tes yeux ? Tu es sûr ? Quelle maladresse ! Nous n'avons jamais ramené d'Ailes de Pluie aussi malhabiles jusqu'ici.

– Ce n'était pas un accident, c'était voulu, répondit Comète, agacé.

Destiny étouffa un cri de surprise.

– Ça alors, je… tu es sûr ? fit son père en déployant ses ailes.

Il paraissait tout à la fois paniqué et captivé.

– Ça change tout ! Voilà une variable que je n'avais pas considérée ! Il faut que tu me racontes tout ça en détail. Ce qui a déclenché l'attaque, comment ça s'est passé, combien de temps ont mis les victimes à mourir, est-ce qu'elles ont eu le temps de se défendre…

Comète réalisa alors, trop tard, qu'il n'aurait jamais dû dire ça. Si cette information arrivait aux oreilles du Grand Conseil, ils sauraient que Gloria représentait un danger. Il ne restait qu'à espérer que Legénie serait trop pris par ses expériences pour le répéter à quiconque.

– Alors…

Le dragon se dirigea vers la porte.

– Savoir que le venin n'était actif que sur certaines substances nous a conduits au projet suivant : fabriquer une armure qui pourrait résister à une attaque d'Aile de Pluie, si besoin.

– Sauf que ce n'est pas nécessaire, répliqua Destiny. Les Ailes de Pluie n'attaquent jamais les autres dragons, tout le monde le sait.

Elle se tourna vers Comète.

– Enfin… en principe.

– Il peut arriver qu'un Aile de Pluie se défende, tout de même, fit le dragonnet.

– Mmm… pas souvent, d'après mes observations, affirma Legénie. Mais restez en retrait, au cas où.

Il les fit reculer de quelques pas et remit son casque avant d'ouvrir la porte à la volée.

À l'intérieur, une dragonne était enchaînée au mur.

CHAPITRE 6

Par chance, Comète avait l'estomac vide, car il fit un looping dans son ventre. Le dragonnet dut se cacher les yeux et prendre une profonde inspiration pour se calmer.

La dragonne de pluie avait la triste teinte grisâtre des chaînes qui retenaient Comète prisonnier au royaume du Ciel, la première fois qu'il avait été séparé de Sunny. La tête basse, elle avait les deux ailes écartées et fixées au mur. En y regardant de plus près, le dragonnet s'aperçut qu'il s'agissait en réalité de pinces, qui l'empêchaient de s'envoler sans toutefois traverser ses ailes.

« Mais de toute façon, c'est affreux. »

– Qu'est-ce que vous lui avez fait ? s'inquiéta Destiny.

Elle se rua dans la pièce et prit délicatement le museau de la dragonne entre ses pattes. Celle-ci réagit à peine.

– Elle a eu son compte pour la journée, déclara Legénie. Nous les poussons à bout pour voir si, à force de cracher, ils finissent par être à court de venin, mais elle s'est évanouie avant qu'on ait pu recueillir quelque information utile.

– Il lui faut de l'eau, déclara Destiny en balayant la pièce du regard, avant de le fixer sur Comète.

Il hésita, submergé par ses souvenirs de Fjord et de Crocodile. Si cette dragonne leur crachait dessus, il la comprendrait, mais il préférait ne pas être à sa portée.

– Comète ! insista Destiny, et son ton lui rappela tellement celui de Sunny qu'il ne put lui dire non.

– Je vais en chercher.

Il gagna d'un coup d'aile la machine à filtrer l'eau, où il avait aperçu un robinet en passant, dégotta un chaudron vide et le remplit.

Lorsqu'il revint, Destiny avait détaché l'une des ailes de la dragonne. Legénie restait sur le seuil de la porte, contemplant la scène à travers les trous de son casque, sans protester ni les aider. Difficile de savoir ce qu'il pensait sans voir son visage.

Comète le contourna et posa le chaudron près de la dragonne, avant de détacher son autre aile. Elle s'affala en avant si soudainement qu'elle faillit faire tomber les dragonnets, mais ils réussirent à la rattraper et la soutinrent en prenant ses ailes sur leurs épaules. Destiny leva légèrement le chaudron pour qu'elle puisse boire.

– Comment vous appelez-vous ? la questionna Comète.

Elle toussa et lui lança un regard en biais.

– Aucun Aile de Nuit ne m'avait jamais demandé mon nom, murmura-t-elle d'une voix rauque. C'est Orchidée.

– Oh ! laissa échapper Comète avant de fermer la bouche en jetant un regard vers la porte.

Legénie s'était retourné et criait :

– Fortaile ! Fortaile, espèce d'imbécile, viens vite !

– Mangrove te cherche, s'empressa de chuchoter Comète à l'oreille d'Orchidée. Il ne t'a pas abandonnée. Il va venir à ton secours bientôt.

Destiny le toisa comme s'il venait d'ôter sa peau de dragon pour dévoiler l'hippopotame qui se cachait en dessous. Mais Orchidée releva la tête, les yeux pleins d'espoir. Un rose chatoyant partit de sa poitrine pour se propager vers le bout de ses ailes.

– Bientôt..., répéta-t-elle doucement. Je peux tenir bon jusqu'à ce qu'il arrive.

« J'espère que ce sera bientôt, pensa Comète. J'espère qu'il ne mourra pas en chemin. J'espère que Gloria survivra aussi. J'espère que mes amis ont prévu de me secourir également. »

Destiny était plus perplexe que perplexe. Elle inclina la tête, dans une pose d'écoute attentive et, soudain, Comète fut pris de panique : il n'avait pas camouflé ses pensées depuis un moment. Il avait oublié – comment avait-il pu l'oublier ? – que les Ailes de Nuit pouvaient lire dans ses pensées.

Pourtant, son père ne montrait aucune réaction. Il avait toujours l'air aussi ravi. « Il n'a peut-être pas ce don-là. Peut-être que ce n'est pas un "trait génétique dominant" dans la famille. Peut-être que c'est assez de posséder son intelligence. »

Il s'était toujours figuré que tous les Ailes de Nuit étaient capables de lire dans les pensées et de voir l'avenir. C'est ce qu'il lui avait semblé dans les parchemins qu'il avait lus. Mais Gloria pensait que ces pouvoirs étaient sans doute réservés à certains d'entre eux, et peut-être avait-elle raison. « Si ça se trouve, je ne suis pas un raté complet, finalement. »

– Par les trois lunes ! aboya Legénie depuis le pas de la porte. Comment as-tu fait pour la faire devenir rose ? Je n'en ai jamais vu de cette teinte !

« C'est parce que c'est la couleur du bonheur et qu'il n'y a aucun bonheur sur cette île maudite. »

Comète croisa le regard de Destiny.

– Je pense qu'elle est contente d'avoir bu, affirma-t-elle en le fixant.

Il n'avait pas besoin de savoir lire dans les pensées pour comprendre ce que ce regard signifiait : « On en reparlera plus tard. »

– Fascinant.

Legénie s'approcha et pointa une griffe sur les écailles du cou d'Orchidée. Elle ferma les yeux mais ne changea pas de couleur.

– Absolument fascinant.

Un Aile de Nuit costaud et grincheux les rejoignit à contrecœur. Une queue de lézard pendait au coin de sa gueule et ses épaules étaient presque trop larges pour passer dans l'encadrement de la porte.

– Quoi ? marmonna-t-il sans cesser de mastiquer.

– Tu peux ramener celle-là, fit Legénie. Et au fait, Fortaile, tu sais quoi ? Je te présente mon fils.

Il désigna Comète d'un geste théâtral. Le dragonnet aurait aimé pouvoir revenir une heure en arrière quand il était encore aussi content de ces retrouvailles que son père.

Fortaile le toisa d'un regard incrédule.

– Ah, bon ? Alors quand est-ce que j'aurai un casque moi aussi ?

Il pointa le menton vers celui que portait Legénie.

– Ce n'est qu'un prototype, répliqua ce dernier avant de se tourner vers Comète. Comme tu peux l'imaginer, le plus difficile pour créer une armure à l'épreuve du venin, c'est de protéger les yeux… tout en conservant un champ de vision correct. J'aimerais bien avoir ton avis parce que j'avoue que je sèche. Celui-ci n'est qu'une solution de dépannage.

Il tapota le casque avec ses griffes.

– La vision périphérique est presque inexistante et, en plus, on risque tout de même une projection de venin par les petits trous.

Il secoua la tête.

– Il doit y avoir une approche plus ingénieuse.

– Bref, grogna Fortaile, où est son bâillon ?

Legénie pointa la patte vers le coin de la pièce où le dragon musclé ramassa un bandeau métallique ainsi qu'une des lances spéciales. Il passa la sorte de muselière autour du museau d'Orchidée et la verrouilla en maniant avec dextérité l'extrémité munie de piques de la lance. Puis il fit reculer les dragonnets, passa une chaîne autour du cou de l'Aile de Pluie et tira dessus d'un coup sec. Sans protester, Orchidée le suivit hors de la pièce.

– Mais… pourquoi faites-vous ça ? explosa Comète. Pourquoi étudier leur venin ?

Legénie ôta son casque pour lui jeter un regard stupéfait.

– Pour la science ! Nous développons le savoir des dragons !

– Il doit y avoir une autre raison, insista le dragonnet. Pourquoi est-ce si important pour vous ? Pourquoi avez-vous donc besoin d'une armure à l'épreuve du venin ? Les Ailes de Pluie ne vous auraient jamais fait le moindre mal si vous les aviez laissés tranquilles.

Son père haussa les épaules.

– La reine a ses raisons, j'ai les miennes. Je ne me mêle pas de ses projets. Pour moi, l'amour de la science suffit.

Comète contempla les anneaux au mur, puis au sol, trop écœuré pour discuter davantage.

– Bon, j'aurais aimé avoir le temps de t'en montrer davantage, fit Legénie en posant son casque sur une étagère. Mais c'est l'heure de mon entretien quotidien avec la reine.

– Vous allez la voir en personne ? s'étonna Comète.

Son père s'empressa de le détromper :

– Non, non. Par les trois lunes, non. Personne ne voit la reine. En tout cas, pas depuis au moins neuf ans. Elle est très secrète.

« Ah oui, vraiment », pensa le dragonnet.

– J'aimerais pouvoir lui annoncer plus de progrès sur nos différents projets, murmura Legénie. Mais quand je vais lui parler de toi... ça, c'est une victoire ! Reviens demain qu'on puisse davantage faire connaissance, d'accord ?

Il passa l'aile autour des épaules de Comète et le serra contre lui sans attendre sa réponse.

– Je suis ravi de t'avoir rencontré, fiston. Je suis tellement fier !

Il les fit sortir de la pièce et verrouilla soigneusement la porte derrière eux avant de filer dans un tunnel, au bout du balcon. Comète contempla la rangée de portes derrière lesquelles on torturait les Ailes de Pluie.

– Waouh, souffla Destiny. Alors, finalement, on est affreux. Je n'avais pas du tout prévu ça.

Comète fixa le bout de ses pattes, les ailes basses.

– Moi, j'avais cru tout ce que j'avais lu. Que les Ailes de Nuit étaient nobles, doués en tout, parfaits. Mais ça… ça, je ne comprends pas.

– D'où viens-tu ? le questionna-t-elle, intriguée. Tu n'es pas comme eux. Et qui est-ce, ce Mangrove ?

– J'ai été élevé par les Serres de la Paix, moi aussi, dit-il en espérant lui faire oublier sa dernière question grâce à cette révélation. En fait, je suis un Dragonnet du Destin, enfin, j'étais. J'imagine que je ne suis plus essentiel à la prophétie vu qu'ils ont décidé de me remplacer par toi.

– Quoi ?

Elle recula d'un pas en battant des ailes.

– Attends, je ne t'ai jamais vu alors que je vivais dans le camp des Serres de la Paix.

– Nous étions cachés, expliqua Comète. Au fond d'une grotte, dans les profondeurs des montagnes. Personne ne devait nous trouver.

– Ah, vous voilà ! fit Loracle en se posant lourdement à côté d'eux. Si vous avez fini de bavarder, d'autres affaires urgentes nous attendent.

– Non, je n'ai pas fini, moi ! affirma Destiny en se tournant vers lui. C'est aussi un Dragonnet du Destin ! Pourtant il ne peut pas y avoir deux Ailes de Nuit dans la prophétie, comment ça se fait ?

– Seul l'un de vous deux accomplira la prophétie, les

informa le dragon. C'est justement pour ça que vous êtes là. Pour que nous puissions choisir entre vous deux.

« Alors, j'ai encore une chance », pensa Comète.

– Parce que vous ne savez pas précisément ? s'étonna Destiny en fronçant le museau. C'est pourtant votre prophétie, non ?

– Les prophéties, ce n'est pas toujours simple, rétorqua froidement Loracle.

– Oh ! Belle réplique ! siffla la dragonnette, ironique. Je devrais la noter pour la ressortir à Vipère.

– Le vrai problème, poursuivit le dragon, c'est qu'aucun de vous deux ne fait l'affaire, en réalité. Mais comme nous n'avons pas d'autre dragonnet du même âge, ce sera forcément l'un de vous deux.

Il grogna.

– Nous avons sans nul doute commis une grave erreur en vous laissant grandir en dehors du clan, où nous pensions que vous seriez à l'abri de… enfin, bref, au cas où. Nous avions toujours cru que les Ailes de Nuit étaient naturellement supérieurs aux autres, de naissance.

Il toisa les deux dragonnets de toute sa hauteur.

– Visiblement, nous nous sommes trompés.

– Pourquoi je ne fais pas l'affaire ? demanda Comète.

Il ne supportait pas le ton plaintif de sa voix, mais ne parvenait pas à le contrôler.

– Qu'est-ce que j'ai fait de mal ?

– Tu n'as aucune des qualités qui font un leader, affirma Loracle. Tu n'es pas un digne représentant des Ailes de Nuit, tu nous fais passer pour des lâches et des suiveurs. Et tu as contrarié notre alliée.

– Fièvre ? fit Comète, mal à l'aise.

Le souvenir de leur rencontre au royaume de la Mer était encore cuisant. Il avait essayé de trouver des raisons de la soutenir en tant que future reine des Ailes de Sable, vraiment, mais elle était trop manipulatrice, il n'avait aucune confiance en elle. Et il n'avait pas apprécié la manière dont elle regardait Sunny, comme si elle rêvait de s'en faire un petit encas.

– Tu as failli faire échouer tout notre plan, conclut Loracle.

– Quel plan ? s'écria Comète. Comment puis-je faire aboutir quoi que ce soit si je ne sais même pas ce que vous voulez ?

À sa grande surprise, Loracle ne répliqua pas immédiatement, réfléchissant à sa remarque.

– Non, finit-il par gronder. On ne peut confier aucun secret aux dragonnets. Peut-être que si tu es l'élu, nous pourrons t'en révéler un peu plus. Mais d'abord, il faudrait que tu apprennes à obéir aux ordres.

Il lui lança un regard noir avant d'ajouter :

– Maintenant, suivez-moi.

Et il s'éloigna en fouettant l'air de sa queue.

Comète et Destiny échangèrent un regard.

– Tes visions t'ont peut-être fourni des indices, non ? Au sujet de leur grand plan secret, je veux dire…

La dragonnette se gratta le cou, faisant scintiller son bracelet d'écailles argentées.

– Voyons, voyons…

Elle ferma un instant les yeux avant de les rouvrir.

– Oui, tout à fait ! Nous faisons partie du plan ! Tous les deux ! Nous allons devenir des héros et tout le clan nous aidera à mettre fin à la guerre et peut-être même qu'ils nous couronneront roi et reine.

Abasourdi, Comète la dévisagea.

Roi et reine ? Mais il ne pouvait pas… elle n'était pas… enfin, bref, lui, il voulait Sunny. Il était amoureux d'elle depuis toujours.

– REMUEZ-VOUS OU JE VOUS TUE TOUS LES DEUX, PROPHÉTIE OU PAS ! menaça Loracle de l'autre bout du tunnel.

En se précipitant pour le rejoindre, les dragonnets se bousculèrent, trébuchèrent et, finalement, Destiny partit en tête, laissant Comète à la traîne, en pleine confusion.

Il ne voulait même pas imaginer un avenir où Destiny serait sa reine, il se concentra donc sur les expériences de son père.

« Pourquoi torture-t-il les Ailes de Pluie ? Je dois pouvoir trouver la réponse. Réfléchis, Comète, réfléchis. »

Sa première hypothèse, c'était que les Ailes de Nuit voulaient se servir de leur venin. Comme l'avait souligné

Vengeur, il s'agissait de l'une des armes les plus puissantes de Pyrrhia. S'ils arrivaient à recréer le venin ou à l'adapter pour leur propre usage… avec cette nouvelle arme, alliée à leurs dons de télépathie et de prescience, les Ailes de Nuit deviendraient invincibles.

Et, une fois qu'ils auraient cette arme à leur disposition, peut-être projetaient-ils de prendre part à la guerre. Comète savait déjà qu'ils avaient choisi leur camp – ils voulaient que Fièvre monte sur le trône –, même si leurs motivations lui échappaient. Et pourquoi voudraient-ils se battre maintenant, alors que la guerre durait depuis dix-huit ans, il ne le comprenait pas non plus.

Peut-être que Fièvre leur avait promis quelque chose… Flamme avait bien décidé de donner de ses terres aux Ailes de Glace en échange de leur soutien.

Des terres.

Comète se figea au milieu du tunnel de pierre, submergé par cette révélation.

« C'est justement ce dont les Ailes de Nuit ont besoin plus que tout. Il leur faut un nouvel endroit pour vivre. »

Le volcan était extrêmement dangereux, il n'était peut-être pas en activité lorsque le clan s'était installé ici, mais la situation avait changé. Les Ailes de Nuit vivaient sous la menace permanente qu'il entre en éruption. De plus, cette île était franchement inhospitalière. Ils n'avaient plus de gibier à chasser, presque pas d'eau potable à boire, peu de lumière à cause de l'épaisse couche de nuages et de fumée, et aucune échappatoire... à part le tunnel menant à la forêt de Pluie.

La forêt de Pluie qui était justement tout le contraire de cette île : un endroit de rêve.

« Le voilà, leur plan ! »

Comète se prit la tête entre les pattes. Pourquoi n'y avait-il pas pensé plus tôt ? Les Ailes de Nuit n'essayaient pas de reproduire le venin – effectivement, toutes les expériences de Legénie visaient plutôt à s'en protéger. Parce que les Ailes de Nuit avaient l'intention d'envahir la forêt tropicale et de la voler aux Ailes de Pluie. Et ils avaient beau être pacifiques, ils risquaient tout de même de vouloir défendre leur royaume.

Les Ailes de Nuit cherchaient donc à se protéger de leur venin en prévision de l'invasion !

« Est-ce ça que Fièvre leur a promis ? Le tunnel de la forêt de Pluie au royaume de Sable... C'est pour l'armée des Ailes de Sable ! Une fois qu'elle sera reine, ils viendront combattre les dragons de pluie aux côtés des Ailes de Nuit, si nécessaire. »

Les Ailes de Pluie couraient un grand danger. Ce n'était plus une poignée de dragons disparus ici et là.

« Gloria avait raison, la reine Magnifique se trompait. Ils vont devoir se défendre, ou bientôt, ils seront tous morts. Et je suis le seul au courant. »

Lui, Comète, le dragonnet le plus trouillard jamais choisi pour accomplir une prophétie. Comment pourrait-il sauver les Ailes de Pluie ? Comment pourrait-il empêcher son propre clan de les exterminer ?

Destiny revint vers lui en courant.

– Je me dis toujours que ce n'est pas possible, qu'il ne peut pas être encore plus odieux, et pourtant si ! râla-t-elle. Viens, dépêche-toi ! Il veut que tu rencontres les autres, au cas où tu serais le dragonnet de la prophétie et pas moi.

Elle agita la patte devant ses yeux.

– Hé, ho ! Réveille-toi, dragon rêveur !

Comète se secoua du mieux qu'il put.

– J'arrive ! réussit-il à articuler alors qu'il se sentait incapable d'enchaîner plus de deux syllabes.

« Je me trompe peut-être. »

Mais il savait que non. Toutes les pièces du puzzle s'assemblaient parfaitement.

« J'ai découvert le plan secret des Ailes de Nuit, pensa-t-il. Et maintenant… qu'est-ce que je vais faire ? »

DEUXIÈME PARTIE
LE SECRET DE LA REINE

CHAPITRE 7

« Les autres. »

Comète comprit seulement l'expression de Destiny lorsqu'il se retrouva dans une grotte, non loin de la forteresse, face à quatre dragonnets qui le fixaient d'un œil peu amical. Quatre dragonnets qu'il ne connaissait pas… Rouge, vert, marron et blanc doré.

« Ils ont un Aile du Ciel, remarqua-t-il. Et une Aile de Sable qui a vraiment l'allure d'une Aile de Sable. »

Il n'avait pas croisé beaucoup de dragons de sable dans sa vie, mais l'expression renfrognée de celle-ci et son hostilité manifeste en faisaient l'exact opposé de Sunny.

– Les Dragonnets du Destin de rechange, grogna Loracle en les toisant d'un regard dégoûté.

– Qui est-ce ? demanda l'Aile de Mer vert émeraude en scrutant Comète. Il lui ressemble. Il est aussi pénible qu'elle ?

Il désigna Destiny du menton.

– Je vous présente Comète, fit celle-ci en l'ignorant délibérément. Comète, voici mes amis.

Le dragonnet rouge émit un reniflement méprisant tandis que le blanc doré levait les yeux au ciel.

– Il y a Fuego, l'Aile du Ciel. Le gros Aile de Boue, c'est Tourbe, l'Aile de Sable à l'air mauvais, c'est Vipère et le petit Aile de Mer verdâtre, c'est Poulpe.

Ce dernier questionna Loracle :

– Elle s'est attiré des ennuis ? Je lui avais bien dit qu'elle aurait des problèmes si elle quittait la grotte. J'espère que vous lui avez flanqué une bonne correction.

– Où étiez-vous passés ? demanda Vipère en pointant sa queue venimeuse vers Loracle. Nous sommes là depuis un jour et demi, et personne n'est venu nous voir ou nous donner quoi que ce soit à manger, à part les restes d'un repas datant de plus de trois mois.

– Qu'il a tout revomi, intervint Fuego en désignant Tourbe.

– C'était affreux ! Sûrement une intoxication alimentaire. Vous avez de la chance que je sois encore en vie.

– Beaucoup de chance, confirma Fuego, parce que j'avais très envie de le tuer.

– C'est pour ça que ça sent si mauvais ! On ne pourrait pas changer de grotte ? demanda Destiny. Ou carrément s'installer dans la forteresse ?

« S'il y a toute une bande de dragonnets de rechange,

correspondant en tous points à la prophétie, alors personne n'a besoin de nous, constata Comète. Mais si les Serres de la Paix les ont depuis le début, alors pourquoi avoir continué à s'occuper de nous ? Et pourquoi les Ailes de Nuit ont-ils envoyé un tueur pour nous éliminer ? »

Tandis qu'il se repassait l'enchaînement des événements, soudain, un frisson glacé le parcourut.

« Nous avions encore une chance jusqu'à ce que nous dressions Fièvre contre nous – par ma faute. C'est après cela qu'ils ont décidé de nous tuer. Parce que je n'ai pas réussi à convaincre les autres de la choisir comme reine des Ailes de Sable. »

Loracle le dévisageait attentivement, comme s'il regardait défiler les pensées qui se succédaient dans l'esprit du dragonnet.

– Lassassin avait pour mission de tous nous tuer, conclut Comète.

– Sa cible principale était l'Aile de Pluie, déclara le grand dragon noir. Puis l'Aile de Mer. Pour les autres, c'était à discuter.

Comète secoua la tête.

– Vous ne pouvez pas tuer Gloria et Tsunami. Sinon... je... je... je ne ferai pas du tout ce que vous voulez.

Il tremblait comme si le volcan avait ébranlé le sol sous ses pattes. Il s'attendait presque à ce que Loracle lui tranche la gorge sur-le-champ.

– On verra, répondit l'Aile de Nuit, l'air franchement inquiet.

– Le problème, c'est que jamais mes amis ne vous laisseront me remplacer, affirma Destiny. Nous avons tous grandi ensemble ! Nous sommes liés les uns aux autres. Ils me défendront si vous essayez de mettre quelqu'un d'autre à ma place !

Vipère se redressa, soudainement intéressée.

– La remplacer ? C'est possible ?

– Allez-y ! renchérit Fuego. Je vote pour.

– Moi aussi, dit Tourbe. Il ne parle pas beaucoup, on dirait, ça nous changerait.

– Je me porte volontaire pour la pousser du haut de la falaise, ajouta Poulpe.

Destiny leur jeta un regard outragé.

– Très drôle, les gars.

Mais Comète avait la très nette impression qu'ils ne plaisantaient pas.

« Pauvre Destiny, pensa-t-il. Dire qu'elle les prend vraiment pour ses amis. »

– Toi aussi, tu n'arrêtes pas d'avoir des visions ridicules ? s'enquit Poulpe.

Comète se balança d'une patte sur l'autre, tout gêné, mais Loracle intervint avant qu'il ait à répondre :

– Vous risquez tous d'être remplacés, dit-il avec une moue dégoûtée. Sauf toi.

Il désigna Fuego.

Le dragonnet du ciel bomba le torse.

– Ha ha ! Vous avez intérêt à vous en souvenir, vous autres !

Vipère siffla en dardant sa langue vers lui, puis s'adressa à Loracle :

– Alors, pourquoi nous avoir amenés ici ?

– Et quand est-ce qu'on pourra rentrer chez nous ? renchérit Poulpe.

Loracle fronça les sourcils. Comète sentait que l'Aile de Mer l'agaçait particulièrement. Il se demanda si, du coup, les Ailes de Nuit pourraient changer leurs plans concernant Tsunami. S'ils ne la tuaient pas, ils n'auraient pas besoin de ce dragonnet de rechange.

Enfin… Tsunami pouvait être très agaçante, elle aussi.

« Dommage pour Loracle, rien ne s'est déroulé comme prévu, pensa Comète avec une certaine satisfaction. Deux Ailes de Nuit pitoyables. Deux Ailes de Mer insupportables. Et en revanche deux Ailes de Boue et deux Ailes de Sable parfaits. »

Bien sûr, il trouvait Sunny plus parfaite que parfaite. Pourquoi aurait-elle eu besoin d'un aiguillon empoisonné alors qu'elle était plus drôle, plus intelligente et plus gentille que tous les dragons du monde ?

– Si vous voulez faire partie de la prophétie, ce que vous devez tous me prouver, c'est que vous êtes capables d'obéir aux ordres, de travailler en équipe et de faire ce qu'on vous dit, annonça Loracle.

– Suivre les ordres et faire ce qu'on nous dit, c'est la même chose, fit remarquer Destiny.

Il la fusilla du regard en insistant :

– Parce que c'est très important.

Il scruta les dragonnets de ses yeux sombres.

– Bien. La première épreuve. Toi, dit-il à Comète, tout ce que tu as à faire, c'est de rester en vie.

– Comment ça ? s'étonna l'intéressé.

– Quant à vous autres, tuez-le, fit-il en pointant la queue sur Comète.

Les dragonnets le fixèrent, durant ce qui lui sembla une minute interminable.

– On ne pourrait pas la tuer, elle, à la place ? suggéra Vipère en désignant Destiny.

– Ooooh, oui ! Je me porte volontaire ! s'écria Fuego.

– Non ! Qu'est-ce que vous attendez ? s'impatienta Loracle. C'était un ordre. J'ai dit « tuez-le ! ».

« Il est sérieux », réalisa Comète.

C'est alors que Vipère se rua sur lui, dressant sa queue venimeuse à la manière d'un scorpion. De l'autre côté, les griffes de Tourbe lui frôlèrent l'aile droite, le manquant d'un poil. Quant à Fuego, il émit ce sifflement caractéristique, annonçant qu'il se préparait à cracher des flammes, que Comète avait entendu durant ses séances d'entraînement avec Crécerelle.

Loracle espérait sans doute le voir se défendre pour juger de son aptitude au combat, mais Comète s'en moquait. Il était conscient qu'il ne pouvait pas compter s'en sortir par la force. Il savait également qu'il ne pouvait pas réagir comme il en avait l'habitude, c'est-à-dire rester pétrifié en croisant les griffes pour passer inaperçu.

Il glissa donc sous l'aile de Tourbe, poussa Poulpe contre Vipère, contourna Destiny et fila hors de la grotte.

Le vent sifflait sur ses ailes tandis qu'il descendait en piqué le long de la falaise. Les cris des dragonnets résonnaient dans son dos. Ils étaient à ses trousses.

Il fallait de toute urgence qu'il trouve une cachette.

CHAPITRE 8

Comète s'élança du haut de la falaise et vira en direction de l'océan, scrutant frénétiquement le sol en contrebas.

La bonne nouvelle, c'était que, s'il avait bien compris, les dragonnets de rechange n'étaient pas sur l'île depuis longtemps et ils ne connaissaient donc probablement pas du tout les environs.

La mauvaise nouvelle, c'était que lui non plus.

Pour l'instant, il était sur l'autre face du volcan, à l'opposé de la forêt où il s'était rendu avec Loracle. Ici, il n'y avait aucun arbre. Il ne voyait défiler que des pierres noires et des rivières de lave incandescente – pas le moindre endroit où se cacher.

Devant lui s'étendait une bande de sable noir qui semblait faire le tour de l'île. Il se rappelait avoir entendu

Gloria dire que le tunnel vers la forêt de Pluie débouchait dans une grotte surplombant une plage de sable noir.

Il envisagea un instant d'essayer de la localiser, mais il n'avait pas le temps, pas avec les autres dragonnets à ses trousses. Il ne garderait pas longtemps son avance car Fuego avait des ailes immenses, comme la plupart des Ailes du Ciel – ce qui en faisait le clan de dragons le plus rapide.

Comète risqua un œil par-dessus son épaule et aperçut dans le ciel les traînées de couleur vive des quatre dragonnets qui le poursuivaient, bien plus proches de lui qu'il ne l'aurait voulu.

Quatre, seulement.

Destiny n'était pas avec eux.

Avait-elle désobéi aux ordres ou essayait-elle de le prendre à revers ?

Il n'avait pas le temps de réfléchir. Il descendit en piqué et vola en rase-mottes, le plus près possible du sol, espérant que ses écailles noires se confondraient avec la roche et le rendraient plus difficile à repérer que s'il restait dans les airs.

Soudain, un jet de vapeur jaillit d'une fente dans la pierre, manquant lui brûler la queue. Il l'esquiva vivement. De près, les rochers ressemblaient encore davantage à des écailles de dragon, mais toutes fondues ensemble.

« Voilà à quoi je risque de ressembler si Fuego et Vipère mettent la patte sur moi. »

Le problème, c'est que les dragonnets étaient si proches qu'ils repéreraient les mêmes obstacles que lui. Et s'il trouvait une cachette, il leur suffirait de le suivre. Impossible d'essayer de les semer dans l'eau ou dans les nuages alors qu'il y avait un Aile de Mer et un Aile du Ciel dans la bande.

Il battit des ailes plus vite, tout en se creusant les méninges.

« Fais marcher ton cerveau, Comète. C'est ton unique atout ! »

Il n'y avait qu'un seul endroit où se cacher : la forteresse. Peut-être pourrait-il trouver une salle où s'enfermer à clé ou demander de l'aide à son père. Il décrivit un arc dans les airs, et se dirigea vers le bâtiment, espérant l'atteindre avant que les dragonnets ne lui coupent la route.

Une nouvelle vague de chaleur lui effleura la queue. Il se retourna vivement pour voir d'où sortait la vapeur, cette fois… et, à son grand désarroi, aperçut Fuego à quelques battements d'ailes de lui seulement, avec des flammes qui lui sortaient des naseaux.

La vision de l'Aile du Ciel à ses trousses lui donna un sursaut d'énergie et il accéléra. Mais tous ses muscles lui faisaient mal, il était épuisé. Jamais il n'arriverait à la forteresse avant que Fuego ne le rattrape.

Il remarqua alors plusieurs grottes qui s'ouvraient le long d'une rivière de lave en contrebas.

La prison des Ailes de Pluie que Gloria lui avait décrite dans les moindres détails !

Tout à coup, un panache de fumée noire s'échappa d'une fissure dans la roche. C'était l'occasion qu'il attendait.

Il s'abrita derrière l'écran de fumée, puis descendit en spirale vers le sol et s'engouffra dans la première grotte qu'il repéra.

Une dragonne de nuit en gardait l'entrée, allongée sur le sol de pierre. Comète lui passa au-dessus et s'affala par terre. Elle se redressa en toute hâte, clignant des yeux comme si elle venait de se réveiller. Le dragonnet entendit remuer dans le fond de la grotte tandis que l'Aile de Pluie prisonnier se penchait pour voir ce qui se passait.

– Hé ! protesta la dragonne noire. Qu'est-ce que tu fais là ?

Elle agita férocement la queue. D'un seul coup, elle semblait immense et costaude, malgré ses côtes saillantes. Comète se releva tant bien que mal et s'efforça de prendre l'air calme et dégagé, pas du tout l'air d'un dragonnet en fuite.

– Je… je… je viens voir l'Aile de Pluie, bafouilla-t-il.

– Le prisonnier ?

La dragonne fronça les sourcils, soupçonneuse.

– Et pourquoi donc ?

– Hum…

Comète faisait défiler les parchemins dans sa tête aussi vite que possible. Il y avait quelques aventures de dragonnets dans son parchemin préféré, *La Légende des Ailes de Nuit*. Non, ça ne pouvait pas marcher, à moins que…

– C'est pour mes devoirs, hasarda-t-il.

À sa grande surprise, la garde se détendit immédiatement.

– Ah ! Tu as Legénie comme professeur, pas vrai ? Ce savant fou n'arrête pas avec ses « observations en milieu naturel » et ses « études sur le terrain ». Ma fille n'en peut plus ! Bon, d'accord, vas-y. Mais sois prudent.

Comète s'inclina gracieusement avant de filer dans le fond de la grotte.

L'Aile de Pluie était enchaîné au mur et au sol, son museau maintenu par un anneau de métal comme celui que Fortaile avait mis à Orchidée. Il posa sur le dragonnet un regard vide et résigné. Ses écailles oscillaient entre le gris et le bleu foncé.

Comète se demandait si les Ailes de Nuit avaient enchaîné tous leurs prisonniers après l'évasion de Gloria et de Kinkajou. Car pour autant qu'il s'en souvienne, son amie avait été muselée, mais pas attachée au mur. Il avait bien envie de promettre à ce pauvre dragon que, bientôt, on viendrait le libérer, mais c'était déjà assez dangereux de l'avoir dit à Orchidée. Il ignorait si les dragons de pluie savaient garder les secrets. Et si jamais les Ailes de Nuit apprenaient qu'il se baladait un peu partout pour rassurer leurs prisonniers… hum, ça ne leur plairait sans doute pas vraiment.

Un concert de battements d'ailes résonna soudain à l'extérieur. Comète se tourna vers le fond de la grotte qui s'ouvrait sur un précipice, immense et sombre. Gloria leur avait expliqué que toutes les cellules de cette prison donnaient sur le gouffre, c'était ainsi que Kinkajou pouvait circuler de l'une à l'autre.

Mais la dernière chose dont Comète avait envie, c'était de sauter dans le noir. Enfin, non. La dernière chose dont il avait envie, c'était de devoir affronter Fuego et Vipère. Tout compte fait, à choisir, il préférait encore sauter d'une falaise dans l'obscurité complète.

Il s'élança du rebord rocheux en déployant ses ailes pour freiner sa chute. Il s'attendait à tout instant à s'empaler sur un pic rocheux, mais il ne rencontra que du vide, un vide qui semblait l'aspirer toujours plus bas.

Finalement, à plusieurs longueurs de dragon du haut de la falaise, il sentit un rebord de pierre sous ses pattes et se posa délicatement dessus. Même si quelqu'un se penchait pour regarder au fond du gouffre, ses écailles noires se fondraient dans la pénombre.

Des éclats de voix lui parvinrent d'en haut :

– Où est-il passé ?

On aurait dit Fuego.

– Qui va là ? gronda la dragonne qui montait la garde. Des intrus ! Un Aile du Ciel ! Et un Aile de Boue ! Ils viennent libérer nos autres prisonniers.

Elle donna l'alerte en cognant sur une sorte de gong dont les vibrations emplirent toute la grotte.

Comète se boucha les oreilles mais, malgré le vacarme, il entendait toujours Fuego vociférer :

– Non, on a le droit d'être là !

Et Tourbe qui enchaînait :

– On est avec Loracle !

– On essaie de tuer un dragonnet de nuit ! renchérit l'Aile du Ciel. Vous avez vu par où il est parti ?

« Ouh là, alors, ça, ce n'était vraiment pas le truc à dire ! » pensa Comète.

– ILS VEULENT TUER NOS DRAGONNETS ! hurla la garde.

Un grand *CLONG !* retentit, comme si elle avait assommé Fuego d'un coup de gong. Comète espérait bien que c'était le cas. Chaque fois qu'il revoyait dans sa tête l'expression méprisante de l'Aile du Ciel, il se disait que c'était impossible, que cet odieux dragonnet ne pouvait pas prendre la place de Gloria dans la prophétie.

« Dès que Loracle a posé les yeux sur Gloria, il a voulu l'éliminer, pensa-t-il. Pas parce qu'il la trouve bonne à rien et paresseuse, non ! Mais parce que c'est une Aile de

Pluie, il avait peur qu'elle découvre leur plan et qu'elle prévienne son clan ! Il la craint. Et il fait bien. »

Le vacarme se tut quand un escadron de gardes de nuit arriva pour emmener Fuego et Tourbe. Comète espérait qu'il en serait de même pour Vipère et Poulpe, qui le cherchaient peut-être dans la forteresse. Au cas où, il préféra rester caché un peu plus longtemps.

« Je pourrais essayer de m'échapper, pensa-t-il. En profiter que je n'ai personne sur le dos. Je pourrais essayer de retourner dans la forêt de Pluie, prévenir Gloria et les autres. Je pense savoir où se trouve le tunnel... mais il doit y avoir des gardes postés à l'entrée et ils m'arrêteraient sûrement. Et puis, Loracle serait furieux contre moi, et il m'étranglerait de ses propres griffes, ça ne fait aucun doute. »

Comète ferma les yeux, essayant de se représenter l'île dans sa tête.

« Ou alors, je pourrais m'évader par la voie des airs, en survolant l'océan. Je prendrais une direction au hasard et je filerais tout droit. »

Il savait déjà qu'il n'aurait jamais le courage de faire ça. Impossible de savoir où se trouvait la terre la plus proche ni de localiser le continent. Il n'avait jamais vu cette île sur aucune des cartes de Pyrrhia, il en était certain.

Le dragonnet replia ses ailes sur ses flancs, appuya sa tête contre la paroi rocheuse derrière lui et soupira.

– Comète ? chuchota une voix tout près de lui.

Il se figea. S'il ne remuait pas une écaille, personne ne pourrait le repérer dans l'obscurité.

– Comète, c'est moi, Destiny, fit-elle tout doucement.

Il s'aperçut alors que sa voix ne venait pas de la grotte par où il était entré, elle devait être un peu plus loin, dans une de celles d'à côté.

– Je suis sûre que tu es en bas, reprit-elle, parce qu'il faut être follement courageux et follement malin pour se cacher là-dedans. Et ça te ressemble bien.

« Tu parles ! Follement courageux ? Moi ? C'est tout le contraire, oui. Celle qui est follement courageuse, c'est Tsunami. Si j'étais follement courageux, je serais resté pour affronter les quatre dragonnets à la fois. Mais se cacher au fond d'un trou ? Laisser les autres régler mes problèmes, ça oui, c'est bien moi. »

Destiny ne disait plus rien, mais il l'entendait respirer.

– Évidemment, si tu n'es pas là, c'est moi qui vais passer pour une folle, reprit-elle. Il y a un Aile de Pluie à côté de moi qui me regarde bizarrement. Ben quoi ? Je parle dans le vide et alors ? Continue à prendre ton air misérable, ne t'occupe pas de moi. Oh oh, ses oreilles se sont teintées de jaune ! s'écria-t-elle. Ça veut dire que ça l'amuse ou que ça l'énerve, à ton avis ?

« Ça l'amuse », pensa Comète.

Tout au moins d'après les variations de couleur qu'il avait pu observer chez les Ailes de Pluie lors de son bref séjour dans la forêt.

– J'aimerais pouvoir te libérer, mon pauvre, fit-elle en s'adressant au dragon de pluie. Mais il me faudrait une de leurs lances à piques. Allez, Comète, remonte qu'on puisse trouver comment aider tous ces prisonniers. J'ai été voir dans quelques autres grottes et j'en ai compté au moins dix, tu imagines ?

« Quatorze selon Kinkajou. »

– Oh… et je te promets de ne pas te tuer, précisa-t-elle. C'est ça qui t'inquiète ? *Pfff.* D'après mes visions, on est censés accomplir des merveilles ensemble. Ça ne risque pas de se produire si tu es mort, pas vrai ? Je n'ai pas peur de dire à Loracle que *mes* prophéties valent autant que les siennes. Et mes prophéties disent que tu es éternel, na ! Je vais le lui annoncer de ce pas, d'ailleurs.

Comète sourit dans le noir. Il serait tout à fait ravi d'assister à cette conversation.

– Bon, d'accord, j'arrive ! s'écria-t-il.

Ils regagnèrent la grotte des dragonnets ensemble. Vipère et Poulpe étaient affalés contre la paroi rocheuse, l'air morose, tandis que Loracle faisait les cent pas.

– Oh, vous avez perdu des recrues ? remarqua Destiny en feignant l'apitoiement.

Loracle lui lança un regard assassin.

– C'est pas drôle, siffla Poulpe. J'avais plus de mille gardes Ailes de Nuit à mes trousses !

Vipère leva les yeux au ciel.

– Pas plus de quatre.

– Ils ont failli me brûler la queue ! Et m'éborgner avec leurs lances ! Et quand je leur ai dit que j'étais un Dragonnet du Destin, ça les a énervés encore plus ! Je veux rentrer chez moi !

Poulpe replia ses ailes, boudeur.

– En plus, je n'ai pas vu la moindre trace du trésor que vous m'aviez promis !

– Nous préférons que notre trésor reste à l'abri, marmonna Loracle, au lieu de l'exposer à tous les regards comme les autres clans.

Il se massa les tempes un instant avant de soupirer :

– J'aurais sans doute mieux fait d'avertir mon clan de votre arrivée.

– Oui, vous auriez dû ! cingla Vipère.

– Le Grand Conseil est au courant, mais visiblement la nouvelle ne s'est pas répandue dans nos rangs. Il va falloir que je parlemente un moment pour faire sortir Fuego et Tourbe du cachot.

Le dragon pianota des griffes sur la roche et se tourna vers Comète.

– Astucieux comme façon de te débarrasser de tes poursuivants, constata-t-il. Que tu l'aies fait exprès ou non. Ce n'est pas ainsi que j'aurais procédé, certes, mais ça a fonctionné.

– Bon, alors, on peut tuer Destiny à la place, maintenant ? demanda Vipère.

– Tu sais que tu es vraiment odieuse, parfois, protesta Destiny.

Loracle s'adressa alors à elle d'un ton de reproche :

– Quant à toi, il semble que tu aies eu l'occasion de le tuer, mais que tu ne l'aies pas saisie.

– Le destin, c'est le destin, répliqua la dragonnette. Je ne comprends pas pourquoi vous vous souciez tant de qui est dans la prophétie ou pas. C'est vous qui l'avez révélée au monde, maintenant vous n'avez qu'à la regarder s'accomplir. Que ce soit Comète ou moi, l'Aile de Nuit, qu'est-ce que ça peut bien vous faire ?

– C'est important pour le clan, déclara Loracle. La reine a ordonné que je choisisse l'un de vous deux et que je tue l'autre.

Destiny ouvrit et ferma la gueule plusieurs fois.

– C'est vrai ? dit-elle finalement d'une toute petite voix.

Comète avait de la peine pour elle.

Depuis ce que Gloria lui avait annoncé dans la forêt de Pluie, il avait eu quelques jours pour se faire à l'idée que son clan ne correspondait pas du tout à ce qu'il avait imaginé. Destiny se retrouvait brutalement face à la réalité.

– Pas aujourd'hui, cependant, reprit Loracle. Pour l'instant, je vais tous vous transférer à la forteresse où je pourrai vous avoir à l'œil.

Il les installa dans le dortoir où Comète s'était réveillé

le matin. Puis, au grand soulagement du dragonnet, il fila au conseil du soir sans lui.

– Vous êtes sûr de ne pas vouloir m'y emmener ? insista Destiny tandis qu'il s'éloignait à pas lourds.

Elle espérait sûrement croiser d'autres Ailes de Nuit, qui lui donneraient une meilleure impression de son clan que Loracle et Legénie.

– Sûr et certain, répliqua-t-il. Reste ici. Et essaie de parler le moins possible.

Elle le regarda partir, les ailes basses.

– J'aurais tellement voulu voir la reine, confia-t-elle à Comète.

– Tu as entendu ce qu'a dit Legénie ? Personne ne la voit jamais.

Il secoua la tête.

– J'ai l'impression qu'elle passe par sa fille Somptueuse pour tout.

Et c'était vraiment étrange ! Comète sentait qu'il y avait un secret là-dessous... et il avait bien envie de le percer.

Il hésitait à dévoiler à Destiny le plan des Ailes de Nuit. Peut-être serait-elle d'accord pour l'aider à le stopper ? Elle avait été choquée du traitement réservé aux Ailes de Pluie emprisonnés dans les grottes. Mais elle avait beau être sympathique, accepterait-elle pour autant de trahir son clan ?

Il n'eut pas le temps de lui parler de toute façon. Dès

que Loracle fut parti, Comète, Destiny, Vipère et Poulpe furent encerclés par les dragonnets du dortoir.

– Bonjour ! lança Destiny. Salut, tout le monde ! Ravie de vous rencontrer !

– Oh, c'est toi, l'autre, alors, devina Mordante en la reniflant. Tu n'as pas l'air bien terrible non plus.

– Regarde toutes ces couleurs ! s'exclama Télépathe en désignant les ailes vertes de Poulpe. Trop fort !

– Ne me touchez pas ! pleurnicha le dragonnet de mer. Vipère ! Empêche-les de m'approcher.

L'Aile de Sable l'ignora. Elle brandit sa queue, menaçante, pour que les dragonnets s'écartent sur son passage et se dénicha une couchette tout au fond du dortoir, où elle se blottit aussitôt sur la pierre.

L'épuisement commençait à gagner Comète. Il laissa Destiny se présenter à tout le monde et retourna s'allonger là où il s'était réveillé quelques heures plus tôt.

Ses amis lui manquaient. Il avait envie de manger du sanglier avec Argil, de se disputer avec Tsunami, de faire part de toutes ses découvertes à Gloria et de la mettre en garde contre les Ailes de Nuit. Mais c'était Sunny qui lui manquait le plus. Ses écailles chaudes contre les siennes quand ils dormaient, ses yeux verts dans les siens quand ils discutaient. Il avait envie de lui raconter tout ce qui lui était arrivé – l'étrange technique de chasse des dragons de nuit, le Grand Conseil dans sa grotte sinistre, le comportement mystérieux de la reine et ce qu'il avait deviné de ses projets secrets.

Il voulait lui parler de son père.

Et des dragonnets de rechange.

Et…

Ses yeux se fermèrent et il sombra dans le sommeil.

CHAPITRE 9

Comète était en train de rêver, même si, en réalité, il s'agissait plus d'un souvenir que d'un rêve.

Il attendait dans l'entrée de la grotte lorsque Palm fit rouler le gros rocher sur le côté pour pénétrer à l'intérieur. Le dragonnet déplia ses ailes et se pencha en avant, tentant d'apercevoir les serres de son gardien.

– Je n'en ai qu'un, cette fois, annonça Palm en tirant un rouleau de parchemin de son filet de pêche.

Il le lança à Comète qui l'attrapa et le prit du bout des griffes. Il était un peu mouillé sur les bords et dégageait une légère odeur de poisson, mais ça ne le dérangeait pas.

Il l'emporta dans leur salle de classe où il trouva Sunny blottie sous l'unique rayon de soleil filtrant à travers la lucarne du plafond. Son cœur s'emballa lorsqu'elle ouvrit ses grands yeux verts et lui sourit.

– Un nouveau parchemin ? s'écria-t-elle. De quoi parle-t-il, celui-là ?

Il s'assit à côté d'elle pour le dérouler avec précaution.

– Il parle de nous !

Il parcourut rapidement le texte des yeux.

– C'est trop bizarre… Il a dû être écrit récemment. Il y a différentes hypothèses sur notre identité, et qui fait partie de la prophétie et comment elle va s'accomplir.

Sunny se releva pour lire par-dessus son épaule, il sentit la chaleur de ses écailles dorées contre les siennes.

– Waouh ! J'aimerais bien en savoir autant sur moi-même !

– D'après ce texte, dix-sept œufs d'Aile de Mer ont éclos lors de la Nuit-la-plus-Claire, dont six bleus mais il n'est même pas sûr que le Dragonnet du Destin vienne de l'un d'eux parce que certains Ailes de Mer vivent en dehors du royaume de la Mer, par exemple ceux qui sont dans les Serres de la Paix.

– Et ça peut aussi être un œuf volé par les Serres de la Paix, souligna Sunny.

– Tout à fait. Le parchemin ne mentionne pas cette éventualité, affirma Comète en poursuivant sa lecture.

– Il y a quelque chose sur l'œuf d'Aile de Sable ? s'inquiéta-t-elle.

– L'auteur n'est pas très clair à ce sujet.

Comète parcourut la suite du parchemin à la recherche de références aux Ailes de Sable.

– Il dit que si un œuf d'Aile de Sable avait éclos tout seul dans le désert, le dragonnet n'aurait pas survécu. Ce doit donc être l'œuf d'un membre des Serres de la Paix, une fois de plus. Ce qui expliquerait le « caché, à l'abri des reines rivales ».

– Dommage que nos gardiens ne nous aient pas dit d'où venaient nos œufs, soupira Sunny.

– Je devrais peut-être aller directement au chapitre qui explique comment stopper la guerre, proposa Comète en faisant rouler le parchemin entre ses griffes.

– Bonne idée ! On est ouverts à toute suggestion ! plaisanta-t-elle. S'ils ont des trucs et astuces pour faire cesser le bain de sang, on est preneurs !

Une phrase attira alors l'attention de Comète.

– Ils disent qu'il ne reste plus aucun dragonnet du ciel né lors de la Nuit-la-plus-Claire... Quoi ? C'est bizarre. Il doit pourtant bien y en avoir au royaume du Ciel. L'auteur ne connaît peut-être pas bien son sujet.

Il continua à lire, espérant faire durer cet instant avec Sunny blottie tout contre lui.

– On n'a pas besoin d'un Aile du Ciel, de toute façon, affirma-t-elle. On a Gloria. C'est fou quand même qu'on parle de nous à travers tout Pyrrhia, non ? ajouta-t-elle d'un ton rêveur. En ce moment même, sur le champ de bataille, il y a des soldats qui espèrent qu'on va mettre fin à ces combats incessants. Des dragonnets qui attendent le retour de leur père et de leur mère, et qui savent que ça

va arriver grâce à nous. On va faire le bonheur de tant de dragons, Comète !

Elle haussa les ailes, un peu gênée d'avoir pris un ton aussi mélodramatique.

– Enfin, je ne sais pas… mais c'est chouette de savoir qu'on a une mission, qu'on va accomplir quelque chose d'important.

Comète aimait bien la façon dont Sunny envisageait la prophétie. L'idée que de nombreux dragons comptaient sur lui l'angoissait alors que, aux yeux de son amie, cette prophétie était une promesse, pas une obligation. Ça le rassurait de l'entendre parler ainsi.

– Voilà, j'y suis, annonça-t-il. Les différentes manières dont les dragonnets pourront accomplir la prophétie. Voyons… Hum… Bien, la première hypothèse, c'est que tous les dragonnets soient des princesses royales, qu'elles deviennent toutes reines de leur clan et qu'elles mettent fin à la guerre.

Sunny pouffa.

– Je vois tout à fait Argil dans le rôle de la princesse des Ailes de Boue.

Comète sourit.

– Ça n'a aucun sens… surtout qu'on n'a pas d'Aile de Glace. Et ça voudrait dire que tu serais la future reine des Ailes de Sable.

– Non, merci ! répliqua Sunny d'un ton ferme. Je ne suis pas Tsunami. Je n'ai jamais voulu être reine.

Cette hypothèse ne plaisait pas non plus à Comète. Il tremblait déjà à l'idée qu'une affreuse Aile de Sable défie Sunny pour lui prendre le trône.

– Bon... passons à la suivante..., commença-t-il, quand soudain il entendit une cavalcade de griffes dans le tunnel.

Ils levèrent la tête juste au moment où Crécerelle faisait irruption dans la salle, suivie de près par Dune et Palm.

– Donnez-moi ça, rugit l'Aile du Ciel en lui arrachant le parchemin des pattes.

Comète poussa un cri de désespoir en le voyant se déchirer.

La dragonne y jeta un coup d'œil avant de se tourner vers Palm.

– Qu'est-ce qui t'a pris de leur refiler un truc trouvé sur la plage, comme ça ?

– C'est celle qui vend les poissons qui me l'a donné, se défendit Palm. Elle sait que je suis toujours à la recherche de nouveaux manuscrits. Je n'ai pas eu le temps de le regarder en détail, mais ça ne me semblait pas une lecture si dangereuse que ça.

Crécerelle lut le titre à haute voix :

– « Où sont passés les Dragonnets du Destin ? » Pour toi, ce n'est pas dangereux ? Ça ne risque pas de leur donner des idées ? De leur farcir la tête de questions ?

– On a déjà des idées et des questions plein la tête, intervint Sunny.

– Nous allons vous dire ce que vous avez besoin de savoir au sujet de cette prophétie, affirma Crécerelle. Pas besoin de ce tissu de rumeurs, de mensonges et de spéculations pour encombrer vos petits cerveaux.

– Comète n'a pas un petit cerveau, objecta Sunny.

Elle jeta un coup d'œil à son ami et, comme il ne disait rien, elle lui glissa :

– Hé, t'es censé enchaîner : « Et Sunny non plus » !

Comète savait qu'elle s'efforçait de le détendre, mais il était trop préoccupé pour articuler le moindre mot. Pourquoi les gardiens étaient-ils aussi furieux ? Qu'avaient-ils fait de mal ?

– Ce n'est pas pour vous ! affirma Crécerelle en agitant le rouleau de parchemin dans les airs.

Elle le pointa sur Comète en ordonnant :

– Toi, à l'entraînement au combat. Et plus vite que ça !

Sur ces mots, elle tourna les talons et quitta la grotte à pas lourds, suivie de près par les autres gardiens.

Sunny courut sur le seuil puis se retourna vers Comète, hors d'elle.

– Tu vas la laisser faire sans réagir ? Elle t'a pris ton parchemin ! C'est trop injuste !

Comète était du même avis, mais jamais il n'aurait osé tenir tête à Crécerelle.

– C'est pas grave, dit-il en fixant la pierre grise sous ses pattes. Palm m'en rapportera sûrement un nouveau la semaine prochaine.

– Oh, Comète, je sais que tu t'efforces de le cacher, mais je vois bien comme tu es triste, remarqua Sunny.

Elle vint s'asseoir face à lui, effleurant sa queue du bout de la sienne.

– Bah, de toute façon, il n'y avait sûrement pas la réponse à toutes nos questions dans ce parchemin, c'est certain. Personne ne peut savoir comment la prophétie va s'accomplir. Il faut juste faire ce que nous pensons juste et le destin nous conduira dans la bonne direction.

– Peut-être, mais une carte pour s'y rendre, ça nous aurait été bien utile, quand même ! soupira-t-il.

– Pas besoin de carte quand on a de bons compagnons de route. Comme Argil, Tsunami et Gloria. Et moi, bien sûr !

Elle lui sourit.

– C'est vrai, reconnut-il, conscient de sa chance.

De tous les coins et recoins de Pyrrhia, de tous les œufs qui auraient pu être choisis, les deux leurs s'étaient retrouvés ensemble et deux dragonnets qui n'auraient jamais dû se croiser s'étaient rencontrés.

« Et resteront toujours ensemble », pensa-t-il.

Comète se réveilla en sentant une griffe pointée sur son museau.

– *Mmmpf?* grogna-t-il.

Le dortoir était encore plongé dans l'obscurité. Les braises luisaient doucement dans leurs niches tels les yeux mi-clos de dragons endormis. La lucarne s'ouvrait sur un ciel sans étoiles.

La chaleur de son rêve s'évanouit instantanément. Sunny était bien loin, et il n'avait aucune idée de quand il la reverrait.

– Je n'arrive pas à dormir, murmura Destiny dans le noir.

Il entendit un bruissement d'ailes tandis qu'elle se rapprochait pour lui poser la patte sur l'épaule.

– Qu'est-ce que tu fais ?

– Mm… je dors ? marmonna Comète.

– Si on allait explorer les environs ? lui proposa-t-elle. J'ai envie d'en savoir plus sur notre clan, pas toi ? On pourrait faire le tour de la forteresse pendant qu'ils dorment.

Il se frotta les yeux et la toisa, stupéfait.

– On ne risque pas de s'attirer des ennuis ?

– Pourquoi ? Personne ne nous a interdit de le faire ! Nous sommes bien des Ailes de Nuit, non ? C'est notre forteresse aussi ! Allons y faire un tour avant qu'on nous dise qu'on n'a pas le droit.

Son raisonnement était plutôt logique, même si Comète n'était pas sûr que Loracle l'aurait approuvé. Mais, en fait, elle avait raison. Pourquoi leur aurait-on reproché de se comporter comme de vrais Ailes de Nuit ?

De plus, c'est ce que Tsunami aurait fait. Et Comète avait toujours voulu lui ressembler davantage.

Il sauta de sa couchette pour rejoindre Destiny, puis ils s'éloignèrent à pas de velours dans les tunnels. Elle en choisit un au hasard, visiblement, et ils traversèrent des salles désertes. Seuls résonnaient l'écho de leurs propres griffes et le frottement de leurs queues sur la pierre.

« N'aie pas peur, se répétait Comète, encore et encore. Tu ne fais rien de mal. Il n'y a aucun danger qui te guette. Tu es un dragonnet de nuit. C'est ton clan. Voilà où tu aurais dû grandir. »

Il contempla les parois de pierre nue, qui n'étaient pas si différentes de celles de la grotte où il avait passé toute son enfance.

« Tout est parfaitement normal, je suis censé être ici… Non, je suis censé être aux côtés de Sunny. Je suis censé aider mes amis à mettre fin à la guerre. »

Il fit une pause pour prendre une profonde inspiration, puis courut afin de rattraper Destiny.

Toutes les torches étaient éteintes. La seule lueur provenait des braises dans leurs niches murales. En regardant par la fenêtre, Comète ne distingua pas une seule lune dans le ciel chargé de nuages et obscurci par la fumée du volcan.

Il savait qu'ils ne risquaient pas de trouver grand-chose d'intéressant s'il n'osait pas ouvrir une porte ici et là, mais il avait trop peur de réveiller un Aile de Nuit endormi. Il se voyait déjà entrer dans la chambre de Loracle, lui marcher sur la queue sans le faire exprès…

et immanquablement être coupé en morceaux, tué, ou même très certainement les deux.

En tout cas, Destiny n'allait pas dans la direction de son père, c'était déjà ça. Legénie était sans doute en train de dormir comme le reste du clan, mais il ne voulait pas risquer de tomber sur lui… ni revoir les choses qu'il avait aperçues là-bas.

De temps à autre, ils entendaient un léger ronflement s'échapper d'une des salles devant lesquelles ils passaient. Mais ils ne croisèrent aucun dragon éveillé. Ni aucun garde.

– Ils n'ont jamais eu besoin de gardes, faut croire, chuchota-t-il. Vu que les autres clans ignorent où ils se cachent, ils sont à l'abri de toute agression.

Il réfléchit un instant.

– Et même maintenant qu'ils pourraient craindre une attaque, il leur suffit de poster des gardes à la sortie du tunnel.

– Ça m'étonne quand même que tout le monde dorme, murmura Destiny. J'ai toujours pensé que les Ailes de Nuit vivaient la nuit… Moi, par exemple, j'ai du mal à me lever le matin alors que, le soir, je suis en pleine forme. Et toi ? C'est pareil ? Je croyais que c'était un truc d'Aile de Nuit. Mais si ça se trouve, mes amis ont raison, c'est moi qui suis bizarre, c'est tout.

– Ou alors, c'est bien une caractéristique des dragons de nuit, mais leur rythme est perturbé parce qu'ils ne voient plus le ciel, hasarda Comète. Peut-être que tu es plus Aile de Nuit qu'aucun d'entre eux !

Elle agita les ailes, sceptique.

– Quant à moi, j'ai passé la majeure partie de ma vie dans une grotte, je suivais donc l'emploi du temps que les gardiens nous avaient fixé. Mais depuis qu'on est libres… Bah, ces quelques semaines ont été vraiment mouvementées, alors c'est difficile à dire. Cependant, je me sens plus vivant quand les étoiles brillent. Tu comprends ?

– Tout à fait, répondit-elle en lui souriant.

Elle s'arrêta à une intersection, réfléchit, puis tourna à droite d'un pas décidé.

– On va à un endroit précis ? demanda-t-il.

– Tu as remarqué, il y a une partie de la forteresse qui s'est écroulée… Eh bien, j'aimerais voir à quoi ça ressemble de l'intérieur.

Il se figea, le cœur battant à tout rompre.

– Attends. Elle s'est effondrée parce qu'elle a été recouverte de lave. C'est dangereux…

Elle lui donna un petit coup de queue au bout du museau.

– Ne t'en fais pas, Lagriffe m'a dit que c'était arrivé il y a environ onze ans. Ce n'est plus qu'un tas de pierres maintenant et, d'après lui, c'est à voir. Je suppose que la lave a recouvert l'aile de la forteresse où ils entreposaient leur trésor. Ils ont dû creuser des tunnels dans la lave pour le récupérer. Tu imagines ? Ça va être génial ! Viens !

Elle fila devant et il lui emboîta le pas, plus lentement, regrettant de ne pas avoir suivi l'instinct qui lui dictait de rester au lit.

Destiny avait visiblement un meilleur sens de l'orientation que des relations interdragons car ils débouchèrent bientôt dans une partie de la forteresse dont le toit avait été arraché. Devant eux s'ouvrait une salle pleine de grosses bulles de lave noire refroidie. Des courants d'air glacé s'engouffraient par les trous des parois, contrant la chaleur du volcan qui montait sous leurs pattes.

– Et voilà, chuchota Destiny en s'approchant de l'endroit où les murs disparaissaient sous la nappe de lave pétrifiée.

Un tunnel de la largeur d'un dragon avait été creusé dans la roche. Sans hésiter, elle se faufila à l'intérieur.

« Qu'est-ce que je fais là ? » se demanda Comète.

Il avait très envie de se fondre dans la pénombre et de l'attendre, tapi dans un petit coin. Mais il ne pouvait pas la laisser avancer toute seule. Cette fois, il n'y avait ni Argil, ni Tsunami, ni Gloria pour être courageux à sa place. Destiny n'avait que lui.

Il inspira profondément et se força à entrer dans le tunnel exigu. Les parois de roche déchiquetée, de tous côtés, lui écorchaient les ailes et le sommet du crâne.

Le tunnel descendait en pente douce, ils durent

planter leurs griffes dans le sol pour éviter de glisser. Destiny souffla quelques flammèches qui n'éclairèrent que les épaisses murailles sombres qui les entouraient. L'air était lourd, étouffant, et Comète commençait à se demander si quiconque avait déjà exploré cet endroit.

Soudain, le tunnel s'enfonça et, au bout de cette pente raide, ils débouchèrent… dans le vide. Destiny tomba la première, laissant échapper un cri de surprise. Comète, averti, eut le temps de déployer ses ailes dès que le sol se déroba sous ses griffes. Néanmoins, il perdit l'équilibre et s'affala sur elle.

Il s'écarta vite et ils éclairèrent tous deux les environs en crachant une flamme au même moment.

La pièce était exiguë, mais intacte. La lave avait envahi les étages supérieurs sans atteindre celui-ci. Comète distinguait par la porte un étroit corridor qui s'ouvrait sur d'autres salles. Il leva les yeux, mal à l'aise, en pensant au poids accumulé au-dessus de leurs têtes.

Destiny se pressait déjà vers ce couloir lorsque leurs flammes s'éteignirent, les laissant dans l'obscurité complète.

– D'après Lagriffe, l'ancienne salle du trésor, c'est la troisième sur la gauche. Viens !

– Mais, elle n'est pas vide ? s'étonna Comète en la suivant, les pattes écartées. Pourquoi tiens-tu tellement à voir une salle vide ?

– Une salle vide mais fascinante, affirma-t-elle. Elle

abritait le trésor, tu imagines ? Je n'ai jamais vu de trésor de ma vie.

– C'est sûr, les Serres de la Paix n'en ont pas... à moins que leurs membres apportent leur part de trésor en arrivant de leur clan.

– Si c'était le cas, ils la gardaient bien cachée, marmonna Destiny.

Il sentit sa queue effleurer accidentellement son museau tandis qu'ils avançaient à tâtons dans le tunnel.

– Vous aviez un trésor dans votre grotte, vous ?

– Non, mais je suis allé au royaume du Ciel et au royaume de la Mer et j'ai vu assez de richesses pour savoir qu'avoir un énorme trésor ne suffit pas pour être une bonne reine ni pour rendre un clan heureux.

– Je pensais que la reine Corail était une bonne reine ! s'étonna Destiny.

– Eh bien, sache que c'est elle qui a écrit la plupart des parchemins que tu as lus à son sujet, l'informa Comète. Elle n'est pas monstrueuse, elle vaut mieux que la reine Scarlet, c'est sûr. Ou que Fièvre.

Il eut un frisson rien que de repenser à cette dernière, qui l'avait regardé avec un tel dégoût.

– Je parie que les Ailes de Sable seraient quand même contents de retrouver le trésor que les charognards leur ont volé, déclara Destiny.

– Peut-être, il comprend des objets extraordinaires, dont certains sont même animusés, lui apprit Comète.

– *Animusés ?*

Destiny s'interrompit pour cracher du feu. Ils étaient arrivés devant une haute porte en métal noir dont l'un des battants était juste assez entrouvert pour laisser passer un dragonnet.

– « Animusés » signifie que ces objets ont été enchantés par un dragon animus, lui expliqua-t-il sur le ton professoral qu'il employait fréquemment avec ses amis. Ils possèdent donc certains pouvoirs : il peut s'agir d'un collier qui rend invisible, par exemple, ou d'une pierre qui te permet de localiser le dragon que tu veux.

« Ou d'une statue qui tue toutes les héritières au trône des Ailes de Mer afin de pouvoir mettre ses griffes dessus[1] », ajouta-t-il dans sa tête.

– C'est un terme un peu ancien, parce que, en principe, il n'existe plus de dragons animus. Sauf que c'est faux. Il y en a au moins un chez les Ailes de Mer. Et il y en a sans doute eu un aussi chez les Ailes de Nuit récemment.

– Ah bon ?

Destiny poussa légèrement le battant métallique qui s'ouvrit en grinçant.

Comète se rendit alors compte qu'il ignorait quelles informations elle avait sur l'île des Ailes de Nuit.

– Oui..., reprit-il, parce qu'il existe un tunnel qui relie

1. À lire dans le tome 2, *La Princesse disparue.*

cette île à la forêt de Pluie et un autre qui mène de la forêt de Pluie au royaume de Sable. Et ils ont dû être conçus par un dragon animus. Je ne sais pas à quand ça remonte exactement, mais les Ailes de Pluie n'étaient pas au courant. C'est par là que vous êtes arrivés ?

Elle secoua la tête.

– Nous avons survolé la mer. C'était tellement long et rasoir… que j'ai failli m'endormir en plein vol et me retrouver dans l'eau plus d'une fois !

Il avait une foule de questions à lui poser à ce sujet, mais elle s'était déjà faufilée dans la pièce.

– Oooh !

Il la suivit et aperçut, à la lueur des flammèches qu'elle soufflait, deux bâtons de bois sur le sol. Il en ramassa un et l'alluma afin de pouvoir visiter plus commodément.

Mais lorsqu'il brandit sa torche, la première chose qu'ils aperçurent fut le cadavre ratatiné de deux dragons.

CHAPITRE 10

Comète plaqua ses deux pattes sur la gueule de Destiny pour étouffer son cri.

– Tu ne voudrais quand même pas que tout le volcan s'écroule sur nous, chuchota-t-il.

Alors elle se tut.

Il contempla les deux corps noirs comme la nuit.

– Ne t'en fais pas, ils sont morts depuis longtemps. Sans doute depuis la dernière éruption du volcan.

Lorsqu'il la relâcha, elle murmura :

– Comment sont-ils morts ?

Comète leva sa torche pour les examiner d'un peu plus près, même s'il n'en avait pas franchement envie.

– Asphyxie, je suppose, répondit-il. Ou faim. À moins que ce soit la chaleur qui les ait tués. Je suppose qu'ils gardaient le trésor quand l'éruption s'est produite et qu'ils ont été coincés ici. On n'a dû les retrouver qu'une fois la lave assez refroidie pour creuser le tunnel, mais c'était trop tard.

Destiny s'ébroua de la pointe des cornes au bout de la queue.

– *Brrr*, quelle mort affreuse !

Comète pivota sur lui-même pour contempler la salle qui, comme prévu, était vide. Des étagères nues garnissaient les murs sur toute leur longueur et jusqu'au plafond, et deux grandes vasques se dressaient dans le fond. Elles devaient autrefois déborder d'or et de pierres précieuses.

Il se surprit à penser : « Ce serait cool d'avoir un vase immense plein d'or et de pierres précieuses… » C'était ridicule, juste son instinct de dragon qui prenait le dessus. Qu'aurait-il fait de tant d'or ? À moins que les richesses ne lui permettent de retrouver ses amis ou de mettre fin à la guerre, elles ne lui seraient d'aucune utilité.

Cette pensée déclencha un signal au fond de son cerveau, mais avant qu'il ait le temps de creuser, Destiny enchaîna :

– On ferait peut-être mieux d'y aller.

– Je pense, oui, acquiesça Comète. J'ignore la quantité d'air qu'il reste ici, et je n'ai pas envie de le découvrir en commençant à étouffer.

– BAH ! hurla-t-elle, les yeux écarquillés. Arrête de dire des trucs comme ça.

Et elle fila hors de la pièce plus vite que l'éclair.

Il allait lui emboîter le pas, lorsque sa torche éclaira

une petite tache brillante au niveau de la patte d'un des cadavres.

Comète hésita.

« Une pierre précieuse oubliée ? Parce que personne ne penserait à fouiller un cadavre… »

Brrr… en tout cas, pas lui.

Mais… cette petite tache l'interpellait, comme si elle attendait depuis onze ans, cachée de tous, jusqu'à ce que le bon dragon arrive.

« On croirait entendre Sunny… elle qui croit au destin, aux signes, à la magie… »

Elle aurait sans doute voulu qu'il ramasse cette pierre égarée…

Il prit son courage à deux pattes, se pencha et l'ôta des griffes du garde, effleurant ses écailles sèches et mortes. Il fut secoué par un frisson si violent qu'il faillit lâcher la pierre. Alors, il la serra bien dans son poing et recula d'un bond, percutant les étagères vides dans son dos. Les griffes du dragon restèrent crispées sur le vide, comme s'il leur suffisait de se raccrocher au souvenir de leur trésor.

Comète avait l'estomac retourné, mais quand il leva la torche et baissa les yeux, il s'aperçut qu'il avait bien fait.

Dans sa paume brillait un saphir en forme d'étoile, comme éclairé d'une lumière intérieure.

Il avait déjà lu quelque chose à ce propos. Il en existait

trois dans tout Pyrrhia, créés des centaines d'années auparavant par un Aile de Sable animus.

Un Visiteur de Rêves.

Il referma ses griffes dessus.

Avec ça, il allait pouvoir revoir ses amis.

– Comète ? l'appela Destiny.

– J'arrive…

Il ne pouvait pas risquer que quiconque lui prenne ce saphir magique. Personne ne devait être au courant. Pas même Destiny.

Il le fourra dans sa gueule, coincé entre sa joue et ses dents, bien caché sous sa langue.

En rentrant au dortoir, comme Destiny s'inquiétait de son silence, il se contenta de secouer la tête en marmonnant qu'il était fatigué. Elle haussa les ailes et fila au lit aussitôt.

Comète étendit la couverture râpeuse qu'on lui avait donnée et se blottit en dessous. Le lourd tissu marron se prenait dans ses cornes et sentait la fumée, mais il le protégerait des regards. Il prit le Visiteur de Rêves entre ses deux pattes et le fixa en essayant de se rappeler s'il avait lu un mode d'emploi quelque part.

« Il suffit peut-être de penser au dragon à qui je veux rendre visite en rêve ? »

Sunny devait sûrement dormir à l'heure qu'il était, en pleine nuit. S'il se rappelait bien, il pourrait lui apparaître au beau milieu du rêve qu'elle était en train de faire – et si elle était dans sa phase de sommeil profond, elle serait capable de le voir et ils pourraient discuter. Mais si son sommeil était superficiel ou agité, il l'apercevrait juste sans qu'elle sache qu'il était là. Et si elle était réveillée, ça ne fonctionnerait pas du tout bien entendu.

Il ferma les yeux et imagina Sunny – son rire communicatif, ses colères qui s'éteignaient aussi vite qu'elles s'enflammaient, ses petites griffes, son expression protectrice et déterminée, ses écailles tel un soleil ondoyant, son allure si particulière... Sunny qui ne ressemblait à aucun autre dragon de Pyrrhia. Si elle avait été là, elle aurait trouvé les mots justes au sujet de son père. Elle lui aurait dit ce qu'il devait révéler aux Ailes de Nuit à propos de Gloria, elle aurait su comment les dissuader à jamais de s'attaquer aux Ailes de Pluie.

Mais il avait beau se concentrer avec toute l'intensité dont il était capable, son esprit restait fermement planté dans ce dortoir sombre au lieu de filer vers les rêves de la dragonnette.

Peut-être ne dormait-elle pas. Peut-être était-elle quelque part dans la forêt de Pluie à contempler les lunes en se demandant s'il était en train de les admirer lui aussi.

Il essaya avec Gloria, puis Argil et enfin Tsunami. Rien. Il n'arrivait pas à les contacter.

Comète referma sa patte sur le Visiteur de Rêves en serrant les dents de toutes ses forces. Il fallait que ça marche.

À moins que ce n'en soit pas un, en réalité. Pourtant, ça y ressemblait drôlement.

« Essaie un Aile de Pluie. Ils dorment tout le temps. »

Le premier qui lui vint à l'esprit était Kinkajou, la petite dragonnette que Gloria avait sauvée des griffes des Ailes de Nuit. Comète se représenta ses grands yeux ronds et noirs, ses écailles aux couleurs changeantes. Il colla le saphir contre son front en priant pour que ça fonctionne.

Et, soudain, il se retrouva perché sur une branche, au cœur de la forêt tropicale.

Comète prit une profonde inspiration, soulagé, mais c'est l'air enfumé du dortoir qui lui picota la gorge. Il avait la forêt sous les yeux, seulement il ne pouvait pas sentir son odeur humide, hélas.

Kinkajou était blottie sur une feuille géante, tout près de lui, les yeux clos. Elle avait un pansement de plantes et de mousse sur l'aile, et des tas de fruits violets et jaunes l'entouraient, telles des offrandes au pied d'une statue. Ses écailles étaient d'une nuance de bleu pâle qui luisait étrangement au clair des lunes et sa respiration était superficielle, comme si, même dans son sommeil, elle avait conscience qu'une inspiration plus profonde risquait d'être douloureuse.

– Qu'est-ce qui t'est arrivé ? demanda Comète à voix haute, mais elle ne se réveilla pas.

En se retournant, il vit une autre dragonne qui

regardait dans sa direction. L'espace d'un instant, il paniqua, pensant qu'elle le voyait. Mais, en réalité, l'Aile de Pluie surveillait Kinkajou. Elle était vieille, plus âgée que leurs gardiens et que toutes les reines qu'il avait croisées jusqu'ici, et elle avait cette majesté qui faisait cruellement défaut à Somptueuse, il l'avait remarqué.

Comète se tourna à nouveau vers Kinkajou. Comment pénétrer dans son rêve ? Il contempla le Visiteur de Rêves, puis se pencha vers Kinkajou pour lui poser délicatement le saphir entre les deux yeux.

À sa première tentative, il faillit lui passer au travers ; puisqu'il n'était pas matériellement présent, il ne pouvait toucher ni Kinkajou ni quoi que ce soit autour d'elle. Mais lorsqu'il réessaya, tendant le Visiteur de Rêves au niveau de son front, il sentit une vague d'énergie irradier de Kinkajou, se propager jusqu'à lui à travers la pierre, et vice versa.

Et alors, il put voir ce qu'elle voyait.

Dans son rêve, elle se tenait en plein soleil, sur une plateforme verdoyante, parsemée de fleurs aux couleurs vives, entourée de milliers d'Ailes de Pluie – plus d'Ailes de Pluie qu'il ne pouvait y en avoir dans tout Pyrrhia. Ils la fixaient tous d'un air de mépris profond que jamais Comète n'avait vu chez un vrai dragon de pluie.

Gloria était au milieu, une Gloria immense et superbe. Une couronne d'hibiscus orange montés sur une chaîne en or incrustée de rubis scintillait sur sa tête. « Voilà comment Kinkajou la voit », pensa Comète. Cette Gloria souriait davantage que la vraie, tout au moins à Kinkajou.

« Une couronne, remarqua-t-il soudain. Ça veut dire que Gloria a gagné, alors ? Elle est la reine des Ailes de Pluie, maintenant ? Ou est-ce seulement ce que désire Kinkajou ? »

La dragonnette recula jusqu'au bord de la plateforme pour se soustraire au regard insistant des Ailes de Pluie. Puis elle fit volte-face et sauta dans le vide, déployant ses ailes.

Mais au lieu de s'élever au-dessus des arbres, elle tomba comme une noix de coco. Elle avait beau battre frénétiquement des ailes, ça ne servait à rien. Et quand elle tourna la tête pour les regarder, elles se trouèrent, se déchirèrent comme dévorées par un acide puissant.

Kinkajou hurla, agitant ses pattes dans les airs, impuissante.

Comète la vit disparaître dans les buissons sans pouvoir rien faire. « Ce n'est qu'un rêve, se dit-il sans parvenir à rassurer son cœur affolé. Juste un rêve. Tu ne pouvais pas intervenir. Elle ne t'a même pas vu. »

Il ne pouvait pas communiquer avec elle dans ce type de rêve, il était trop chargé en émotions. C'était vraiment étrange de se retrouver au milieu des cauchemars de quelqu'un d'autre, si différents de ceux qui le hantaient presque toutes les nuits. Dans ses rêves, il imaginait souvent la reine des Ailes de Nuit en train de lui dire que les dragonnets sans pouvoir de télépathie n'avaient rien à faire dans le clan.

Le décor qui l'entourait se brouilla, puis tout devint noir, brusquement.

« Elle est en train de se réveiller. »

Comète planta ses griffes dans la branche, même si, ne voyant rien, il ignorait si elle était toujours là – ou plutôt s'il était toujours là-bas. Il voulait rester dans la forêt de Pluie le plus longtemps possible. Il n'avait pas envie de retourner dans le lugubre dortoir des Ailes de Nuit.

« Dors, dors ! supplia-t-il intérieurement. Regarde, je suis là ! Je dois faire passer un message à mes amis. »

Il distinguait des silhouettes floues dans la pénombre, comme si les premières lueurs de l'aube commençaient à pointer. Devant lui, Kinkajou était blottie sur sa feuille, toujours assoupie, mais très agitée. Un rayon de lune argenté éclairait son visage tourmenté par la douleur. Elle avait quitté son cauchemar pour sombrer dans un sommeil sans rêves, où elle était à demi consciente de ce qui se passait autour d'elle sans toutefois être complètement réveillée. Elle ne pourrait toujours pas le voir dans ces conditions.

– Encore un cauchemar ? fit une voix douce dans son dos.

Comète pivota vivement sur lui-même, le cœur battant. Sunny !

L'Aile de Sable venait de se poser sur une branche, à côté de la vieille Aile de Pluie. Elle replia ses ailes dorées et enroula sa queue autour de ses pattes arrière, selon son habitude. Un instant plus tard, un éclat bleu surgit à travers le feuillage : Tsunami rejoignit son amie.

– Oui, je pense, confirma la majestueuse dragonne. J'hésitais à la réveiller. Et la reine ?

– Elle est furieuse. Absolument hors d'elle. Je n'arrête pas de lui répéter que Comète n'a pas pu aller prévenir les Ailes de Nuit de son propre chef, impossible, mais elle est convaincue qu'il nous a trahis.

Un frisson d'effroi ébranla Comète. L'idée que ses amis puissent croire qu'il était parti de son plein gré ne l'avait même pas effleuré !

« La reine ? Elle veut parler de Gloria ? Gloria pense que je les ai trahis ? »

Puis il se rappela qu'il avait effectivement révélé au Grand Conseil des Ailes de Nuit que les dragons de pluie avaient l'intention de les attaquer et il sentit ses écailles lui cuire de honte. Il avait certes été enlevé, mais il n'avait rien fait pour aider ses amis depuis qu'il était là-bas. Il ne s'était même pas opposé à Loracle, il n'avait pas tenté d'arrêter les Ailes de Nuit !

Peut-être n'avait-il en effet rien à faire dans cette prophétie. Destiny était sans doute mieux placée que lui pour sauver le monde !

– Comète ! s'esclaffa Tsunami. Tu crois vraiment qu'il irait nous trahir ? Franchement, comment ce serait possible ? D'abord, il aurait fallu qu'il prenne une décision, ce qui n'est pas exactement son fort. Puis ensuite, il aurait fallu qu'il passe à l'action au lieu de rester là à attendre que les choses se passent. En plus, l'action en question, ce n'est pas n'importe quoi : c'est sauter dans un trou noir avec des dragons furieux postés à l'autre bout. Comète ? Tu plaisantes ? COMÈTE ?

– Par les trois lunes, ça suffit ! protesta Sunny. Vous n'avez pas arrêté de la journée, avec Gloria. Inutile d'essayer de me convaincre que Comète n'aurait jamais fait un truc pareil.

Elle alla se poser à côté de Kinkajou, en manquant lui passer au travers. Il crut presque sentir la chaleur de ses écailles au passage.

– Vous ne pensez donc pas qu'il s'est rendu au royaume de Nuit de son propre chef ? demanda la dragonne que Comète ne connaissait pas.

Sunny leva les yeux vers les deux lunes qui étaient visibles à travers la canopée, puis se tourna à nouveau vers Kinkajou.

– S'il est parti là-bas volontairement, je suis sûre qu'il avait une bonne raison. Mais s'il y a été forcé, alors il a besoin de notre aide, pas vrai, Tsunami ? N'est-ce pas le plus important ? On devrait lui porter secours dès maintenant, avant qu'il lui arrive quelque chose, non ?

Elle se pencha pour examiner le pansement de Kinkajou.

« Oui ! Oui ! pensa Comète. Je vous en supplie ! Venez vite ! »

– Si ça ne tenait qu'à moi, nous serions déjà là-bas tous les quatre en train de mettre cet endroit à feu et à sang, gronda Tsunami. Au lieu de perdre notre temps ici.

– L'entraînement au combat ne s'est pas bien passé ? demanda la vieille dragonne.

Tsunami donna un coup de queue si violent qu'elle faillit tomber de la branche.

– « Commandante, je peux faire une pause ? Commandante, j'ai envie d'une papaye ! Commandante, j'ai mal aux griffes ! Commandante, regardez, un papillon ! » « Taisez-vous ou quelqu'un va se faire déchiqueter le museau ! »

Sunny étouffa un gloussement.

– Quand la reine a-t-elle prévu d'attaquer ?

La majestueuse dragonne montra les dents comme si elle était prête à partir au front sur-le-champ.

– Oh ! Ça y est ! intervint Sunny en tendant la patte vers Kinkajou. Elle se réveille.

« Non ! »

Comète vit les paupières de Kinkajou frémir. Il brandit le Visiteur de Rêves pour tenter de la replonger dans le sommeil, mais trop tard.

En un éclair, la forêt tropicale – et avec elle, Kinkajou, Tsunami et Sunny – disparut et Comète se retrouva étendu sur la pierre glacée. La toile épaisse pesait sur ses cornes et la lueur rougeoyante des braises filtrait au travers, en ondes dansantes qui l'éblouissaient.

Dire que quelques secondes auparavant, Sunny était là, tout près de lui.

« Si près… et pourtant elle aurait pu aussi bien être sur l'une des trois lunes. »

Il contempla le Visiteur de Rêves qui luisait doucement entre ses griffes. Finalement, c'était encore pire maintenant qu'il les avait vues.

« La plupart de mes amis sont convaincus que je les ai trahis – et si ce n'est pas le cas, c'est juste parce qu'ils me pensent trop lâche pour faire ce genre de chose. »

Il ferma les yeux, plus seul que jamais.

CHAPITRE 11

La couverture fut arrachée avec une telle violence que Comète tomba par terre. Il resta un instant légèrement étourdi, puis sa première pensée fut qu'il avait bien fait de cacher le Visiteur de Rêves avant de s'endormir.

– Debout ! gronda Loracle.

Il avait franchement une haleine abominable ce matin. Enfin, tout au moins, Comète supposait que c'était le matin même si le ciel était à peine plus clair que la veille au soir.

Fuego et Tourbe entouraient le grand Aile de Nuit, fixant Comète d'un œil haineux. Il espérait qu'ils avaient passé la nuit au cachot.

Destiny les rejoignit en sautillant, suivie de Vipère et Poulpe qui avançaient plus lentement. Dans tout le dortoir, des dragonnets de Nuit sortaient la tête de sous leur couverture pour les regarder. Sous ses ailes noires, Mordante semblait verte de jalousie, des volutes de fumée s'échappaient de ses naseaux et elle fouettait furieusement l'air de sa queue.

Loracle ne jeta pas même un regard aux autres dragonnets.

– Allons-y ! ordonna-t-il.

Il faillit faucher Comète avec sa queue lorsqu'il tourna les talons pour quitter la pièce.

– Où on va ? demanda gaiement Destiny.

Elle semblait avoir digéré la nouvelle qu'une mort certaine attendait l'un d'eux – soit elle, soit Comète.

– On va voir si ça vaut la peine qu'on perde notre temps avec vous, répondit Loracle. Certains dragons estiment qu'on devrait tous vous enfermer en attendant d'avoir réglé le problème des Ailes de Pluie. Mais je pense qu'il faut commencer à vous entraîner le plus vite possible. Nous allons donc vous faire passer un nouveau test aujourd'hui.

– Un test ? répéta Comète en battant des ailes, paniqué. Sur quoi ? On n'a pas eu le temps de réviser ! Il faudrait qu'on étudie un peu le sujet d'abord, non ?

Le gros dragon noir lui lança un regard par-dessus son épaule.

– Tu sais que c'est très dur de se retenir de te mordre, parfois ?

« Mais quand même, c'est pas juste », pensa Comète, néanmoins il décida de se taire. En général, il réussissait plutôt bien les tests. Peut-être était-ce enfin l'occasion

de prouver qu'il avait son rôle à jouer dans la prophétie !
« Surtout si c'est une épreuve d'histoire. J'ai lu et relu tous les parchemins historiques plusieurs fois. »

Il remarqua que Fuego le fixait toujours de ses yeux orange pleins d'amertume. Comète s'arrangea donc discrètement pour mettre Destiny entre eux.

Ils suivirent tous les six Loracle jusque sur l'un des toits de la forteresse, qui faisait face à la petite forêt où Loracle l'avait emmené. Le grand dragon déploya ses ailes et, les yeux plissés, contempla le ciel gris sombre, zébré d'éclairs dans le lointain. À l'horizon, les nuages déversaient des trombes d'eau sur l'océan. « Une tempête en mer », pensa Comète.

Il frissonna en se remémorant la tempête qui avait failli submerger leur grotte au royaume de la Mer. Argil était enchaîné au mur, mais Gloria et Sunny avaient refusé de l'abandonner. Si Tsunami n'était pas arrivée, ils auraient probablement décidé de tous se noyer avec Argil. Comète n'était pas certain qu'il en aurait eu le courage. Mais sur le coup, il avait été trop terrifié pour protester, les yeux rivés sur le niveau de l'eau qui montait petit à petit.

– Reste près de moi ! grogna Loracle en plantant une griffe dans son cou. Ne tente rien.

Et il décolla sans autre explication.

Comète mit un moment à comprendre pourquoi ils quittaient l'île. « On retourne sur le continent ? »

Il s'élança dans les airs, le cœur gonflé d'espoir.

– Attendez ! gémit Poulpe en poursuivant Loracle. On n'a même pas pris le petit déjeuner. Je ne peux pas voler le ventre vide, impossible. Je vais mourir sinon, je vous assure. MOURIR !

– Non, pas dans l'immédiat, en tout cas, rétorqua Comète. Selon le *Traité de dragonologie – les aptitudes surnaturelles de l'espèce*, la plupart des dragons peuvent survivre jusqu'à un mois sans manger, si nécessaire.

– Écoute le rat de bibliothèque, fit Fuego d'un ton mauvais. Il en sait des choses !

– Je ne pourrais jamais au grand jamais tenir un mois complet sans manger, affirma Tourbe, affolé.

– Est-ce qu'être super casse-pieds fait partie des aptitudes surnaturelles ? demanda Vipère. Parce que, dans ce cas, Destiny et toi, vous méritez qu'on vous consacre tout un chapitre.

– Vous ne me connaissez même pas, se défendit Comète. Je voulais juste vous aider.

– Moi, je trouve ça super intéressant, affirma Destiny. Et ça nous sera sans doute utile si les Ailes de Nuit continuent à nous donner des trucs infâmes à manger.

– Oh, j'ai une théorie là-dessus.

Tandis qu'ils survolaient la forêt, puis la mer, Comète lui expliqua comment chassaient les dragons de nuit et son hypothèse sur les bactéries contenues dans leur salive, que Destiny et lui ne possédaient sans doute pas étant donné qu'ils avaient toujours mangé uniquement des proies vivantes ou tuées récemment et qu'ils n'avaient pas pu développer les mêmes microbes que les dragonnets de nuit vivant sur l'île.

– Waouh, souffla Destiny, fascinée.

– C'est ça, l'épreuve ? demanda Vipère. C'est à celui qui t'écoutera le plus longtemps sans mourir d'ennui ?

– On ne t'a pas parlé, Vipère, riposta Destiny. Va bouder avec Poulpe et laisse Comète tranquille.

Comète contemplait les vagues qui grondaient en dessous de lui. L'île disparaissait au loin derrière eux, on ne distinguait plus qu'une lueur rougeâtre dans le ciel. Devant eux, il n'y avait que la mer, la mer qui s'étendait de toutes parts jusqu'à l'horizon. Il ignorait comment Loracle faisait pour s'orienter, il n'y avait aucun repère terrestre et le ciel était rempli de nuages.

« Je devrais essayer de mémoriser le chemin pour le reprendre plus tard quand je voudrai m'évader. »

En fait, il serait bien plus simple d'essayer de s'échapper tout à l'heure, lorsqu'ils atteindraient le continent.

« Tu files à travers ciel, tu te caches et tu essaies de retourner dans la forêt de Pluie. »

Sauf qu'il ne se voyait absolument pas faire ça tout seul. Peut-être avec Tsunami, Argil, Gloria et Sunny à ses côtés, mais pas tout seul. Il lui semblait plus sûr de rester avec les Ailes de Nuit et d'attendre que quelqu'un vienne à son secours.

Il se mit à pleuvoir. Ou plutôt, ils arrivèrent dans la zone de tempête, et Comète comprit alors que Loracle avait l'intention de la traverser.

– J'ai les ailes toutes mouillées ! couina Poulpe.

– *Ouin, ouin*, c'est affreux pour un Aile de Mer.

Comète n'osait pas le dire mais la pluie alourdissait ses ailes et il avait beaucoup plus de difficultés à voler. En plus, il n'avait pas les ailes très musclées, n'ayant que rarement eu l'occasion de s'entraîner à voler dans la grotte où il avait grandi.

Il serra les dents et continua à enchaîner les battements. S'il s'agissait de l'épreuve, il refusait d'échouer. Il était déterminé à voler jusqu'à n'en plus pouvoir sans laisser paraître la douleur.

« Pense à Sunny. Pense au dragon que tu aimerais être à ses yeux. »

La mer se rapprochait, ce qui signifiait qu'il perdait de l'altitude. La pluie tombait de plus en plus dru, martelant ses écailles et lui brouillant la vue. Il voyait à peine Tourbe devant lui. Loracle n'était qu'une tache sombre et floue dans les nuages. Oh non, il ne fallait surtout pas le perdre de vue. Comète espérait que le grand dragon noir n'essayait pas de les semer, parce que ça n'aurait pas été bien difficile par ce temps-là.

Un éclair crépita alors dans le ciel, suivi aussitôt par le plus terrible grondement de tonnerre que Comète ait jamais entendu. Tout son corps en fut ébranlé.

« Pourvu qu'on soit bientôt arrivés. Pourvu qu'on soit bientôt arrivés. »

Il cligna des yeux pour chasser les gouttes de pluie de ses paupières. Sa gorge se serra lorsqu'il s'aperçut que, devant lui, le ciel était vide.

« Où sont les autres dragons ? »

L'espace d'un instant, il se crut complètement perdu.

Puis Destiny surgit à ses côtés, et lui donna un petit coup d'aile.

– Par ici, on descend ! cria-t-elle pour couvrir le bruit du vent.

Ce qui ne semblait qu'une petite tache sur l'océan était en fait une minuscule île rocheuse. Loracle et les autres s'y étaient déjà perchés. Comète se posa maladroitement à côté de Poulpe, qui se cachait la tête sous les ailes en ronchonnant, furieux.

– On est à la moitié du chemin, annonça Destiny d'un ton guilleret.

Seulement ? La détermination de Comète vacilla et il baissa le museau vers ses griffes. Il était même trop épuisé pour poser toutes les questions qui bourdonnaient dans sa tête. Comment les Ailes de Nuit avaient-ils trouvé leur île, si loin du continent ? Se rendaient-ils fréquemment sur le continent – et prenaient-ils plutôt le tunnel de la forêt de Pluie ou bien traversaient-ils l'océan par la voie des airs, comme aujourd'hui ?

Il supposait que la plupart préféraient emprunter le

tunnel, s'ils le pouvaient, plutôt que de s'épuiser ainsi à voler.

Loracle leur laissa faire une brève pause. Il restait silencieux, les contemplant d'un œil noir en jetant de temps à autre un regard en arrière, vers le volcan.

Bien trop vite, il se redressa et déclara :

– Allons-y !

Et ils repartirent.

Pluie. Tonnerre. Ailes en charpie.

Les gouttes d'eau brouillaient la vue de Comète. Les éclairs tombaient trop près de sa queue.

Sur sa gauche, Poulpe n'arrêtait pas de se plaindre, mais soit le vacarme de la tempête couvrait sa voix et personne ne l'entendait, soit personne n'avait la force de lui répondre.

Comète commençait à se dire que, finalement, la noyade ne serait pas un si mauvais moyen d'en finir, quand il vit Loracle virer et entamer sa descente.

La terre apparut assez soudainement sous leurs yeux, car entre les nuages et la pluie, ils n'y voyaient pas grand-chose. Comète distingua une côte rocheuse déchiquetée, bordée de falaises qui tombaient droit dans la mer. Derrière se dressaient des sommets pointus comme des dents de dragon, certains couronnés de neige, qui bouchaient tout l'horizon.

« Les griffes des montagnes Nuageuses. »

Le cœur de Comète se serra. Il avait espéré qu'ils

atterriraient au sud, près de la forêt de Pluie, mais ce devait être la côte nord de Pyrrhia, sur le territoire des Ailes du Ciel. Bien trop près du palais de la reine Scarlet… et bien trop loin de ses amis… Il lui faudrait des jours pour les rejoindre et traverser le royaume du Ciel et le royaume de Boue.

« Désolé, Sunny. Je ne peux pas le faire. Je ne peux pas venir te rejoindre. »

Tels deux blocs de glace, ses ailes étaient lentes, lourdes et l'entraînaient vers le bas. Il peina à suivre Loracle et les autres au sommet de la falaise sous la pluie battante. La roche nue crissa sous ses griffes lorsqu'il se posa, plié en deux, à bout de souffle.

Poulpe était étalé, sur le dos, gémissant de douleur tandis que Tourbe se mettait à flairer les cailloux comme pour débusquer une proie. Fuego était le seul à ne pas respirer bruyamment.

En relevant la tête, Comète croisa le regard de Loracle, qui scrutait la mer dans leur dos. Le dragonnet eut soudain un étrange pressentiment. Pourtant, non, ça n'avait aucun sens…

– On est suivis ? s'inquiéta-t-il.

– Ça ne te regarde pas, répondit le grand dragon.

Il déploya ses ailes et désigna la côte. À travers la tempête, Comète distinguait à peine la lueur d'un feu provenant d'une grotte à flanc de falaise.

– C'est quoi ? demanda Destiny.

– Le poste de garde le plus éloigné de l'armée du Ciel, répondit Loracle. Ils sont postés là pour empêcher les attaques venues du nord, au cas où la reine Glaciale essaierait d'atteindre le palais par cette voie. Il n'y a aucun autre dragon à des lieues à la ronde. Voici votre épreuve.

Ils le fixèrent tous sans comprendre.

– Comment ça ? demanda finalement Comète, mais le mugissement du vent couvrait sa voix.

– Vous voulez qu'on les tue, devina Vipère.

Elle dressa sa queue venimeuse et joua de ses griffes.

– Tous ?

– J'ai pas envie, moi, pleurnicha Poulpe. Je risque de me faire mordre.

– Tais-toi ou c'est moi qui te mords ! menaça Fuego.

Il avait l'air ébranlé. Visiblement, il ne s'attendait pas à ce qu'on lui demande un jour de tuer des membres de son propre clan. Comète se demanda soudain où étaient leurs parents, à tous, et si ces dragonnets rêvaient de retrouver leur famille, comme eux autrefois dans leur grotte.

– Non, vous n'êtes pas là pour les tuer, cingla Loracle. Vous êtes les Dragonnets du Destin, je vous le rappelle ! Et vous devez vous comporter comme tels, c'est le test !

Il désigna le poste de garde.

– Allez-y ! Révélez aux soldats que vous êtes les vrais dragonnets de la prophétie et essayez de les convaincre de renier leur alliance avec Fournaise pour soutenir Fièvre.

Un silence choqué s'ensuivit. Une bourrasque violente et mugissante essaya de les faucher, de les précipiter dans le vide. Comète planta ses griffes dans la roche et se recroquevilla sur lui-même.

– Vous croyez qu'on va pouvoir les convaincre comme ça ? cria Vipère en s'ébrouant dans une gerbe de gouttes d'eau. Une bande d'Ailes du Ciel qu'on n'a jamais vus ? On ne va pas les tuer, non, c'est eux qui vont nous tuer !

– Je sens que ça va très, très mal se passer ! brailla Destiny pour couvrir le bruit du vent.

– Moi aussi ! renchérit Tourbe. Peut-être que j'ai également des pouvoirs d'Aile de Nuit !

– Ils vont me tuer ! gémit Poulpe. Les Ailes de Mer sont les ennemis des Ailes du Ciel. Si vous m'envoyez là-bas, je suis mort !

L'expression de Loracle trahissait que ça ne le dérangerait pas plus que ça.

– De toute façon, gronda-t-il, si vous ne survivez pas à ça, vous ne servez à rien pour la prophétie, alors.

Il désigna Destiny.

– Toi, tu restes là. Cette fois, on va voir comment se débrouille celui-ci, annonça-t-il en pointant une griffe sur Comète.

Le dragonnet aurait voulu se fondre dans la pierre. Sauter de la falaise dans la mer. Ou bien décamper immédiatement. Combien de temps mettrait-il pour atteindre la forêt de Pluie ? Était-ce vraiment pire de faire tout ce trajet que de pénétrer dans une grotte pleine de gardes du Ciel en annonçant qu'il était un des dragonnets recherchés par la reine Scarlet ?

– Mais ils risquent de nous capturer, fit-il remarquer. Et de nous ramener au palais du Ciel ! protesta-t-il.

– À vous de vous montrer assez convaincants ! Maintenant, filez ! rétorqua l'Aile de Nuit en découvrant ses dents.

Il cracha un jet de flammes en direction de Poulpe, qui l'esquiva de justesse.

– J'ai pas envie, se plaignit à nouveau le dragonnet de mer, mais Vipère et Fuego le poussèrent en avant.

Tourbe suivait un peu plus loin tandis que Comète fermait la marche, traînant les pattes.

Quand il se retourna, il vit Destiny recroquevillée sous ses ailes, minuscule silhouette trempée à côté de celle, plus large et carrée, de Loracle. Il espérait que ses amis l'accepteraient comme nouvelle Aile de Nuit lorsqu'il ne serait plus là.

« Je vais mourir, pensa-t-il, sans avoir pu dire à Sunny que je l'aimais. Je vais mourir sans avoir sauvé le monde, sans avoir mis fin à la guerre… sans avoir jamais rien fait de courageux de toute ma vie. »

CHAPITRE 12

Plus Comète approchait de la lueur du feu, plus l'angoisse lui serrait le ventre.

Des éclats de voix s'échappaient de la grotte, et une colonne de fumée montait d'un trou dans la paroi rocheuse.

– Vous pensez qu'il y a un garde ? chuchota-t-il lorsqu'ils ne furent plus qu'à quelques longueurs de dragon.

Ils se figèrent tous instantanément. Le dragonnet sonda l'obscurité en s'efforçant de rester parfaitement immobile.

Un éclair illumina le ciel, lui causant un coup au cœur. Juché sur une falaise, au-dessus d'eux, se dressait un dragon aux ailes immenses, qui surveillait l'horizon.

– Là-haut, souffla-t-il.

Sans doute ne pouvait-il pas les voir de son perchoir, sinon pourquoi n'avait-il pas encore donné l'alarme ?

Comète scruta la silhouette, ses épaules larges, la courbure de son cou… et il comprit que le garde dormait – malgré la pluie qui tombait à verse, malgré le tonnerre assourdissant, malgré sa mission qui impliquait de rester éveillé.

– C'est bon, glissa-t-il aux autres.

Ils s'approchèrent pas à pas de la grotte, tapis dans l'ombre. Une porte en bois en fermait l'entrée.

– Attendez ! murmura Comète.

Fuego s'arrêta, une patte en l'air, prêt à frapper. Il considéra Comète, sourcils froncés.

– Soyons un peu malins. Inutile de foncer dedans comme un troupeau de gnous. Tendons d'abord l'oreille pour tenter de savoir ce qui se passe à l'intérieur.

– Ça me va, fit Tourbe en haussant les ailes.

– Mais on est dehors sous la pluie toute mouillée, geignit Poulpe.

Fuego et Vipère échangèrent un regard puis, à la grande surprise de Comète, ils hochèrent tous les deux la tête. La peur les rendait peut-être plus aimables. Tandis qu'ils collaient l'oreille contre le battant de la porte, Comète longea la paroi et s'accroupit sous le trou par où s'échappait la fumée. Il essaya de positionner ses ailes de manière à ce qu'elles le protègent plus ou moins de la pluie.

Visiblement, plusieurs dragons étaient en train de se disputer à l'intérieur. Comète ne percevait que des bribes de la conversation de ceux qui étaient le plus près du feu.

– Si la reine Ruby dit qu'on peut rentrer à la maison, tu penses bien que j'y cours, j'y vole immédiatement, affirma un dragon.

– Tu obéirais aux ordres d'une fausse reine, gronda un autre. La reine Scarlet est toujours en vie et elle nous fera tous tuer si on abandonne notre poste.

– Dans ce cas, où est-elle ? demanda une troisième voix. Quel genre de reine laisse son royaume dans un tel chaos ?

– Ce n'est pas le chaos, on a Ruby, maintenant, affirma le premier. Et elle a dit qu'on pouvait rentrer.

– Mais la reine Fournaise a dit que non.

Plusieurs cris de protestation s'élevèrent :

– Ce n'est pas notre reine !

– Ça suffit. Personne ne va nulle part ce soir, tonna une voix autoritaire.

Le brouhaha se tut.

– Pas par cette tempête. On en reparlera demain.

Comète entendit murmurer et marmonner, mais il ne distinguait plus aucun mot clairement. Il retourna auprès de Fuego et Vipère.

– Aucun intérêt, siffla l'Aile du Ciel.

– Pas forcément, tempéra Comète. Vous avez entendu : certains d'entre eux ne sont pas contents de Fournaise. On peut s'en servir, je pense. Si elle fait mine d'être leur nouvelle reine, j'imagine que de nombreux Ailes du Ciel vont remettre en cause leur alliance.

– De beaux discours, répliqua Vipère en battant de la queue. Voyons comment tu te débrouilles en action.

Elle repoussa Poulpe qui essayait de se cacher sous ses ailes.

Fuego frappa à la porte avant que Comète ait pu trouver un nouveau moyen de gagner du temps.

Le vacarme qui régnait à l'intérieur se tut instantanément. Des pas lourds s'approchèrent et la porte s'ouvrit à la volée.

Comète se retrouva face à une grotte remplie d'Ailes du Ciel.

Ils étaient pour la plupart en petits groupes, en train de manger ou de jouer à des jeux de hasard avec des osselets récupérés sur leurs proies. Leurs écailles, dans des tons de rouge, orange et doré, étincelaient à la lueur des flammes. Des lances d'aspect barbare étaient alignées contre le mur. La carte affichée près du feu représentait le continent de Pyrrhia avec une croix à l'endroit du poste de garde et des flèches indiquant différents biais d'attaque possibles en venant du royaume de Glace.

– Qu'est-ce que… ? grommela le dragon qui avait ouvert la porte.

Il laissa sa phrase en suspens en les apercevant.

Toute l'assemblée – environ dix-sept dragons, selon Comète – pivota vers eux pour les fixer également.

Comète n'avait aucun mal à imaginer de quoi ils avaient l'air : cinq dragonnets dépenaillés, trempés jusqu'aux os et épuisés, de cinq couleurs différentes qui, en principe, n'avaient rien à faire ensemble.

L'un des Ailes du Ciel étouffa un cri puis souffla :

– C'est eux !

– Impossible, répliqua un autre.

Bizarrement, Fuego, Vipère et Tourbe se tournèrent vers Comète. Mais il semblait avoir perdu son aptitude naturelle à faire de beaux discours. Son esprit s'était figé sur le souvenir de la colonne de pierre où il avait récemment été retenu prisonnier par des gardes du Ciel en tous points semblables à ceux-là. Il n'avait qu'une envie : se cacher derrière les autres à la manière de Poulpe.

Fuego laissa échapper une flammèche et se redressa de toute sa taille.

– C'est bien nous, confirma-t-il. Ceux de la prophétie.

– Les Dragonnets du Destin, murmura avec respect un soldat, visiblement impressionné.

– Ouh là, les gens nous appellent vraiment comme ça ? s'étonna Vipère. C'est trop nul, j'interdis à quiconque d'employer à nouveau cette expression.

– C'est une mouette rôtie ? demanda Tourbe en se frayant un chemin jusqu'à la carcasse à demi dévorée qui gisait sur l'une des tables. Quelqu'un a l'intention de la finir ?

Sans attendre de réponse, il saisit l'oiseau et planta les dents dedans.

Derrière Comète, Poulpe se mit à couiner.

Quelques Ailes du Ciel échangèrent des regards, soudain sceptiques. Comète sentit la panique l'envahir. Il fallait qu'il prenne la parole, qu'il soit convaincant. Mais il avait l'impression que sa mâchoire était bloquée.

– Qu'est-ce que vous faites là ? voulut savoir l'un des soldats. Vous vous êtes évadés, alors… pourquoi revenir ? Surtout ici ?

– Et qu'est-ce que vous avez fait aux Ailes de Mer ? enchaîna un autre. Aucune attaque, aucun raid, aucun signe d'eux depuis que nous avons détruit leur palais d'Été. Pourtant ils sont nombreux à avoir survécu, alors pourquoi ils ne contre-attaquent pas ?

– C'est vous qui détenez la reine Scarlet ? les questionna un dragon adossé au mur, près du feu. Qu'est-ce que vous en avez fait ?

Fuego balaya ces questions d'un revers de patte.

– Nous sommes venus vous dire que vous soutenez la mauvaise Aile de Sable, déclara-t-il en levant le menton d'un air arrogant. Fournaise ne sera jamais reine. Elle va mourir, comme le prévoit la prophétie. Nous avons choisi Fièvre.

Ces mots déclenchèrent un tollé. Plusieurs dragons se levèrent d'un bond, renversant les tables, dans un nuage de cendre d'ossements.

– Comment osez-vous ? cria l'un d'eux.

– Parce que vous croyez qu'on va obéir à des minus comme vous ?

– On ne laissera jamais les Ailes de Mer gagner !

L'un des soldats poussa Fuego d'un coup de patte dans la poitrine.

– Traître !

Le dragonnet rouge perdit l'équilibre, vacilla en arrière, et bouscula Comète.

– Fièvre a tué mon frère ! rugit un autre garde. Elle ne sera jamais reine. Son destin est de mourir : je vais l'étrangler de mes propres griffes.

– Nous sommes les dragonnets de la prophétie ! cria Vipère pour couvrir le vacarme. Vous devez nous écouter !

– Non, c'est faux ! décréta la voix autoritaire que Comète avait entendue de l'extérieur.

Un dragon orange au long cou zébré d'une cicatrice s'avança, scrutant avec attention les dragonnets. Comète avait l'impression de l'avoir déjà croisé, sans doute au palais du Ciel.

Les autres Ailes du Ciel se turent tandis qu'il passait derrière Comète pour attraper Poulpe par l'oreille et le traîner au milieu de la pièce. Le dragonnet de mer couina, se débattit, tentant de se cacher sous ses ailes, et il finit par s'asseoir par terre en pleurnichant.

– Ce n'est pas l'Aile de Mer que nous avions capturée,

déclara le dragon orange avec mépris. Vous avez vu les blessures qu'elle a causées aux soldats qui l'ont croisée. Et j'ai bien dit « elle ». De plus, elle était bleue. Cette créature geignarde n'est pas un Dragonnet du Destin.

Il balaya l'assemblée du regard, les yeux étincelants de suspicion.

– Je suis d'avis qu'on le tue. Peut-être même qu'on les tue tous.

– Non ! protesta Comète. Je suis l'Aile de Nuit que la reine a capturé. Je le jure. Elle m'a fait combattre des charognards, vous vous souvenez ? Puis des dragons de mon clan ont débarqué pour me secourir.

Il retint sa respiration. « Pourvu qu'ils me croient. »

L'autre lui souffla une volute de fumée dans les naseaux, puis fixa Tourbe qui était maintenant occupé à ronger un gros os traînant par terre.

– J'imagine que celui-là pourrait être l'Aile de Boue, murmura-t-il. Et nous n'avons jamais vu l'Aile de Sable ni l'Aile du Ciel.

Il examina Fuego et Vipère.

– On a supposé que la reine les avait enfermés ailleurs dans le palais, sans doute dans l'espoir qu'ils puissent être rééduqués avant de rejoindre nos rangs.

Son regard s'arrêta sur Fuego.

– Mais je crains que n'importe quel dragon élevé par les Serres de la Paix ne soit irrécupérable, même issu du meilleur clan.

Il pointa vivement sa queue dans la poitrine de Poulpe qui poussa un gémissement.

– Si tu es l'Aile de Nuit du palais, reprit-il à l'adresse de Comète, alors qu'est devenue l'Aile de Mer qui t'accompagnait ?

– Elle est…

Comète se sentait tellement bête. Pourquoi Loracle n'avait-il pas prévu ça ? Pensait-il que ce poste de garde était tellement éloigné de tout qu'ils n'y croiseraient aucun garde du palais ? Mais s'il voulait vraiment remplacer Tsunami par Poulpe, il devait bien se douter que quelqu'un finirait par s'en rendre compte et protester à un moment ou à un autre.

Il aurait certainement dû faire comme si Poulpe était le véritable dragonnet de la prophétie, surtout s'il voulait sortir de cette grotte vivant. Mais il ne pouvait pas se résoudre à trahir Tsunami qui selon lui était, de tous les dragons de Pyrrhia, la plus à même d'accomplir la prophétie et de sauver le monde.

Il prit son courage à deux pattes et regarda le dragon orange droit dans les yeux pour déclarer :

– Elle est en train de rassembler une armée.

C'était la stricte vérité. Inutile de préciser qu'il s'agissait d'une armée d'Ailes de Pluie.

– Nous allons mettre fin à cette guerre.

Il se tourna vers les autres Ailes du Ciel de la grotte.

– Bientôt, vous pourrez rentrer chez vous. Bientôt,

vous serez tous en sécurité. Bientôt, nous serons en paix.

Il vit une expression d'envie, d'espoir chez certains. Même les Ailes du Ciel, les dragons les plus féroces, les plus hargneux, rêvaient de vivre en paix, il en était convaincu.

– C'était une prophétie, ça ? chuchota un des soldats à un autre.

Comète secoua la tête.

– Non, c'était une promesse.

Vipère laissa échapper un grognement d'impatience. Comète était conscient qu'il agaçait même ses vrais amis lorsqu'il se mettait à parler comme un rouleau de parchemin, seulement il ne pouvait s'en empêcher – dès qu'il pensait à la prophétie, aux actes héroïques qu'ils étaient censés accomplir, c'était le ton qui lui venait.

– Mais… et Fièvre ? s'enquit le dragon orange. Vous l'avez vraiment choisie ? C'est elle qui va devenir reine des Ailes de Sable ?

Plusieurs dragons du Ciel sifflèrent et agitèrent les ailes.

Fuego, Vipère, Poulpe et même Tourbe regardaient Comète, maintenant. Il sentait bien qu'ils comptaient sur lui pour dire ce qu'il fallait – et convaincre tout le monde que le destin avait désigné Fièvre, qu'elle allait gagner et que personne ne pouvait rien y changer.

Cependant, il n'avait pas oublié le regard étincelant

de Fièvre, son attitude menaçante, toujours immobile comme prête à bondir. Il n'avait pas oublié comme elle manipulait la reine des Ailes de Mer. Il n'avait pas oublié qu'elle avait tué Crécerelle et essayé de tuer Palm, sans aucune raison…

Oh.

Comète eut une véritable révélation. Il jeta un coup d'œil vers les dragonnets de rechange. Si Fièvre voulait choisir elle-même ses Dragonnets du Destin, elle était obligée d'éliminer leurs gardiens pour qu'ils ne risquent pas de contredire sa version de l'histoire.

« Quand on l'a rencontrée, elle était au courant, pour Gloria. Elle a même dit qu'elle avait des amis Ailes de Nuit. Elle est de mèche avec eux. »

Ce qui signifiait qu'elle avait sans doute participé au complot pour tuer Gloria et Tsunami.

Il enroula sa queue autour de ses pattes. Il ne pouvait pas accepter qu'elle devienne reine des Ailes de Sable. Si sa voix avait un quelconque poids, il refusait de la mettre au service de cette dragonne machiavélique.

– Non !

Il serra les dents en entendant sa voix trembler. On aurait dit un dragonnet de un an qui essayait de se faire passer pour un grand prince.

– Nous n'avons pas encore fait notre choix.

– Choisissez Fournaise, alors, intervint l'un des soldats.

Plusieurs autres acquiescèrent.

– Fournaise est cruelle, vous le savez bien, répondit Comète. Elle ne vit que pour se battre et tuer. Même si elle gagne, elle n'arrêtera jamais de faire la guerre. Elle risquerait de se retourner contre vous pour essayer de vous prendre votre royaume ensuite.

Il n'y eut pas de cris de protestation, cette fois. Juste un silence choqué. Ils ne voulaient peut-être pas l'admettre jusque-là, mais il disait la vérité. Fournaise n'était pas une alliée fiable, elle ferait une reine extrêmement dangereuse.

– Ouais, renchérit Fuego sans grande conviction, c'est ça. Comme il a dit.

– Et ça, alors, c'en était une, de prophétie ? chuchota le même soldat qu'auparavant.

– Ramenons-les au palais, décréta le dragon orange. On les remettra à la reine Ruby. À elle de décider ce qu'elle voudra en faire. S'ils savent quoi que ce soit au sujet de la reine Scarlet, elle saura leur tirer les informations.

Il fouetta l'air de sa queue.

« Oh, non ! pensa Comète en reculant vers la porte. Pas au palais du Ciel ! »

Ce serait encore pire que l'île des Ailes de Nuit. La reine Scarlet l'avait forcé à participer à un combat à mort dans son arène. Il en avait encore des cauchemars ! Des charognards avec leurs petites armes pointues qui escaladaient son cou pour lui crever les yeux. Une horde d'Ailes de Glace qui descendaient du ciel pour le tuer – même si Loracle était intervenu avant que ça ne se produise.

Mais là, ce n'était pas un rêve. Les griffes que l'Aile du Ciel tendaient vers lui était bien réelles. Ses pattes étaient clouées au sol pour de vrai et il ne se rappelait plus le moindre mouvement de défense de son entraînement au combat... Il allait être capturé et emprisonné une fois de plus.

Sauf que, soudain, la porte s'ouvrit.

Et que les Ailes de Nuit firent irruption dans la grotte.

CHAPITRE 13

« C'était donc eux qui nous suivaient », réalisa Comète, sous le choc, tandis que huit Ailes de Nuit s'engouffraient dans la grotte, crachant du feu en tous sens.

Il vit les tables et la carte s'embraser, il vit les flammes engloutir le dragon orange, puis sentit qu'on le tirait dehors par la queue, sous la pluie battante.

Fuego, Vipère, Tourbe et Poulpe étaient entassés sur lui, criant et gémissant.

Le temps que Comète se dégage et relève les yeux, la porte du poste de garde était en feu. L'incendie avait tout ravagé. Les Ailes du Ciel hurlaient de douleur, à l'agonie. Une bande de dragons noirs bloquait la sortie, achevant tous ceux qui essayaient de s'échapper.

– Non ! protesta Comète. Je leur ai promis ! Je leur ai promis !

Il se jeta sur le dos de l'Aile de Nuit le plus proche, qui le repoussa aisément.

– Vous ne pouvez pas les tuer !

Comète ne voulait pas que les soldats le capturent, mais ce n'était que de simples dragons qui obéissaient aux ordres de leur reine et faisaient leur travail. Ils voulaient la paix autant que lui. Ils ne méritaient pas de mourir ainsi.

– Loracle ! s'écria Comète. Arrêtez-les !

– Tu es vraiment bizarre, fit la voix du grand dragon noir, dans l'ombre. Ce n'est qu'une poignée d'Ailes du Ciel. Qu'est-ce que ça peut bien te faire ?

– Vous ne pouvez pas les épargner ? supplia Comète. Je vous en prie, laissez-les vivre.

– Il est bien trop tard pour ça, rétorqua Loracle.

Comète se tourna vers la grotte en feu, comprenant que c'était son plan depuis le début. C'était pour ça qu'il avait choisi un endroit reculé avec un nombre limité de dragons. C'était pour ça qu'il se moquait bien que les soldats posent des questions au sujet de Poulpe – cela faisait partie du test. Mais que les dragonnets réussissent ou échouent, il avait quoi qu'il en soit prévu de tuer tous les Ailes du Ciel.

« Pour effacer toute trace de notre passage, en éliminant le moindre témoin qui pourrait mettre en doute notre histoire. »

Il fixait les flammes, impuissant, certain que les hurlements des dragons hanteraient ses rêves jusqu'à sa mort.

Poulpe se plaignit alors à Loracle :

– Ils ont failli me tuer ! Je vous l'avais bien dit ! Je ne veux plus faire partie de cette prophétie. Il n'y a aucun trésor à gagner, on s'ennuie, c'est nul, j'ai faim, je déteste votre île et je veux rentrer à la maison !

– Très bien, répondit froidement Loracle. Je n'ai jamais rencontré un dragonnet aussi pitoyable que toi. Retourne donc pleurnicher auprès des Serres de la Paix. Vas-y, on verra si tu peux les retrouver tout seul. J'espère que tu mourras en chemin.

Il poussa Poulpe d'un violent coup dans la poitrine.

– Allez ! Va-t'en !

Poulpe vacilla en arrière, glissant sur la roche trempée. Il lui fallut un moment pour retrouver sa voix.

– Tout seul ? couina-t-il. Mais... mais vous ne pouvez pas... mon père est le chef des Serres de la Paix... vous devez être gentil avec moi. Vous ne pouvez pas me renvoyer comme ça...

– Oh, que si, siffla Loracle.

Des éclairs zébrèrent le ciel dans son dos, illuminant les montagnes sombres qui se dressaient autour d'eux.

– Pars ou je te tue moi-même. Je ne veux plus jamais te revoir.

« Par les trois lunes, pensa Comète, il le déteste vraiment. »

– Attendez ! intervint Destiny, en s'approchant de Poulpe. Loracle, attendez ! C'est l'un des nôtres ! On ne peut pas se passer de lui.

Le dragonnet vert lui saisit les deux pattes et les serra dans les siennes, aux abois.

– On a une Aile de Mer de rechange, affirma Loracle. Il faut juste qu'on aille la chercher dans la forêt de Pluie. Elle a visiblement impressionné tous les dragons qui l'ont croisée, du coup, on est obligés de la garder. Alors que celui-ci ne nous est d'aucune utilité.

– C'est pas juste, gémit Poulpe. C'est pas de ma faute si l'autre Aile de Mer est mieux que moi.

« C'est vrai, pensa Comète, pris d'un soudain élan de pitié pour le dragonnet vert et geignard. Personne ne peut rivaliser avec Tsunami. »

– Vous ne pouvez pas faire ça ! cria Destiny. Fuego, Vipère, dites-le-lui !

Vipère haussa les ailes, Fuego rentra la tête dans les épaules. Il ne quittait pas des yeux la grotte où ses congénères Ailes du Ciel étaient en train de brûler vifs.

– Il a dit qu'il ne voulait pas faire partie de la prophétie, tu l'as entendu, fit valoir Tourbe.

– Je ne le pensais pas ! se défendit Poulpe.

Loracle déploya sa queue et lui donna un grand coup sur la tête.

– Pars. Immédiatement. Et estime-toi heureux que je ne te tue pas.

Sans cesser de couiner, Poulpe recula, déploya ses ailes et s'envola dans la tempête. Comète le vit se diriger lentement vers les griffes des montagnes Nuageuses. Un

Aile de Mer tout seul en territoire Aile du Ciel – il ne tiendrait pas une journée. Comète avait le sang qui battait aux tempes et la nausée. Chaque fois qu'il pensait avoir vu le côté le plus sombre de Loracle et des Ailes de Nuit, ils commettaient un acte encore plus horrible.

Destiny pleurait, ses larmes se mêlaient à la pluie, ruisselant sur son museau. Elle plaquait ses pattes sur ses yeux comme si elle avait envie de les arracher.

Comète lui passa une aile autour des épaules, et elle s'appuya contre lui, toute tremblante.

– Il va peut-être s'en sortir, chuchota-t-il. Parfois les dragons réservent des surprises.

– Ne te crois pas tiré d'affaire ! gronda Loracle. Tu as encore laissé passer une occasion de me montrer que tu sais obéir aux ordres.

Comète noua sa queue à celle de Destiny en pensant : « Et pourquoi devrais-je obéir à vos ordres ? Qui a décidé que vous deviez me commander ? »

Pour une fois, il se moquait que Loracle lise dans ses pensées. Il fixa le grand dragon noir, guettant sa réaction.

Ce fut Loracle qui détourna les yeux le premier.

– On rentre sur l'île, annonça-t-il. Les autres nettoieront les lieux, ajouta-t-il en pointant sa queue vers la grotte avant de prendre son envol.

Destiny se tourna vers les montagnes, comme si elle envisageait de se lancer à la poursuite de Poulpe.

Comète aurait aimé être ce genre de dragon. Aurait-il osé désobéir à Loracle et partir avec l'un de ses amis si la même chose leur était arrivée ?

Pour Sunny, oui, sans doute. Il ne l'aurait jamais laissée partir toute seule, voler vers une mort certaine. Oui, rien que pour elle, il aurait sûrement pu être courageux.

« Mais pas assez courageux pour fuir sur-le-champ, hélas, réalisa-t-il. Ils vont peut-être venir à mon secours. Mieux vaut que je reste à les attendre, de toute façon. Ou alors, je me cherche des excuses pour ne rien faire. »

– Allons-y avant qu'il n'arrive un autre malheur, Destiny, fit-il doucement.

Elle s'essuya les yeux et le suivit dans un ciel noyé de pluie.

Le vol de retour fut encore plus épuisant que l'aller, car la tempête ne faiblit pas de tout le trajet. Lorsqu'il atterrit à la forteresse des Ailes de Nuit, tous les muscles de Comète étaient endoloris. Les dragonnets regagnèrent le dortoir, en suivant Loracle sans un mot.

– Entraînement demain dès l'aube, annonça-t-il en s'arrêtant sur le seuil.

La pièce était déserte, les autres dragonnets n'étaient pas dans les parages. Il jeta un coup d'œil à Destiny et Comète avant de tourner les talons.

– Alors... on n'a rien à manger ? osa demander Tourbe, accablé.

Le dernier repas de Comète remontait à plusieurs jours, maintenant – des journées bien remplies et épuisantes. Mais il n'aurait sans doute pas eu la force de manger ce soir, de toute manière. Il avait juste envie de fermer les yeux pour essayer d'oublier la silhouette dégoulinante et prostrée de Poulpe qui tentait péniblement de gagner les montagnes en battant des ailes.

– Non, gronda Loracle, avant de s'éclipser.

Tourbe poussa un soupir de désespoir. Vipère siffla et fila vers la couchette qu'elle s'était choisie pour s'enfouir immédiatement sous l'épaisse couverture de toile.

Fuego scruta la pièce un instant, en battant de la queue.

– C'est pas beaucoup mieux que le cachot d'hier soir, marmonna-t-il.

Avec Tourbe, ils s'installèrent près de Vipère, tout au fond du dortoir. Bientôt, l'Aile de Boue se mit à ronfler, mais le dragonnet du ciel s'assit sur son lit et fixa les charbons ardents, immobile.

Comète dormait presque debout, mais à peine était-il blotti sous sa couverture que Destiny sauta au bout de sa couchette.

– *Mrmmf*, protesta Comète, tout ensommeillé.

– Je sais ce qu'il faut faire, chuchota-t-elle. On va parler à la reine.

– Qui ça « on » ?

– Toi et moi, sans Loracle. Peut-être qu'elle n'est pas au courant qu'il est si affreux. Je parie qu'il ment, qu'elle ne lui a jamais donné l'ordre de tuer l'un de nous deux. Je suis sûre que c'est lui qui a inventé ça.

Comète enroula sa queue, mal à l'aise. Il se demandait à quel point la reine Conquérante était impliquée dans cette histoire de prophétie et de Dragonnets du Destin. Avait-elle connaissance de leur petite escapade sur le continent ? Souhaitait-elle qu'ils éliminent ces Ailes du Ciel ?

– Je parie, reprit Destiny avec véhémence, qu'elle ne va pas être contente que Loracle ait renvoyé Poulpe.

– Peut-être qu'elle a confiance en lui, tu sais, intervint Comète. Peut-être qu'elle le laisse prendre des décisions sans lui en parler. Dans ce cas, on risque de gros ennuis si on va la voir dans son dos.

– Ou bien, elle n'a aucune idée de ce qu'il complote, répliqua Destiny. Et si on va lui parler, elle nous laissera peut-être la vie sauve à tous les deux, elle pourrait même libérer les Ailes de Pluie, mettre fin aux expériences et laisser la prophétie s'accomplir comme prévu sans que Loracle s'en mêle.

Comète pencha la tête.

– Ça fait beaucoup d'espoirs pour une infime possibilité.

– Ça vaut le coup d'essayer, persista-t-elle.

Il réfléchit un instant. Il avait l'esprit embrumé, confus.

Il avait vraiment besoin de manger et de dormir et de revoir ses amis.

– On pourrait lui demander une audience privée demain, suggéra-t-il.

– Non ! protesta Destiny. Loracle ne nous laissera jamais faire. Il faut qu'on aille la voir tout seuls.

– Mais personne n'a le droit de l'approcher, fit valoir Comète. Si elle reste cachée, c'est sans doute pour une bonne raison.

Sauf qu'il n'avait pas encore trouvé d'explication satisfaisante.

– D'accord, eh bien, dans ce cas, il faut qu'on découvre pour quelle raison, affirma Destiny.

Elle n'avait pas tort. Cela leur donnerait un avantage certain. S'ils découvraient quelque chose qu'ils pouvaient utiliser…

– Bon, OK, soupira-t-il. On va la voir.

Destiny agita ses ailes et sourit.

– Ce soir !

– Ce soir ?

Comète se cacha la tête sous ses ailes endolories.

– Ne m'oblige pas à sortir de ce lit avant l'aube. Je t'en supplie.

– C'est important, Comète. Dors un peu, je te réveillerai plus tard, ça marche ?

Il soupira à nouveau :

– Ça marche.

Il sentit qu'elle sautait du lit. Tandis qu'il écoutait ses pas s'éloigner, son esprit épuisé se mit à ressasser des questions en boucle :

« Quel est le secret de la reine ? Pourquoi refuse-t-elle qu'on la voie ? »

Il repensa à la reine Glaciale qui confinait son alliée Flamme dans une forteresse construite exprès pour elle, avec l'ordre de ne jamais en sortir et de ne prendre aucun risque.

« Et si la reine Conquérante était manipulée par quelqu'un, comme Flamme ? Et si elle ne restait pas recluse de son plein gré ? »

Si c'était le cas, alors il pourrait aider Conquérante et peut-être la reine pourrait-elle lui rendre la pareille.

« Arrête de cogiter et dors ! » se dit-il.

Il distinguait une fine volute de fumée qui montait de Fuego, toujours assis, la tête basse, en train de ruminer tout comme lui.

Mais, bien qu'épuisés, les deux dragonnets mirent longtemps à trouver le sommeil.

CHAPITRE 14

Comète était entouré de rouleaux de parchemin – des montagnes de parchemins, des murailles de parchemins aussi hautes que dix dragons, des parchemins de tous côtés et à perte de vue !

Sa joie intense – tant et tant de choses à lire… et sûrement les réponses à toutes les questions qu'il se posait ! – le disputait à une angoisse paralysante. Comment allait-il pouvoir retenir tout ça ? Comment parcourir tous ces textes avant le test ?

Et ce test, au fait, il portait sur quoi ? Sur les Ailes de Feu ? Il devait bien y avoir un rouleau sur les Ailes de Feu, là-dedans.

– Oups !

La voix monta d'une pile de parchemins qui, aussitôt, s'effondra. Ils roulèrent en tous sens aux pieds de Comète. La tête d'Argil sortit du tas et il lui sourit.

– Oh, salut ! Tu es là ?

– Fais attention, Argil, protesta Comète.

Et il se mit à ramasser les rouleaux de parchemin pour les ranger du mieux possible.

– Ça peut nous être utile, tout ça.

– Ah bon ?

Argil fronça le museau.

– Dans la prophétie, il y a un truc du genre « un tas de parchemins va sauver Pyrrhia » ? C'est bizarre, je ne m'en souviens pas.

Comète lui lança un regard noir avant de saisir le rouleau le plus proche, intitulé *Comment libérer les prisonniers Ailes de Pluie.*

– Ah, tu vois ! fit-il en l'agitant sous les naseaux d'Argil. Toutes les réponses dont on a besoin.

Il s'empressa de le dérouler... et découvrit qu'il était complètement vierge. Il se retrouva face à un parchemin parfaitement lisse et blanc, qui resta impassible devant sa déception.

– Allez, viens dehors, on a besoin de toi ! l'encouragea Argil.

– Impossible. Je dois d'abord lire tout ça !

En déployant ses ailes, Comète renversa une autre pile. Il se mit à tourner en rond, paniqué. Il lui semblait que les montagnes de parchemins grandissaient...

Il en prit un autre : *Secrets des Ailes de Nuit.*

– Voilà ce qu'il me faut, marmonna-t-il en le déroulant.

Mais il était également vierge.

Argil l'attendait toujours.

– Je ne peux pas vous aider tant que je ne sais pas tout, lui expliqua Comète. Il vaut mieux que je reste ici. Ça ne sera pas long. Bientôt, j'en saurai beaucoup plus. Mais je ne peux pas sortir tout de suite.

Il tira un rouleau doré et scintillant du tas. Un parchemin aussi somptueux devait sûrement contenir des informations capitales.

Comment dire à Sunny que tu l'aimes.

Comète soupira. Il savait avant de dérouler le parchemin ce qu'il allait trouver : rien, du blanc, du vide.

– Comète ! insista Argil. Comète, viens ! Dépêche-toi. Comète, il va quelque part, viens.

Ce n'était plus la voix d'Argil et quelqu'un lui secouait l'épaule. Le dragonnet se réveilla en clignant des yeux, complètement perdu.

– Viens, chuchota à nouveau Destiny. Fuego vient de sortir du dortoir. On va le suivre, vite.

– Pourquoi ? marmonna Comète en se frottant les yeux. Il ne sait pas où se trouve la reine.

Mais Destiny avait déjà rejoint la porte. Il s'étira, sentant, hélas, dans tous ses muscles qu'il n'avait pas assez dormi, et lui emboîta le pas.

La queue rouge de Fuego venait de disparaître au bout du couloir. Destiny et Comète le suivirent sans bruit. Comme elle ne parlait pas, il se taisait également. Son rêve l'avait perturbé, il avait l'impression d'oublier un détail capital… quelqu'un qu'il devait avertir.

Bientôt, Fuego s'engouffra dans un escalier qui descendait, descendait toujours plus bas dans la forteresse, de plus en plus sombre malgré les braises qui luisaient dans leurs niches murales. Il s'arrêta à plusieurs reprises, tendant l'oreille. Destiny et Comète l'imitèrent, baissant la tête, tapis dans l'ombre.

Enfin, ils arrivèrent au bas de l'escalier et Fuego choisit l'un des tunnels qui semblait s'enfoncer droit au cœur du volcan. La chaleur était presque palpable sous leurs griffes. Comète fit une pause pour plaquer ses pattes contre les parois, il avait l'impression de sentir des vibrations venues des profondeurs de la terre.

C'est alors qu'ils arrivèrent devant la première cellule.

Elle était vide, mais Comète n'avait aucun doute sur la destination des barreaux et des chaînes. C'était le cachot des Ailes de Nuit, où Fuego et Tourbe avaient été emprisonnés l'autre nuit.

La plupart des cellules étaient vides, mais dans la quatrième gisait une Aile de Pluie, squelettique et grisâtre, profondément endormie. Destiny et Comète s'arrêtèrent un instant pour la contempler. Comète se demanda pourquoi elle n'était pas détenue avec les autres dragons de pluie, dans les grottes-prisons.

– Qu'est-ce que vous faites là ?

Comète sursauta. Fuego avait surgi de l'ombre, l'air accusateur.

– Bah ! On te suit, tiens donc ! expliqua Destiny d'un ton désinvolte. Qu'est-ce que tu fabriques, par les trois lunes ?

– Ça ne vous regarde pas ! répliqua-t-il. Allez-vous-en !

– Et si un garde te surprend par ici ? remarqua Comète. Un Aile du Ciel qui rôde dans la forteresse ? Tu risques de t'attirer beaucoup plus d'ennuis tout seul que si tu es accompagné par deux Ailes de Nuit.

Le dragonnet rouge réfléchit un instant, laissant échapper deux volutes de fumée noire par ses naseaux.

– Très bien, lâcha-t-il à contrecœur, comme vous voudrez. Ça m'est égal.

Il tourna les talons et s'éloigna à pas lourds. Destiny et Comète échangèrent un regard avant de le suivre.

La dernière cellule du couloir contenait un Aile de Nuit. Fuego s'arrêta devant et fit tinter les barreaux de la pointe d'une griffe.

Il ne s'agissait pas de n'importe quel Aile de Nuit, mais de Lassassin.

Celui-ci leva la tête et les toisa. Ses ailes se soulevaient à chacune de ses inspirations. La cellule semblait trop petite pour lui.

– Salut, Aile du Ciel ! Content de te voir de l'autre côté des barreaux, cette fois.

– Que faut-il faire pour devenir un tueur ? demanda

Fuego. Je veux connaître la meilleure manière de tuer un dragon, vite et bien.

Lassassin se leva et s'approcha de la grille.

– Tu veux dire la meilleure manière de tuer un dragon sans trop s'impliquer ?

Fuego siffla en battant de la queue.

– Il faut que tu le fasses vraiment pour une bonne raison, répondit Lassassin. Et que tu en sois intimement convaincu. Il faut également éviter de parler à ta cible, au cas où finalement tu la trouverais jolie, pleine d'humour et fascinante. Par exemple.

– C'est ce qui t'est arrivé ? s'enquit Fuego d'un ton méprisant. C'est pour ça que tu te retrouves ici ?

Sous les ailes de Lassassin, les écailles argentées scintillèrent faiblement à la lueur des braises lorsqu'il haussa les épaules.

– Peut-être bien mais, à mon avis, ce n'est pas si terrible de remettre les ordres en question.

Fuego cingla l'air de sa queue et agita une aile.

– Quels ordres ? demanda Destiny à Fuego et Comète. Qui est-ce ?

– Tes visions ne peuvent pas te renseigner là-dessus ? répliqua Fuego, sarcastique.

– Il s'appelle Lassassin, expliqua Comète. Il avait pour mission de tuer mes amis, mais il nous a laissés partir et il a aidé Gloria à s'évader d'ici.

– Par les trois lunes, ne parle pas si fort ! fit Lassassin, soudain nerveux. Je pense que je suis tout seul – à part la reine Splendeur, bien sûr –, mais on ne sait jamais.

– C'est la reine Splendeur ? s'étonna Comète.

– La première Aile de Pluie capturée par le clan. Celle qui a blessé Vengeur sans le vouloir. Le plan, c'était qu'une fois qu'on détiendrait leur reine, ils seraient à notre merci et feraient tout ce qu'on voudrait. Sauf qu'on ignorait non seulement qu'ils avaient plusieurs reines, mais également qu'il pouvait s'écouler des semaines avant qu'ils ne remarquent leur absence !

– Bah, dis donc ! fit Destiny, choquée.

– Ça ne m'étonne pas, affirma Fuego.

– Mais ça va changer, rétorqua Comète.

« Gloria va s'en assurer. »

– Grâce à Gloria ? demanda Lassassin.

Comète fit un bond. Il avait lu dans ses pensées ou quoi ?

Ils se dévisagèrent mutuellement un long moment.

– Oui, confirma finalement Comète.

L'expression de Lassassin était si facile à déchiffrer – si franche, si profondément triste – que Comète eut un aperçu de la tête qu'il faisait chaque fois qu'il pensait à Sunny.

– Qui est Gloria ? voulut savoir Destiny.

– C'est… une longue histoire, soupira Comète.

– Je retourne me coucher, marmonna Fuego.

Une petite flammèche jaillit de ses naseaux tandis qu'il passait près de Destiny.

– Tout ça ne sert à rien.

– Attends ! le rappela Lassassin. N'oublie pas que tu es ton propre maître. Rien ne t'oblige à faire ce qu'on te dit. Tu n'as pas à obéir à quiconque. Tu as le droit de questionner les ordres.

– Pour finir comme toi ? répliqua Fuego. Derrière les barreaux, en attendant d'être jeté dans un lac de lave ? Merci, mais je préfère me passer de tes conseils.

Le dragonnet du ciel laissa à nouveau échapper un petit reniflement méprisant avant de filer dans le tunnel. Comète regarda les flammèches qu'il soufflait briller dans l'ombre tandis qu'il passait devant la cellule de Splendeur et regagnait l'escalier.

– Alors, Gloria va bien ? demanda Lassassin. Elle est rentrée saine et sauve ?

Comète acquiesça.

– Mais elle est furieuse d'avoir découvert tous ces Ailes de Pluie emprisonnés.

Il s'interrompit. Il hésitait à faire confiance à cet Aile de Nuit, même s'il les avait beaucoup aidés.

– Ça ne m'étonne pas, répondit Lassassin avec un demi-sourire. Je n'ai jamais pensé que c'était une bonne idée, pour ma part.

Dans cette partie de la forteresse, les niches pour les charbons ardents étaient taillées grossièrement dans la roche et non sculptées au cordeau et finement ciselées comme dans les étages supérieurs. Elles jetaient donc des ombres biscornues, pointues, comme des griffes acérées tentant de sortir de la pierre. La chaleur était encore plus insoutenable que le soleil implacable du royaume de Sable. Comète commençait à avoir mal à la tête.

– Vous ne… euh… vous n'avez pas l'air… hum…, bafouilla Destiny, laissant sa phrase en suspens.

– Je n'ai pas l'air d'un tueur, pourtant, compléta Lassassin. Eh bien, j'ai suivi un entraînement intensif, mais… ensuite, j'ai été envoyé sur le continent et… j'imagine que lorsqu'on reste un peu seul, loin du clan, on finit par penser par soi-même au lieu de répéter ce que disent les autres. Du coup, j'ai bien peur d'avoir déçu la reine.

Destiny agrippa les barreaux.

– Vous avez rencontré la reine ?

Il rectifia :

– Non, pas en tête à tête, bien sûr. Elle regarde son interlocuteur à travers son écran percé et parle par la voix de sa fille, Somptueuse. D'aussi loin que je me souvienne, il en a toujours été ainsi.

Comète se hérissa. Et si la reine avait fait installer ce genre d'écran dans toute la forteresse ? Et si elle espionnait son clan sans qu'il le sache ?

Il jeta un regard autour de lui, mal à l'aise. Dans la pénombre du cachot, impossible de repérer quelques trous dans le mur.

– Nous voulons lui parler, décréta Destiny. Comment

entrer en contact avec elle ? J'ai passé la nuit entière à arpenter cette sinistre forteresse oubliée des lunes... et je ne l'ai pas trouvée !

– Ah bon ? s'étonna Comète.

– Oui, pendant que tu dormais. Je te l'ai dit, je suis pleine d'énergie, la nuit. Je ne tenais pas en place.

– Je suis pareil, affirma Lassassin. Écoutez, franchement, c'est dangereux de traquer la reine. Elle risque de ne pas apprécier.

– Loin de nous l'idée de nous immiscer dans sa mystérieuse intimité, on veut juste lui parler ! se défendit Destiny. Il n'y a pas de salle du trône, ou un truc comme ça ? Un endroit où on pourrait parler à travers le mur et où elle nous répondrait ?

Lassassin hésita.

– Ce n'est pas une bonne idée. Je pense qu'elle ne vous aidera pas.

– Et moi, je pense que oui ! rétorqua Destiny.

Elle plaqua ses pattes sur ses tempes dans une pose théâtrale.

– J'ai eu une... VISION ! Je le sais !

Lassassin la gratifia d'un regard perplexe.

– Ah oui ? Vraiment ?

– Je ne me trompe jamais. Mes visions se vérifient toujours, déclara-t-elle avec assurance. Même si je regrette parfois qu'elles oublient de m'avertir d'événements très graves...

Elle baissa le museau vers ses griffes et Comète devina qu'elle faisait référence à Poulpe.

– Bien, reprit lentement Lassassin, si vous voulez vraiment rejoindre la salle du trône, elle est à l'autre bout de la forteresse. La troisième porte après la bibliothèque en venant de la salle du conseil. Mais même si la reine se trouve derrière son écran, au beau milieu de la nuit – ce dont je doute fort –, elle ne vous parlera pas si Somptueuse n'est pas là.

– Elle n'a pas besoin de dire un mot ! affirma Destiny avec ferveur. Il lui suffit d'écouter.

Lassassin jeta un regard à Comète et haussa les ailes.

– Dans ce cas, bonne chance. Mais dépêchez-vous, l'aube approche.

– Comment le sais-tu ? s'étonna Comète.

Il n'y avait aucune fenêtre dans le cachot, rien qui permette de compter le temps qui s'écoulait. Rien que des parois de roche noire et déchiquetée.

– Je le sens, expliqua Lassassin. Si tu passais plusieurs mois à dormir à la belle étoile, tu finirais par le sentir également.

– Qu'est-ce que tu as fabriqué tout seul sur le continent pendant si longtemps ? voulut savoir Comète.

– J'avais une liste de missions à accomplir et des rendez-vous réguliers pour prendre mes ordres. Vous n'avez jamais remarqué que, dès qu'un camp prenait l'avantage sur les autres dans la guerre, ses généraux trouvaient soudain la mort ? Non que je revendique avoir été impliqué dans leur assassinat ou quoi que ce soit, évidemment.

– Ah, si ! J'avais remarqué ! s'écria Comète. Tout au moins d'après ce que j'avais lu dans les parchemins historiques les plus récents. C'était toi ? Pourtant, comme cela se produisait dans les trois camps, j'en ai déduit qu'il s'agissait d'une coïncidence.

Lassassin déploya ses ailes.

– Nous n'avons choisi notre camp que récemment, en effet.

Il s'interrompit.

– Et je n'ai pas été consulté pour cette décision.

– Toi non plus, tu n'aimes pas Fièvre, c'est ça ? supposa Comète.

– Comète, il faut qu'on y aille, le pressa Destiny en le tirant par la queue. Je veux trouver la reine cette nuit, avant que Loracle puisse encore faire des siennes. Viens.

Comète s'éloigna à reculons. Il avait encore tant de questions à poser à Lassassin. C'était le premier Aile de Nuit qui lui fournissait de vraies réponses.

– Je reviendrai, promit-il. Bientôt… Je… Je vais voir ce que je peux faire pour toi.

– Ne t'attire pas d'ennuis, surtout, lui recommanda Lassassin. Tout ira bien. Bonne chance !

Il adressa un petit signe de l'aile à Destiny.

Comète aurait aimé pouvoir faire quelque chose.

Lassassin avait secouru Gloria – en lui laissant la vie sauve, puis en la faisant sortir de la grotte où elle était emprisonnée –, le dragonnet aurait voulu pouvoir lui rendre la pareille. Il aurait voulu faire quelque chose d'héroïque, de courageux, d'audacieux, de généreux... Hélas, il ne savait pas par où commencer.

À la place, il suivit Destiny dans le dédale de tunnels de la forteresse, en quête de la salle du trône et d'une reine qui s'y trouvait peut-être... ou pas, qui accepterait de les écouter... ou pas, mais qui en tout cas refuserait très certainement de les aider.

CHAPITRE 15

– La troisième porte après la bibliothèque, murmura Destiny. Et il a parlé de la salle du conseil…

Elle s'arrêta à un croisement, perplexe, contemplant les deux tunnels qui s'ouvraient devant elle, en se tordant les griffes.

– Je crois me rappeler où se trouve la salle du conseil, affirma Comète.

Au fil de ses sorties hors du dortoir, il s'était efforcé de créer dans sa tête un plan de la forteresse.

– Par ici, si je ne me trompe ! dit-il en tendant la patte.

– Alors on va par là, dit-elle. Et on va passer devant la bibliothèque, je pense.

– La bibliothèque, répéta Comète, réalisant soudain ce que cela signifiait. Il y a une bibliothèque. Destiny ! Tu y es allée ? Ils ont combien de rouleaux de parchemin ?

– Je ne sais pas, moi… un million…

– *Un million ?*

Comète crut qu'il allait s'évanouir. Il avait la tête qui tournait rien que de penser à tous ces parchemins qu'il n'avait pas encore lus. Exactement comme dans son rêve.

– Ce n'est pas un chiffre exact, corrigea Destiny en s'arrêtant pour lui adresser un sourire amusé. Je voulais juste dire beaucoup. Je ne les ai pas comptés !

– Beaucoup, c'est déjà bien, fit Comète.

Il se sentait un peu bête de s'enthousiasmer autant pour de simples parchemins. Mais dans la grotte des gardiens, ça lui avait tellement manqué ! Il était obligé de lire et relire sans cesse les mêmes. Un nouveau texte, contenant davantage de réponses, davantage d'informations… ça pouvait tout changer !

– La voilà ! annonça Destiny en s'arrêtant devant la grande arche de pierre qui donnait accès à la bibliothèque.

Comète jeta un coup d'œil à l'intérieur, le cœur battant. Il s'agissait d'une immense salle, encore plus grande que celle du conseil. Ici, pas de braises dans les murs, la lumière venait de globes métalliques où brûlait une flamme, bien à l'écart des parchemins. Des niches carrées étaient creusées à même la roche, et ce jusqu'au plafond, garnies de trois à six parchemins, soigneusement enroulés, étiquetés, classés – oui, classés ! – grâce à une étiquette portant une référence, reprise dans un immense rouleau étalé sur la grande table centrale et qui servait de catalogue. Comète comprit instantanément comment cela fonctionnait, ses griffes le démangeaient, il avait tellement envie de filer se plonger dans leur lecture !

– Tu es trop mignon, commenta Destiny. La tête que tu fais ! Comme si quelqu'un venait d'ouvrir un immense coffre au trésor juste sous ton museau !

C'était exactement ce que ressentait Comète en contemplant tous ces parchemins. Il se risqua à faire un pas à l'intérieur, mais la dragonnette le tira par la queue.

– Oh non, pas question ! fit-elle. On va d'abord voir la reine. Tu pourras revenir flâner ici demain.

– Si Loracle le veut bien, soupira Comète.

Destiny le traîna hors de la bibliothèque et s'arrêta deux portes plus loin, sur le seuil d'une pièce ronde, aux murs de pierre, complètement vide, sans fenêtre, sans aucun meuble, et munie d'une seule niche pour les braises. Le mur face à la porte était constitué d'un étrange treillis de pierre sculptée, percé de trous en forme de losanges à peine plus gros que des coccinelles.

– J'ai vu cette pièce tout à l'heure, mais je n'aurais jamais deviné qu'il s'agissait de la salle du trône.

Elle s'approcha du mur et colla l'œil contre l'un des trous.

– Il y a quelque chose qui luit… mais on dirait un simple feu. Je ne vois pas la reine. Tu crois qu'elle est là ?

Elle frappa contre l'écran de pierre.

– Bonjour ! Votre Majesté ?

Silence.

– Reine Conquérante ? insista Destiny. Il faut vraiment qu'on vous parle. C'est nous, les Dragonnets du Destin.

– Enfin, les deux candidats au poste d'Aile de Nuit, précisa Comète.

– Hou, hou ! fit Destiny.

Rien. La dragonnette tambourina contre le mur à coups de patte, mais toujours aucune réponse.

– C'est TRÈS ÉNERVANT ! gronda-t-elle. Votre Majesté, je ne me laisse pas si facilement décourager, vous savez !

– On est au milieu de la nuit, souligna Comète. Elle ne doit pas être là, elle dort sans doute ailleurs.

Destiny haussa les ailes en soupirant, avant d'acquiescer.

– D'accord. Demain, on s'éclipsera de l'entraînement avec Loracle pour réessayer.

Ce plan ne plaisait pas vraiment à Comète. Mais il avait bien compris qu'il était inutile de discuter avec Destiny quand elle avait une idée en tête.

Alors qu'ils tournaient les talons, soudain, Comète entendit un bruit.

Une sorte de grattement, qui venait de derrière le mur percé.

Il regarda Destiny. Elle l'avait entendu aussi. Ils s'approchèrent à nouveau du mur.

– Votre Majesté ? fit la dragonnette.

Comme il n'y avait aucune réaction, Comète remarqua :

– Si elle est là, elle n'a peut-être pas envie de nous parler.

Destiny croisa les ailes et fronça les sourcils.

– Il faudrait qu'elle nous voie.

Elle se mit à faire les cent pas le long du mur.

– Il doit bien y avoir une porte, quelque part. Il faut bien qu'elle entre et qu'elle sorte d'une façon ou d'une autre, non ?

– À moins qu'elle ne demeure en permanence dans la même pièce, répliqua Comète.

Il visualisa mentalement le plan de la forteresse.

– Je pense… je pense que la pièce qui est derrière ce mur donne également sur la salle du conseil. Peut-être que c'est là qu'elle vit.

– Alors il faut qu'on trouve un moyen d'y entrer, décida Destiny en fonçant dans le couloir.

– Tu crois que c'est une bonne idée ? demanda Comète dont les griffes dérapaient sur la pierre tandis qu'il courait derrière elle. Je suis presque sûr que ça ne va pas lui plaire.

– Eh bien, tant pis pour elle ! s'exclama la dragonnette. Nous sommes ses sujets, nous aussi ! Elle doit nous écouter !

Visiblement, Destiny n'avait pas beaucoup l'expérience des reines, des clans, et de leur mode de fonctionnement. Les Serres de la Paix laissaient sans doute davantage les différents dragons de leur groupe participer à la vie commune. Ou bien peut-être que, même si elle avait grandi ailleurs, Destiny aurait été aussi spontanée, peut-être était-ce dans sa nature.

Elle s'immobilisa brusquement, fronçant les sourcils, la tête penchée sur le côté.

– Comment fait-on pour entrer là-dedans ? murmura pour elle-même la dragonnette.

Elle ferma les yeux et prit une profonde inspiration.

– Tu as une vision ? demanda Comète, reconnaissant son expression.

– J'essaie… mais je ne vois que des murs. Argh…

– Essayons par ici, suggéra-t-il.

Ils suivirent les tunnels sinueux qui semblaient faire le tour de la salle du conseil, sans trouver le moindre accès à l'endroit où la reine était cachée.

Mais Comète aperçut une porte entrouverte. Quand il jeta un coup d'œil dans l'entrebâillement, il découvrit une pièce déserte… et fort étrange. Presque tout l'espace était occupé par une immense carte affichée au mur – une carte de Pyrrhia, beaucoup plus détaillée que toutes celles qu'il avait vues jusqu'à présent. La moindre crique, le moindre fjord étaient dessinés avec une précision scientifique. Même la description de la forêt de

Pluie comportait une foule d'informations : l'emplacement du village principal des Ailes de Pluie, de toutes les rivières et les ruisseaux qui sillonnaient la jungle et des deux tunnels menant au royaume de Sable et à l'île des Ailes de Nuit, le tout parfaitement localisé et étiqueté.

Comète remarqua que le palais d'Été des Ailes de Mer y figurait également, noté dans une encre plus foncée et récente que certains autres lieux. Il se demanda si les Ailes de Nuit avaient appris où il était situé à l'occasion de l'incendie. Le palais des Profondeurs n'était pas indiqué – ce secret des Ailes de Mer demeurait préservé, visiblement.

Mais le plus étonnant, c'est que la carte était couverte de petits carrés figurant des « repaires de charognards ». Il en compta sept, depuis les îles les plus lointaines du royaume de la Mer jusqu'à la péninsule méridionale du royaume de Sable. Il y en avait même un au cœur des plaines enneigées du royaume de Glace. Et chacun était barré d'une croix bien nette à l'encre verte.

« Qu'est-ce qu'ils fabriquent ? se demanda Comète en contemplant la carte. Pourquoi traquer les charognards ? Que signifient ces croix ? »

– C'est quoi, un repaire de charognards ? s'interrogea Destiny dans son dos.

– Tu as déjà vu un charognard ?

Elle secoua la tête.

– Ce sont de petites créatures qui n'ont presque pas

de poils, qui marchent sur deux pattes et qui adorent voler les trésors – un peu comme les pies ou les ratons laveurs, mais en plus gros. Parfois, ils brandissent des bâtons pointus pour piquer les dragons avec, ce qui signifie qu'ils ne doivent pas être très intelligents.

– Oh ! fit Destiny. Oui, comme le charognard qui a tué la reine Oasis, et déclenché toute cette guerre.

– Exactement, confirma Comète.

Il frissonna en se remémorant sa seule rencontre avec des charognards – les deux qui avaient essayé de le tuer dans l'arène de Scarlet. Ils hantaient encore ses cauchemars, le fixant de leurs grands yeux, si semblables à ceux des dragons, et même s'il les trouvait terrifiants, il ne pouvait s'empêcher de penser : « Ils sont dans la même situation que moi. Ils veulent juste sortir vivants de cette arène. »

– Mais alors, leurs repaires… c'est là qu'ils vivent ?

Destiny tendit la patte pour suivre le contour d'un de ces carrés du bout de la griffe.

– J'imagine, fit Comète. Je n'en ai jamais vu. Je me suis toujours figuré un labyrinthe de tunnels. Selon les parchemins, ils vivent en grands groupes, comme les suricates. Mais ils tiennent à ce que leur habitat reste bien caché, d'après ce que j'ai lu. Pour se protéger des prédateurs.

– Des prédateurs comme nous ! précisa Destiny d'un ton enjoué.

Comète se gratta la tête.

– Je me demande bien ce que les Ailes de Nuit leur veulent.

Une hypothèse commençait à germer dans son esprit, mais avant qu'il ait pu la développer, Destiny fit glisser sa patte à plat jusqu'au bord de la carte et s'écria soudain :

– Regarde ! Il y a quelque chose derrière !

Elle décrocha un coin de la feuille pour la soulever légèrement : en effet, un étroit tunnel s'ouvrait derrière !

– Allons-y ! chuchota-t-elle en s'engouffrant à l'intérieur sans la moindre hésitation.

Le cœur de Comète battait si fort qu'il menaçait de sortir de sa poitrine. Mais il n'avait pas vraiment le choix. Si ce passage menait bien là où il le pensait, il ne pouvait pas laisser Destiny affronter la reine Conquérante toute seule.

« Si seulement Argil ou Tsunami étaient là ! » Ils savaient se battre, eux, au moins, pas comme lui.

D'une griffe tremblante, il souleva le coin de la carte et pénétra dans le tunnel sombre à la suite de Destiny.

– J'ai une vision ! lui glissa-t-elle à l'oreille d'un ton théâtral, lui causant une telle frayeur qu'il sursauta, manquant perdre toutes ses écailles. Je nous vois tous les deux face à la reine Conquérante ! Ça va marcher !

– Tu as failli me faire mourir de peur, lui reprocha-t-il en portant une patte à son cœur.

– Désolée, fit-elle.

Même dans le noir, il sentit bien qu'elle souriait.

– Dis-moi, murmura-t-il, tandis qu'ils avançaient à tâtons, dans tes visions, il y a une reine Conquérante, donc. Elle existe bien, alors ? Elle est en vie ?

– Évidemment… Pourquoi ?

– Pour rien, répondit Comète, c'est juste que je me posais la question, étant donné que personne ne la voit jamais et que personne ne l'entend à part Somptueuse… Enfin, si elle était morte, ce serait drôlement astucieux comme plan. Tant que Somptueuse fait croire qu'elle est encore en vie, elle peut donner des ordres et faire tout ce que fait une reine, au nom de sa mère, sans que quiconque essaie de la défier pour lui prendre le trône.

– Ce serait drôlement rusé, commenta Destiny. Je n'aurais jamais pensé à ça !

– Je me trompe peut-être.

Comète se cogna brusquement le museau contre la pierre. Il se hissa sur la pointe des pattes pour toucher le plafond bas au-dessus de leur tête, puis cracha quelques flammèches. Devant eux, le passage était bloqué par un énorme rocher.

Destiny siffla :

– Ce n'est pas possible, ça doit pourtant être par là !

Comète suivit le contour de la pierre avec précaution et découvrit un espace vide sous ses griffes.

– Le tunnel continue, mais en plus petit, il me semble.

Il y avait en effet un trou dans la paroi, caché par le rocher, à peine assez large pour un dragon.

– Ooh, fit Destiny, flairant l'obscurité. Je sens que ça va être super terrifiant. Tu passes devant.

Comète avait l'impression qu'un volcan menaçait d'entrer en éruption dans sa poitrine.

« Si on se fait prendre, ils ne peuvent pas nous tuer tous les deux, de toute façon. Il faut qu'ils en gardent au moins un en vie. »

C'est sur cette pensée pas franchement réconfortante qu'il se faufila dans le tunnel sombre. Il sentit des cailloux noirs et pointus sous ses pattes. La seule chose vaguement rassurante, c'était le bruit de Destiny qui le suivait d'assez près pour lui marcher parfois sur la queue.

Le tunnel montait plus ou moins en spirale. À la sortie du dernier tournant, ils débouchèrent soudain dans une grotte.

Comète se figea et Destiny lui rentra dedans.

« On y est. »

Sur l'un des murs, un cercle percé de trous surplombait la salle du conseil. Sur celui d'en face, ils reconnurent l'écran qui donnait dans la salle du trône. Sur le troisième mur, il n'y avait que quelques trous pour espionner quelque chose ou quelqu'un sans être vu.

« Mais pas de reine. »

Pas un dragon, pas le moindre signe de vie.

« Où peut-elle bien être ? À moins que j'aie raison, qu'elle soit bien morte en fin de compte... »

Le centre de la grotte était occupé par un énorme chaudron plein de lave, assez vaste pour y baigner deux Loracle. Il s'agissait d'une sorte de cuve en pierre grossière, taillée dans la roche volcanique. Elle était remplie jusqu'au bord de lave en fusion qui bouillonnait avec des gargouillis sinistres, tout en projetant des gouttelettes brûlantes alentour. Comète recula prudemment, il n'avait pas oublié la sensation cuisante sur sa patte.

Il régnait dans cette petite pièce une chaleur suffocante, presque insoutenable. Le dragonnet contourna le chaudron en rasant les murs pour regarder par les petits trous de la paroi face à l'entrée. Destiny le suivit, anormalement silencieuse pour une fois.

Comète ne reconnut pas la pièce qui se trouvait de l'autre côté, mais il distinguait une table basse et des os de proie jonchant le sol.

– C'est là que mangent les membres du conseil, je parie, dit-il à voix basse. Quel meilleur moment pour les espionner, que lorsqu'ils parlent librement, sans se douter qu'elle les écoute ?

Il jeta un coup d'œil aux deux autres écrans et secoua la tête.

– En même temps, je n'ai pas l'impression qu'elle voie grand-chose en ce moment.

Il se pencha pour regarder à nouveau dans la salle à manger.

– Peut-être que tu avais raison, elle..., commença Destiny.

Mais elle s'interrompit avec un cri de terreur, s'agrippant à l'épaule de Comète. Elle le serra si fort qu'il eut peur qu'elle lui enfonce les griffes jusqu'au sang.

– Qu'est-ce qu'il... ?

Il se retourna et laissa également sa phrase en suspens en voyant ce qu'elle venait de voir.

Une dragonne avait surgi de la lave.

CHAPITRE 16

Depuis qu'il avait quitté la grotte où il avait grandi, Comète avait souvent eu très peur. Son pire souvenir était le moment où la reine Scarlet avait fait irruption avec ses gardes, avait tué Dune et capturé tous les dragonnets. Ensuite venait l'instant où il s'était retrouvé au milieu de son arène, sachant qu'elle souhaitait le voir connaître une mort affreuse avant la fin de la journée. Suivi de près par la fois où la reine Corail les avait emprisonnés, puis le plongeon de Tsunami au milieu des anguilles électriques, l'attaque du palais d'Été par les Ailes du Ciel, leur fuite chaotique en plein milieu de la bataille... Non, en fait, le pire c'était quand Sunny avait disparu sous ses yeux dans la forêt de Pluie. Sans compter toutes les horreurs qu'il avait vues depuis qu'il avait été enlevé par les Ailes de Nuit. En fait, il avait passé les dernières semaines dans un état de terreur permanent.

Mais là, on montait encore d'un cran.

Le genre « Ce n'est pas scientifiquement possible ! », « Comment a-t-elle pu passer tout ce temps dans la lave ? », « NON, C'EST IMPOSSIBLE » et « Ça y est, c'est la fin. Il n'y a personne pour me défendre et c'est sûr à cent pour cent, je vais mourir parce que c'est UNE DRAGONNE QUI VIT DANS LA LAVE. »

Sa tête et ses ailes sortirent d'abord, dans une gerbe de lave en fusion, puis une patte griffue surgit et agrippa le bord du chaudron. La dragonne s'ébroua, éclaboussant toute la pièce. La lave dégoulina lentement, révélant un museau balafré, un cou épais, et des écailles noires qui luisaient comme de l'ébène poli, se détachant sur le liquide orange vif qui l'entourait.

– Comète, Comète, Comète, chuchota Destiny, paniquée, en lui secouant violemment la patte. Fais quelque chose !

– Oui, mais quoi ? souffla-t-il.

Le tunnel était de l'autre côté du chaudron. Il fallait qu'ils le contournent en évitant les projections de lave pour s'enfuir – ce dont il mourait d'envie.

– *Sssssssssssssssssssss !*

La dragonne se pencha vers eux afin de les contempler. Un nuage de vapeur blanche montait de ses écailles. Dardant sa langue fourchue, elle examina attentivement les deux dragonnets. Comète distingua alors une lueur bleu glacier au fond de ses yeux noirs. Quand elle ouvrit la gueule, il aperçut deux crocs de la même nuance de bleu, qui ressemblaient davantage à des stalagmites de glace qu'à de vraies dents de dragon.

– Qui ? demanda-t-elle soudain.

Sa voix rauque était à peine audible – si faible, étrange et grinçante, comme le crissement de griffes sur la glace, venu des profondeurs lointaines d'une grotte.

– P-p-personne..., bégaya Comète.

– Je vous en prie, ne nous tuez pas ! couina Destiny.

– Ne m'y obligez pas, répondit la dragonne de lave.

Elle siffla à nouveau, s'agrippant au bord du chaudron de toutes ses griffes.

– Comment ?

– Comment... comment vous a-t-on trouvée ? traduisit Comète. En cherchant la reine Conquérante.

– Moi, répondit-elle.

Elle plissa les yeux.

– Vous ?

– Nous sommes... nous sommes les dragonnets de la prophétie. Moi, c'est Destiny et lui, Comète.

– Aaaah ?

La reine s'enfonça dans la lave en commentant :

– Mmm... Pas terribles.

– Comment est-ce possible ? explosa Comète. Vous devriez être morte ! La température dans laquelle vous êtes immergée – la température de fusion de la lave... la réaction des écailles... j'ai vu ce qui est arrivé à Vengeur.

Vous ne pouvez pas nager dans la lave liquide ! Ça ne se peut pas. Même les dragons nés d'œufs rouge sang, comme Argil, ne pourraient supporter cette chaleur qu'une minute ou deux et, pour autant que je sache, les Ailes de Nuit ne pondent pas ce genre d'œufs quoi qu'il en soit, alors... c'est impossible, d'un point de vue scientifique.

La reine laissa échapper un petit reniflement amusé, qui fit des bulles à la surface de la lave.

– Le fils de Legénie, nota-t-elle.

Elle le dévisagea un moment, puis se pencha en avant, ouvrant les mâchoires au maximum.

L'espace d'un instant, Comète crut qu'elle allait bondir hors du chaudron pour leur arracher la tête d'un coup de dents. Mais il comprit en l'observant qu'elle se tenait ainsi afin qu'il puisse regarder à l'intérieur de sa gueule. La peur laissa alors place à la curiosité. Il s'approcha.

– Comète ! lui souffla Destiny, paniquée. Ce n'est apparu dans aucune de mes visions. Ça ne me dit rien qui vaille.

– Par les trois lunes ! murmura-t-il en écarquillant les yeux. Destiny, regarde ! On peut voir jusqu'à sa gorge et... c'est tout bleu.

Les parois du gosier de Conquérante étaient couvertes d'une sorte de givre bleu pâle, formant de petits motifs de tourbillons soit piquants, soit duveteux, mais tous scintillants.

– Qu'est-ce que c'est ? s'étonna Comète en ressortant la tête.

La reine ferma la gueule d'un coup sec.

– Glace.

Le crissement de sa voix l'ébranla jusqu'à la pointe des ailes. Elle prit une profonde inspiration et plongea sous la surface de la lave avant d'émerger à nouveau.

– De la glace ? répéta Comète.

Les rouages de son cerveau se mirent en mouvement pour résoudre ce mystère. Y avait-il un lien avec les bactéries que les Ailes de Nuit transmettaient à leurs proies par morsure ? Ou bien avait-elle ingéré plein de glace pour combattre les effets de la lave ? Cela n'avait aucun sens ! Comment les dragons de nuit auraient-ils pu se procurer de la glace sur cette île où il faisait si chaud en permanence ?

La reine le fixait, comme si c'était un test, qu'elle avait décidé de le laisser deviner, afin d'économiser son souffle.

Son *souffle*…

– Les Ailes de Glace ! s'écria Comète. Leur arme… le souffle glacial !

Conquérante acquiesça, ses lourdes épaules jaillissant de la lave pour y replonger aussitôt. Elle darda sa langue noire et, cette fois, il vit qu'elle était également recouverte d'une fine couche de givre scintillant.

– Vous avez été gelée par le souffle d'un Aile de Glace,

conclut-il. Vous deviez être sur le continent quand vous l'avez croisé, non ? Vous vous êtes battus, son souffle vous a touchée… mais pas à l'extérieur… peut-être aviez-vous la gueule ouverte, il a pénétré à l'intérieur pour vous congeler les entrailles. Vous auriez dû mourir dans la journée.

La reine agita ses ailes, projetant une pluie de gouttelettes orange et crépitantes.

– Pas si facile, gronda-t-elle.

– De vous tuer, compléta Comète. Vous avez réussi à revenir ici. Et la lave… la lave stoppe l'effet glaçant, c'est ça ?

– Exact, siffla la reine. Comme un antidote.

– Mais comment…, intervint Destiny. Je veux dire comment avez-vous su que la lave n'allait pas vous brûler et vous tuer ?

Comète se représentait bien la scène : Conquérante, cherchant sans doute un nouveau territoire pour les Ailes de Nuit sur le continent, avait croisé un Aile de Glace et était sortie à demi morte du combat. Mais elle avait réussi à revenir, à voler péniblement jusqu'à l'île, de plus en plus glacée, de plus en plus proche de la mort à chaque instant. Le feu qui brûlait à l'intérieur des dragons cracheurs de flammes tels que les Ailes de Nuit ou les Ailes du Ciel avait dû lui permettre de rester en vie un peu plus longtemps, mais il n'aurait pas suffi à la sauver.

Le temps qu'elle arrive sur l'île, elle avait dû être prise de tremblements et de douleurs insoutenables tandis que ses intestins et son estomac commençaient à geler, à se paralyser, que le mal glacé se propageait inexorablement de ses entrailles vers ses écailles. Elle avait sûrement dû avoir si froid, souffrir à un tel point que plonger dans la lave lui était apparu comme le seul soulagement possible. Même si ça devait la tuer – et peut-être l'espérait-elle –, ce ne pouvait pas être pire que ce qu'elle endurait.

Mais à la place, ça lui avait sauvé la vie. La reine Conquérante était vivante, alors même que le souffle glacial était encore en elle. Elle ne pourrait jamais quitter la lave... sous peine qu'il achève son travail.

Le reste n'était que détail ; néanmoins, cela l'intéressait. Il avait notamment envie de savoir qui était au courant de son secret à part Somptueuse, comment cette pièce et ces écrans avaient été construits, comment ils avaient rempli le chaudron de lave. Il se demandait si elle pouvait encore manger ou si elle était en quelque sorte en suspens, entre la vie et la mort.

La reine le dévisageait attentivement, peut-être pour lire dans ses pensées. Il devinait que parler devait lui être extrêmement pénible, avec toute cette glace qui crissait dans sa gorge et dans sa bouche. Voilà pourquoi elle économisait sa voix.

– Je suis désolé, finit-il par dire. C'est affreux, ce qui vous est arrivé.

Les cornes de Conquérante s'aplatirent sur sa tête, elle redressa le museau.

– Pas pitié. Vengeance, bientôt.

Cela semblait peu probable, mais pour le moment, Comète avait d'autres soucis que les Ailes de Glace. Il prit la patte de Destiny dans la sienne.

– Nous sommes venus vous parler de la prophétie, annonça-t-il d'un ton hésitant. Nous avons l'impression que Loracle est trop dur et qu'il ne laisse pas la prophétie s'accomplir comme elle le devrait.

La reine le coupa en laissant échapper un rire hoquetant, puis se plia en deux de douleur.

Elle mit un moment à se reprendre avant de le fixer.

– Faites ce qu'il dit. La prophétie est essentielle.

– Mais il a condamné Poulpe à une mort certaine aujourd'hui ! insista Destiny. Et il dit qu'il va tuer l'un de nous deux, soit moi, soit Comète. Et puis, les prisonniers Ailes de Pluie sont maltraités. Je vous en prie, on n'est pas obligés de procéder avec une telle cruauté, quand même !

– Tout ce qu'il faut pour… sauver le clan, répondit la reine avant de s'enfoncer dans la lave. Sortez, maintenant.

– Attendez, je vous en prie !

Mais la surface du liquide orangé se refermait déjà au-dessus de la tête noire de la dragonne.

Elle était partie. Ils avaient échoué.

CHAPITRE 17

Destiny et Comète retournèrent au dortoir dans un silence abattu. Le dragonnet espérait contre toute logique que l'aube ne viendrait pas si vite que Lassassin l'avait prévu, mais il se doutait que Loracle allait lui roussir furieusement le museau dans très peu de temps.

– Pauvre Poulpe, murmura Destiny en s'arrêtant sur le seuil du dortoir. J'imagine qu'on va devoir faire avec votre Aile de Mer dorénavant.

Elle soupira tout en regagnant sa couchette.

Un frisson hérissa les écailles de Comète, un pressentiment sombre et glacé, tels les nuages amoncelés dans le ciel, qu'il apercevait par la lucarne. *Tsunami*. Il fallait la prévenir !

« On a une Aile de Mer de rechange, avait affirmé Loracle. Il faut juste qu'on aille la chercher dans la forêt de Pluie. » S'étaient-ils déjà lancés à ses trousses ? L'avaient-ils capturée ? Comment allait-elle ?

« Je vais l'avertir, si ce n'est pas trop tard… »

Il fila dans sa couchette et chercha à tâtons le petit trou dans la pierre où il avait caché le Visiteur de Rêves. Cette fois, il trouverait dans la forêt de Pluie quelqu'un qui l'écouterait. Il le fallait.

Il tira la couverture sur sa tête, prit la pierre précieuse, puis la plaqua contre son front.

« Tsunami. Je t'en prie ! Tsunami. »

Comme d'habitude, ses pensées allèrent d'abord vers Sunny. Puis ses autres amis défilèrent dans son esprit : Tsunami, Argil, Gloria…

Soudain, il sentit qu'il tombait à travers un ciel sans nuages. Il déploya vite ses ailes, prit un courant ascendant et leva les yeux.

Au-dessus de lui, il distingua cinq silhouettes scintillant au soleil. Il reconnut instantanément Sunny : ses écailles dorées étaient uniques ! Elle faisait des loopings afin de semer Argil qui la poursuivait pour rire. L'Aile de Boue avait beau posséder de grandes ailes musclées, elle lui échappait sans cesse, petite et agile.

Tsunami et Gloria volaient de chaque côté, leur donnant des conseils. Gloria avait les ailes violet foncé et elle portait une petite couronne de fleurs rouges tressées, aussi vives que des rubis.

Et enfin, il s'aperçut, lui, Comète, qui volait avec les autres, souriant comme si tout allait bien. Il n'était pas tout à fait pareil – plus grand, plus doux, plus chaleureux en quelque sorte. En fait, c'était le cas pour eux tous. Tsunami et Gloria ne souriaient jamais autant dans la vraie vie. Argil n'était pas aussi rapide ni aussi habile.

« Je suis dans le rêve de qui ? » se demanda Comète. En réalité, ce n'était pas si difficile à deviner.

Sunny fila en avant comme une libellule et fonça vers lui, radieuse.

– Deux Comète dans mon rêve ! s'exclama-t-elle. Étrange !

Elle tournoya autour de lui, frôlant ses ailes contre les siennes, puis retourna tirer la queue d'Argil.

Comète n'osait pas ouvrir la bouche. Maintenant qu'il se retrouvait près d'elle, tout lui revenait – il l'aimait depuis toujours d'un amour impossible, déjà simplement parce qu'ils n'étaient pas du même clan.

Il fallait qu'il lui parle, qu'il l'avertisse, pour Tsunami, elle l'écouterait sans doute…

Mais brusquement, le ciel clair et bleu vira à la nuit. Il tomba à nouveau et se retrouva baigné d'une lumière verte, fraîche, au milieu d'un nuage de bulles.

Sous la mer.

« Je dois être dans le rêve de Tsunami. »

Il remua les ailes, pivotant lentement dans l'eau. Effectivement, son amie était là, cramponnée au cou d'un dragon vert squelettique.

« Brankio, supposa-t-il. Son père. Celui qu'elle a tué dans l'arène sans savoir de qui il s'agissait. »

C'était un cauchemar. Le visage de Tsunami était ravagé de tristesse, jamais elle ne l'entendrait dans ces conditions.

Sa petite sœur, Anémone, la rejoignit à la nage. À sa vue, Tsunami relâcha brusquement le vieux dragon. Il tomba en arrière, ses mâchoires s'ouvrant et se fermant de manière pathétique. Tsunami se tourna vers Anémone, les pattes écartées, dans un geste d'excuse.

Mais la petite dragonnette plissa les yeux et se jeta à son tour à la gorge de Brankio. Elle écarta Tsunami d'un coup de queue pour planter ses griffes dans le cou du vieux dragon. Du sang épais en jaillit, teintant l'eau de rouge.

Tsunami agrippa sa sœur et la tira en arrière, seulement c'était trop tard.

Comète ferma les yeux. Il comprenait ce qui inquiétait Tsunami : à force d'employer ses pouvoirs d'animus, Anémone risquait de devenir mauvaise et il n'y avait rien qu'elle puisse faire pour l'empêcher.

« Raison de plus pour stopper cette guerre », pensa Comète. Quand il n'y aurait plus de combats, plus personne n'aurait besoin de forcer la dragonnette à utiliser ses pouvoirs. On la laisserait tranquille.

Crunch. Crunch crunch crunch.

Comète rouvrit les yeux.

Il était assis dans une vaste grotte, bien sèche, éclairée par la lueur dansante de torches murales. Le sol était couvert de toutes sortes de proies – sanglier, poulets, vache, plusieurs canards, deux cerfs et un hippopotame. Certaines étaient encore en vie et couraient en tous sens, se cognant contre les murs, sans se soucier des deux dragons qui se trouvaient dans la grotte avec elles.

Car il y avait un autre dragon : Argil, assis avec sa queue enroulée autour de ses pattes, en train de mastiquer de bon cœur un morceau de viande carbonisé.

– Salut, Comète ! lança-t-il comme s'il était parfaitement normal que son ami fasse irruption au beau milieu de son rêve.

– Argil ! s'exclama-t-il. Tu me vois !

Le dragon de boue cligna plusieurs fois des yeux.

– Pourquoi ? Je ne devrais pas ?

– Ce n'est pas un simple rêve, s'empressa de lui expliquer Comète. Je suis vraiment là. Je veux dire, je te parle vraiment.

– Bah, évidemment que tu me parles vraiment ! répondit Argil. Tu as faim ? Il doit y avoir un faisan bien dodu par là…

Il regarda autour de lui en se grattant la tête.

– Oh, oh… Je crois que je l'ai déjà mangé… Désolé !

Comète était affamé, mais il savait que manger en rêve ne le rassasierait pas.

– Argil, écoute-moi. Je me sers d'un Visiteur de Rêves. Je te parle depuis le royaume de la Nuit.

– Trop cool ! s'exclama gaiement l'Aile de Boue. Et un cochon ? Ah non, mince… je l'ai déjà mangé aussi.

– Je suis sérieux, Argil ! insista Comète en battant de la queue. Tu ne te souviens pas de la leçon sur les Visiteurs de Rêves ? Il s'agit d'antiques saphirs, enchantés par un dragon animus il y a des générations. J'en ai trouvé un et je m'en sers pour te rendre visite dans ton rêve et te dire quelque chose de très important.

Argil plissait le front, perplexe.

– C'est ça, c'est ça ! Comète, tu sais… je n'arrête pas de rêver que tu me fais la leçon.

Le dragonnet noir se retrouva sans voix.

– Ah bon ?

– « Tu n'as pas écouté ? », « Tu n'as pas lu le parchemin ? », « C'était avant le Grand Feu, tout le monde le sait. »

– Le Grand Incendie, corrigea machinalement Comète. Et je n'ai pas cette voix-là !

– C'est ça ! répéta Argil. Enfin, bref… tu veux un hippo ?

Comète tapa de la patte sur le sol.

– Bon, d'accord. Ouvre grand tes oreilles : Tsunami est en danger. Loracle et les Ailes de Nuit veulent la capturer. Tu peux la prévenir ?

– Oh, regarde ! s'exclama Argil, ravi. Mes frères et sœurs !

Il se leva d'un bond et courut à l'entrée de la grotte

où une bande d'Ailes de Boue venait de se poser. Le plus petit dragonnet lui sauta au cou, tandis que le plus grand collait son front contre le sien avec un sourire chaleureux.

Comète n'avait jamais croisé les frères et sœurs d'Argil, mais ce dernier lui avait raconté leur rencontre au village des Ailes de Boue. Ils avaient tous été enrôlés dès leur plus jeune âge comme soldats par la reine Esterre, pour soutenir le camp de Fournaise. L'un d'eux était déjà mort au combat.

« Encore des dragons à sauver », pensa Comète, les écailles glacées d'angoisse.

Il n'était même pas sûr qu'Argil l'avait écouté. Il fallait qu'il essaie à nouveau.

« Gloria », pensa-t-il en fermant les yeux.

Un bruissement de papier lui indiqua qu'il avait changé d'endroit avant même qu'il ne les rouvre. Gloria était assise devant une table basse, à l'intérieur d'une des cabanes perchées dans les arbres de la forêt de Pluie, en train d'étudier un rouleau de parchemin. Dans son rêve, elle ne portait pas de couronne et elle avait l'air complètement épuisée. Ses écailles vert foncé pommelées de taches plus claires se fondaient dans le feuillage. Il distingua la petite silhouette poilue de son paresseux blottie autour de son cou.

– Gloria, fit-il d'une voix éraillée.

Allait-elle l'écouter ? Il se rappela les propos de Sunny

la première fois qu'il avait utilisé le Visiteur de Rêves. S'il était un traître aux yeux de Gloria, il n'y avait aucune raison pour qu'elle le croie.

La nouvelle reine des Ailes de Pluie leva lentement la tête pour croiser son regard. Ils se dévisagèrent mutuellement un long moment. Ses grands yeux verts semblaient chercher quelque chose sur son visage.

– Waouh, souffla-t-elle, tu as trouvé un Visiteur de Rêves !

Il laissa échapper un long soupir de soulagement. Elle n'avait pas oublié la leçon, elle. Il avait toujours envié sa capacité de mémorisation, elle retenait tout par cœur si facilement… alors qu'il était obligé d'y passer des heures.

– Je ne me suis pas enfui, s'empressa-t-il de préciser. Les Ailes de Nuit m'ont enlevé. Je te le jure, Gloria. Je ne vous aurais jamais abandonnés. Loracle veut me… me mettre à l'épreuve pour voir si je suis digne d'accomplir la prophétie. Parce que, sinon, il a des dragonnets de rechange, mais il a besoin d'un Aile de Mer à tout prix, alors Tsunami est en danger, je voulais vous avertir…

– Stop, stop, stop ! le coupa Gloria en roulant son parchemin avant de se pencher au-dessus de la table. Reprends du début.

Et c'est ce qu'il fit, depuis son enlèvement jusqu'à sa terrible rencontre avec la reine des Ailes de Nuit. Au début, il avait la gorge serrée, l'angoisse de trahir quelqu'un – son propre clan, cette fois – mais, alors, il revit Orchidée enchaînée au mur, les Ailes du Ciel brûlés vifs, et le pauvre Poulpe qui volait lentement vers sa mort… et cela chassa ses derniers scrupules. Il n'avait plus aucun doute. Il savait qui méritait sa loyauté.

– Et donc, conclut-il, je suis inquiet pour Tsunami. S'il te plaît, dis-lui de faire attention !

Gloria s'esclaffa :

– Bien sûr, et je vais dire à Argil d'arrêter de manger !

Comète sentit un sourire lui monter aux lèvres.

– Il rêve vraiment de nourriture, tu sais. Des montagnes de nourriture !

– Oh, Argil ! fit Gloria avec tendresse. Eh bien, moi, apparemment, je rêve que je fais mes devoirs, alors qu'il n'y a pas le moindre parchemin dans la forêt de Pluie.

Elle désigna de la patte la table basse devant elle, puis reprit son sérieux.

– Je vais prévenir Tsunami et envoyer des gardes pour l'escorter. Mais je me fais davantage de souci pour toi. Nous ne sommes pas encore prêts à passer à l'attaque. Mais si tu es en danger…

Machinalement, elle traça une ligne sur la table du bout de la griffe.

– On dirait bien que Loracle risque de te tuer à n'importe quel moment…

Elle regarda par la fenêtre, contemplant les ailes multicolores qui s'agitaient dans les arbres voisins.

– Le problème, c'est que mon clan n'est pas prêt. Si je les menais au combat aujourd'hui, ils se feraient massacrer.

– Je comprends, répondit Comète.

Gloria était reine, maintenant. Elle devait penser à protéger son clan tout autant que ses amis.

Il avait envie de hurler : « Laisse tomber les Ailes de Pluie ! Vole à mon secours ! Tout de suite ! »

Mais il imaginait aisément ce qui se passait dans la tête de Gloria. Toutes les données qu'elle devait prendre en compte. Les pour et les contre, les plans de bataille, les pertes inacceptables et les dommages collatéraux – tout ce qu'ils avaient étudié en théorie sans jamais y avoir été réellement confrontés.

Alors à la place, il répondit :

– Ça va. Je vais tenir jusqu'à votre arrivée, pas de problème.

Gloria le regarda à nouveau, penchant la tête sur le côté.

Un rose vif se diffusa dans le violet, au bord de ses ailes.

– Comète, je crois que je ne t'ai jamais entendu tenir un discours aussi courageux !

Il baissa la tête, fixant le bout de ses griffes.

– Bah…, reprit-il. Ne tardez pas trop, hein ?

Comme elle s'esclaffait à nouveau, il fut pris d'une violente envie de se retrouver parmi ses amis, car même si ce n'était pas toujours facile, au moins, il avait l'impression de compter à leurs yeux, d'être plus qu'une simple ligne dans une prophétie.

Reprenant son sérieux, elle tripota le coin d'un parchemin en demandant :

– Alors… Lassassin a des ennuis parce qu'il m'a aidée ?

– Je suis sûr qu'il était conscient des risques lorsqu'il a décidé de te libérer, affirma Comète.

– Mmm…, fit Gloria, sceptique. Moi, je suis sûre qu'il pensait pouvoir se tirer de n'importe quelle situation en usant de son charme. L'imbécile.

– Qui sait, c'est possible. Je ne pense pas que Somptueuse ait envie de l'exécuter.

Gloria se redressa, comme pour sortir de sa rêverie.

– Bon, tu peux me fournir davantage d'infos sur les Ailes de Nuit ? demanda-t-elle. Des détails qui pourraient nous aider lorsqu'on attaquera ? Par exemple, ont-ils posté des dragons télépathes à la sortie du tunnel ? Moi, c'est ce que j'aurais fait, comme ça, ils détecteraient la moindre présence et pourraient connaître le plan de l'ennemi avant même qu'il n'arrive. J'avais l'intention d'envoyer un éclaireur pour voir combien il y a de gardes dans la grotte, mais à cause de ça, je n'ai pas osé…

– Je l'ignore, répondit Comète. Désolé. Je n'ai aucune info utile sur les Ailes de Nuit.

– Je parie que tu en sais plus que tu ne le penses, insista

Gloria. Peux-tu m'en dire davantage sur la forteresse ? Ou le plan de l'île ? Pourrait-on y aller en volant au lieu d'emprunter le tunnel ?

Son cœur se serra.

– Même si j'arrivais à t'indiquer la route, il faut traverser le territoire des Ailes de Boue et celui des Ailes du Ciel, expliqua-t-il, avant de survoler la mer pour rejoindre l'île.

« Et ça prendrait des semaines, ajouta-t-il mentalement. Des semaines pour traverser tout Pyrrhia. Et je ne suis pas sûr de pouvoir survivre des semaines tout seul ! »

– Oui, ce n'est sans doute pas la solution la plus simple, répondit Gloria, pensive.

Comète agita les ailes. Il sentait un courant d'air glacé sur ses écailles et ça ne venait pas du rêve de Gloria.

– Je dois y aller, dit-il dans un murmure paniqué. Il fait presque jour…

– Très bien, fit-elle en se redressant. Mais reviens demain si tu peux. On va y arriver, Comète. Tout va bien se passer.

Elle contourna la table pour le serrer entre ses ailes, ce qui n'était pas évident étant donné qu'il n'était pas là pour de vrai, mais c'était le geste qui comptait.

– À bientôt, lui dit-il. Surtout, veille bien sur Tsunami.

Gloria leva les yeux au ciel.

– En ce moment, je parie que tout mon clan rêve que

les Ailes de Nuit viennent l'enlever. Ce n'est pas la commandante la plus calme de tout Pyrrhia, je peux te le dire !

Comète sourit avant de porter le Visiteur de Rêves à son front.

La forêt tropicale s'évanouit.

Il était de retour dans le sinistre dortoir des Ailes de Nuit.

Il entendit un crissement de griffes avant même d'ouvrir les yeux. Comète jeta un regard autour de lui et constata que sa couverture avait glissé et qu'il n'était plus aussi bien caché…

« Ou bien quelqu'un a tiré dessus. »

Le saphir scintillant était bien visible entre ses pattes. Il remonta la couverture sous son menton et se tourna sur le côté pour remettre la pierre dans son trou.

Des murmures ensommeillés indiquaient que les dragonnets commençaient à se réveiller. Mais quand il balaya le dortoir du regard, il constata que personne n'était encore levé.

« Quelqu'un a-t-il vu le Visiteur de Rêves ? Quelqu'un qui m'espionnait ? C'est peut-être mon imagination qui me joue des tours. »

Malgré tout, il ne pouvait chasser de son esprit l'impression funeste que son secret n'était plus aussi bien gardé.

CHAPITRE 18

Comète resta recroquevillé sous sa couverture, en attendant que son cœur palpitant se calme un peu.

« J'ai fait ce que j'avais à faire. J'ai prévenu Gloria. Maintenant, je n'ai plus qu'à patienter jusqu'à ce qu'ils viennent à mon secours… qu'à survivre jusqu'à ce qu'ils arrivent. J'en suis sûrement capable… »

– Debout, gronda Loracle, qui se tenait sur le seuil.

Tous les dragonnets du dortoir se levèrent tant bien que mal, leurs épines dorsales en bataille. Mais les yeux du gros dragon noir étaient fixés sur les dragonnets de la prophétie, qui vinrent se poster devant lui. Comète remarqua que Fuego gardait la tête basse, évitant de croiser le regard de Loracle.

– Votre prestation d'hier m'a profondément déçu, grogna-t-il.

Comète jeta un coup d'œil par-dessus son épaule et vit Mordante qui les observait avec intérêt.

– La prochaine fois que vous vous retrouverez dans

ce genre de situation, poursuivit l'Aile de Nuit, je veux être sûr que vous pourrez sauver votre peau sans avoir besoin de renforts. Alors, aujourd'hui, entraînement au combat.

Comète rentra la tête dans les épaules, abattu. Il n'avait jamais franchement apprécié l'entraînement au combat.

– La prochaine fois ? répéta Vipère. Je ne suis pas assez stupide pour me remettre dans un tel pétrin !

Loracle siffla dans sa direction :

– Si tu veux retourner auprès des Serres de la Paix, la sortie, c'est par là, indiqua-t-il en tendant l'aile.

Vipère hésita, sourcils froncés, puis fixa le bout de ses pattes, ravalant ses remarques.

– J'ai mal à la gorge, annonça Fuego sans regarder Loracle.

– Il y a de l'eau dans l'auge, là-bas.

Le grand dragon désigna le bout du dortoir.

– Dépêche-toi de nous rejoindre.

Les dragonnets suivirent Loracle dans le tunnel. Quelques instants plus tard, Fuego les rattrapa en toussotant. L'immense Aile de Nuit les conduisit de l'autre côté de la montagne, où coulaient les rivières de lave en fusion, comme si l'éruption avait eu lieu la veille. La plus large bordait les grottes-prisons des Ailes de Pluie. Quand ils se posèrent non loin de là, Comète remarqua une foule de gardes en armure postés devant, armés de lances et de gongs d'alerte.

« Il faudra que je le dise à Gloria ce soir, nota-t-il dans sa tête. Il doit y avoir deux gardes pour un prisonnier. »

Remarquant que Loracle avait suivi son regard, il s'empressa de penser à autre chose.

– On n'est pas un peu trop proches de la lave ? s'inquiéta-t-il en tendant le menton vers le liquide orangé qui dégoulinait du haut du volcan.

– Sur cette île, tout est trop près de la lave, gronda-t-il. On va commencer par vous deux.

Il désigna Tourbe et Fuego d'un coup de queue, au grand soulagement de Comète.

– Essayez de vous entre-tuer. J'interviendrai quand je le jugerai nécessaire.

Tourbe toisa Fuego du regard, incrédule.

– Vous voulez qu'on essaie de se tuer ? Sans même avoir pris de petit déjeuner ?

Fuego remua les pattes, histoire de se dégourdir les griffes.

– Ça me va. Quelles sont les règles de combat ?

– Il n'y a pas de règles sur le champ de bataille, répliqua Loracle.

Alors Fuego se jeta sur Tourbe. Il lui griffa le museau au sang, puis tournoya sur lui-même et lui flanqua un coup de patte dans la poitrine.

– OUILLE ! hurla l'Aile de Boue avant de se ruer sur le dragonnet du ciel.

Ils s'empoignèrent et roulèrent sur le sol rocheux, leurs écailles rouge et marron furent bientôt maculées de sang. La rivière de lave était si près qu'ils avaient à peine la place de prendre leur élan ou d'esquiver les coups. À un moment, Fuego faillit carboniser l'aile de Comète et Tourbe marcha sur la patte de Vipère, qui le gratifia d'un sifflement féroce.

– Viens par ici.

Destiny tira Comète en arrière pour qu'il vienne se percher avec elle sur un gros bloc de pierre. Il planta ses griffes dans une faille rocheuse, fixant d'un œil inquiet la lave en contrebas. Même à cette hauteur, il sentait sa chaleur brûlante sur ses écailles. La peur aurait dû le tenir en éveil, mais l'épuisement lui faisait tourner la tête et cette fournaise accentuait son malaise. Il se frotta les yeux en se demandant ce qui se produirait si jamais il s'endormait. Dévalerait-il la pente jusque dans la rivière de lave ou bien se réveillerait-il entre les griffes de Loracle, suspendu au-dessus du cratère ?

Il s'efforça de noter les prises que faisaient les deux dragonnets, mais contrairement à Argil ou Tsunami, il avait du mal à voir ce qui se passait dans ce genre de combat. Tout allait bien trop vite pour lui.

Tourbe jaillit soudain dans les airs et tournoya autour de Fuego en hurlant :

– Stop ! Ça suffit, stop !

Loracle eut un petit reniflement méprisant.

– Ah bon ? Tu crois que, sur le champ de bataille, ton adversaire va s'arrêter si tu le lui demandes ?

– Il saigne beaucoup, remarqua Destiny. Regardez la plaie qu'il a sur l'aile.

– Mmm, fit Loracle en scrutant Tourbe. Très bien, l'Aile de Boue, tu es éliminé. À ton tour.

Il agrippa Destiny par l'épaule et la poussa vers Fuego.

L'Aile du Ciel n'eut pas besoin de se le faire dire deux fois. Il bondit en avant et planta ses crocs dans son cou.

– Hé ! protesta la dragonnette.

Elle le gifla à coups d'ailes jusqu'à ce qu'il la lâche et qu'il tombe en arrière. Puis elle le menaça de ses griffes avant de s'éclipser.

Vipère supplia Loracle :

– Moi aussi, je veux y aller ! J'ai envie de la mordre. Je suis sûre que je peux la tuer. Donnez-moi ma chance.

Le grand dragon noir inclina la tête.

– Vas-y ! Essaie.

Avec un sifflement ravi, Vipère se rua sur Destiny, la queue dressée, tel un scorpion qui attaque. La petite Aile de Nuit laissa échapper un cri d'effroi et se cacha derrière le rocher. Elle tourna autour tandis que Vipère la poursuivait.

– Ce n'est pas juste ! protesta Comète. Elle est seule contre deux.

– La vraie vie n'est jamais juste et les combats encore moins. Et puis, si elle meurt, de toute façon, tu es là.

Comète serra les poings, suivant anxieusement les mouvements des adversaires à ses pieds. Vipère et Fuego étaient déchaînés. Ils étaient furieux de se retrouver sur cette île et visiblement prêts à se défouler sur Destiny.

Fuego lui cracha une gerbe de flammes dans le museau. Elle l'esquiva en roulant à terre, échappant de justesse à la queue venimeuse de Vipère qui se planta dans le sol juste à côté d'elle.

– Il suffirait que son aiguillon l'égratigne pour qu'elle meure, souligna Comète à l'adresse de Loracle. Pas immédiatement, mais des suites de l'infection…

Il avait vu la blessure que Fièvre avait infligée à Palm empirer de jour en jour jusqu'à ce qu'une variété particulière de cactus du royaume de Sable en contre les effets. Et ce cactus ne poussait certainement pas sur cette île.

– Si ça te tracasse, va l'aider, lui conseilla Loracle, sans quitter le combat des yeux. L'Aile du Ciel, on ne t'a jamais appris à retenir ton feu jusqu'à ce qu'il soit à la température maximale ? Comme ça.

Il cracha une flamme puissante au-dessus de leurs têtes.

– Quant à toi, Destiny, par les trois lunes, arrête de faire des galipettes et sers-toi de tes griffes !

– Au secours, Comète ! gémit la dragonnette.

Il n'avait pas le choix. Il avait beau être terrifié à l'idée d'affronter la queue de Vipère et les griffes de Fuego, il ne pouvait pas la laisser lutter seule contre eux deux. Il devait aller l'aider, c'est ce que ses amis auraient fait s'ils avaient été là. Il ferma les yeux, prit son élan et se jeta du haut du rocher sur le dos de Fuego.

Avec un rugissement furieux, le dragonnet du ciel se débattit et l'envoya rouler sur la pierre noire, dont les pointes acérées lui râpèrent les écailles et la membrane des ailes. Il se relevait tant bien que mal, tout écorché, lorsqu'il vit Vipère pousser Destiny en arrière et fondre sur elle, la queue dressée. Loracle contemplait la scène, tout en pianotant distraitement sur la roche de ses griffes.

– ARRÊTE ! hurla Comète en se ruant sur l'Aile de Sable. Laisse-la tranquille.

– Tout est ta faute, Destiny, siffla Vipère. Sans ton clan d'imbéciles, j'aurais pu rentrer au camp et, à l'heure qu'il est, je serais avec mes parents.

Comète lui fonça dedans juste au moment où elle abattait sa queue sur le cou de Destiny. Une odeur aigre de venin lui piqua le nez et sa tête se prit dans l'une de ses ailes. Titubant, Vipère tenta de retrouver son équilibre en se servant de sa queue et balafra Fuego avec son aiguillon.

L'Aile du Ciel hurla de douleur, pressant ses pattes sur son museau, et lui rentra dans le flanc. Le choc la fit tomber en arrière.

Sous les yeux horrifiés de Comète, elle vacilla un instant, puis bascula avec un cri perçant dans la rivière de lave.

– NON ! rugit Loracle en bondissant en avant.

Mais ce n'était pas pour secourir Vipère. Il prit le museau de Fuego entre ses pattes afin d'examiner la blessure qu'elle lui avait infligée.

– Ne bouge pas, l'Aile du Ciel. Tu y vois encore ?

Pour toute réponse, le dragonnet émit un râle rauque d'agonie.

– Vipère ! s'exclama Destiny.

Comète la suivit au bord de la rivière, mais l'Aile de Sable avait disparu sous la surface.

– Vipèèère ! gémit la dragonnette.

Malgré l'horreur de la situation, Comète eut un éclair de lucidité. Il se retourna vers l'Aile de Boue.

– Tourbe, tu peux la repêcher. On peut peut-être encore la sauver si tu la sors tout de suite de la lave.

Le dragonnet cligna des yeux, complètement hébété.

– Par les trois lunes, mais qu'est-ce que tu racontes ?

– Grâce à tes écailles…

Comète le prit par la patte et essaya de le traîner jusqu'à la rivière.

– … Tes écailles ne craignent pas le feu. Tourbe, je t'en prie ! Tu peux plonger dans la lave sans te faire mal ! Tu peux la tirer de là ! S'il te plaît, essaie au moins !

– Ses écailles le protègent du feu ? s'étonna Destiny.

– Parce qu'il est né d'un œuf rouge sang, confirma Comète, comme l'indique la prophétie. Ça veut dire qu'il ne craint pas les flammes. Allez, bouge-toi !

– Lâche-moi, grogna Tourbe en plantant fermement ses pattes dans le sol. Je ne sais absolument pas de quelle couleur était mon œuf, j'ignore si mes écailles sont spéciales et IL N'EST PAS QUESTION QUE JE SAUTE DANS LA LAVE POUR LE DÉCOUVRIR !

– Mais… si tu es dans la prophétie, si tu es l'Aile de Boue de la prophétie, c'est que tu es sorti d'un œuf rouge sang, comme Argil, insista Comète.

Mais le cœur n'y était plus. Il se retourna pour contempler la lave bouillonnante, sachant qu'il était trop tard, de toute façon. Vipère n'était pas remontée une seule fois à la surface. Elle était morte.

– Prophétie, mon œil, oui ! répliqua Tourbe. Je ne suis même pas né lors de la Nuit-la-plus-Claire. Alors, je n'ai aucunement l'intention de risquer ma vie pour quelques phrases tirées d'un vieux parchemin poussiéreux.

Comète pivota sur lui-même afin de toiser l'Aile de Boue.

– Tu n'es pas né lors de la Nuit-la-plus-Claire ?

Le dragonnet haussa les épaules.

– Fuego non plus. On est nés le même jour, quelques semaines avant la Nuit-la-plus-Claire.

Il contemplait l'Aile du Ciel qui se tordait de douleur à terre, avec des gémissements insoutenables, les pattes plaquées sur le museau. Loracle se dressait au-dessus de lui, battant furieusement de la queue.

– Mais…

Comète ne trouvait même plus les mots.

Soudain, tout était beaucoup plus clair… et, en même temps, beaucoup plus obscur.

Les dragonnets de rechange n'étaient que des imposteurs. Ils ne pouvaient pas être les Dragonnets du Destin. Tout était faux, un mensonge façonné par Loracle.

Le grand Aile de Nuit ne se contentait pas d'essayer d'influencer le destin, il était en train de le réécrire complètement.

CHAPITRE 19

Roulée en boule au bord de la rivière de lave, la tête enfouie sous ses ailes, Destiny sanglotait.

« Vipère et Poulpe étaient odieux avec elle, d'après ce que j'en ai vu, pensa Comète. Vipère venait même d'essayer de la tuer. Et pourtant, elle est bouleversée de les avoir perdus… parce que Destiny n'est pas un monstre sans cœur, comme certains dragons de ma connaissance. »

– Relève-toi, Fuego ! criait Loracle. On ne peut pas se passer de toi.

Pour toute réponse, le dragonnet rouge laissa échapper une plainte sourde.

« Tsunami hurlerait sur Loracle… Sunny essaierait sans doute de le raisonner. »

Même s'il tremblait de toutes ses ailes, Comète alla se planter devant le grand dragon noir.

« Imagine que tu es Tsunami. Ou Argil. Ou Gloria ou Sunny. »

– Qu'est-ce que vous faites ? le questionna-t-il abruptement.

Loracle le toisa de toute sa hauteur en sifflant :

– Ce n'est pas le moment de venir m'énerver, je te préviens.

– Ces dragonnets ne peuvent pas être ceux de la prophétie, fit valoir Comète. Ils ne sont même pas nés le bon jour. Il n'y a même pas un seul détail qui colle ! L'œuf de Vipère a-t-il été trouvé dans le désert comme celui de Sunny ? L'œuf de Fuego était-il le plus gros de tout le palais du Ciel ? Pourquoi prétendre qu'ils peuvent accomplir la prophétie alors que ce ne sont pas les Dragonnets du Destin ?

– Tu ne sais pas de quoi tu parles ! gronda Loracle en montrant les dents.

– Peut-être, répliqua Comète. Dans ce cas, expliquez-moi. Je veux savoir. Tout ce que j'ai lu, tous les parchemins écrits par les Ailes de Nuit depuis des générations sont formels : « On ne peut pas jouer avec le destin. Les événements se dérouleront comme prévu, personne ne peut rien y changer. » Une prophétie n'est pas un trésor dans lequel on peut piocher telle ou telle pierre précieuse, garder celles qu'on aime et échanger celles dont on ne veut pas. Des dragonnets meurent parce que vous essayez de leur imposer un destin qui n'est pas le leur. Vous n'auriez pas dû vous en mêler, il fallait laisser le destin se dérouler comme il se doit.

Comète prit une profonde inspiration, à la fois stupéfait et effaré de son audace.

– Enfin, bref, c'est mon avis, en tout cas, ajouta-t-il.

– Tu n'es qu'un dragonnet mal élevé, sans aucun pouvoir, et personne ne t'écoutera jamais.

Comète eut l'impression qu'on lui avait planté un aiguillon d'Aile de Sable dans le cœur. Il leva les yeux vers Loracle, le souffle coupé.

– Tu croyais que je n'allais pas m'en rendre compte ? railla le grand dragon. Tu n'es bon à rien, ça crève les yeux. Tu ne seras jamais un véritable Aile de Nuit. Tu n'as rien à faire ici, ni nulle part, d'ailleurs.

S'il avait lu dans les pensées de Comète – et peut-être était-ce le cas –, il n'aurait pas pu trouver un argument qui aurait davantage blessé le dragonnet. Ces phrases avaient toujours hanté ses pires cauchemars : « Tu n'es pas un vrai dragon de nuit, il y a quelque chose qui cloche chez toi, tu es complètement nul. »

Comme Comète reculait d'un pas hésitant, les ailes de Destiny effleurèrent les siennes. Il ne l'avait pas sentie approcher par-derrière.

– Laissez-le tranquille, Loracle. Tout ce qu'il dit au sujet de la prophétie, c'est vrai. Je ne suis pas née le bon jour non plus, et vous le savez parfaitement.

– J'en sais en effet beaucoup plus que vous deux réunis sur les prophéties, cingla le grand dragon de nuit.

Il les écarta de son passage pour prendre Fuego par la patte et le forcer à se relever.

– Tu n'as pas le droit de mourir. Je t'emmène voir les

guérisseurs. Vous autres, ne restez pas dans mes pattes ou vous rejoindrez bientôt l'Aile de Sable.

Il examina le museau du dragon du ciel, que celui-ci tentait toujours de cacher. Comète vit du sang dégouliner entre ses griffes. Loracle secoua la tête en marmonnant :

– Et maintenant, il va falloir qu'on récupère l'Aile de Sable ratée en plus. Je vais…

Comète n'entendit pas le reste car Loracle prit son envol, traînant Fuego de force derrière lui.

Mais il en avait entendu assez.

« Sunny est en danger également. »

Il allait devoir se servir à nouveau du Visiteur de Rêves, dès que possible.

Lorsqu'il se retourna, Destiny fixait la surface de la lave, les ailes basses. La lueur rouge orangé de la rivière se reflétait sur ses écailles argentées et les faisait étinceler comme des rubis.

– Bon, ben, puisque tout le monde se moque de ce que je peux bien faire, commença Tourbe, je vais essayer de me dégotter une proie décente à manger, si seulement il y en a sur cette île minable.

Il recula lentement, pensant visiblement qu'ils allaient protester, puis il tourna les talons et décolla.

Comète passa une aile autour des épaules de Destiny.

– Retournons au dortoir pour nous reposer un peu. Tu n'as pas dormi de la nuit, si ?

– Comment pourrais-je… ? commença-t-elle.

Mais elle se reprit :

– En fait, je ne vois pas ce que je pourrais faire d'autre que dormir, là. Même si mon sommeil risque d'être peuplé de cauchemars.

Comète partageait ses craintes. Il l'aida à se redresser puis ils regagnèrent la forteresse en volant côte à côte. Le dortoir était désert, les autres dragonnets devaient être en classe, sûrement en train d'apprendre des choses plus utiles que « comment pousser son ami dans la lave » ou « découvrir qu'on est un bon à rien ».

Destiny s'affala aussitôt sur une couchette et ferma les yeux.

– Tu as de la chance, dit-elle alors que Comète allait s'éloigner.

– Tu trouves ? fit-il, perplexe.

– Si ce qu'affirme Loracle est vrai, je veux dire. Si tu n'as aucun pouvoir. Je me suis toujours réjouie d'être une Aile de Nuit, je pensais que mes pouvoirs étaient incroyables ! Mais visiblement, ils ne servent à rien. Je ne me suis même pas doutée de ce qui allait arriver à mes amis.

Elle enroula ses ailes et sa queue bien serrées contre ses flancs.

– Dans mes visions, je ne vois que des banquets de morses, de grandes fêtes pour célébrer notre retour, mes parents si heureux de me retrouver. Tu parles !

– Parce que tu..., commença Comète. Vous... tu connais tes parents ? Vous les avez tous déjà vus ?

– Le père de Poulpe est le chef des Serres de la Paix, répondit-elle. Les parents de tous les dragonnets de la prophétie sont dans le mouvement. C'est pour ça que Loracle nous... enfin les a choisis. C'était plus pratique.

Elle fronça les sourcils.

– À mon avis, tu es le seul Aile de Nuit né lors de la Nuit-la-plus-Claire. Mon œuf a éclos deux mois plus tard, ici même, en fait. J'ai quelques vagues souvenirs... des flammes, des écailles rugueuses contre mon dos. Ça m'est revenu quand j'ai senti l'odeur terrible de cet endroit.

Elle s'interrompit un moment avant de soupirer :

– Loracle m'a emmenée chez les Serres de la Paix alors que je venais de sortir de l'œuf.

– Ils ont dû se dire qu'il leur fallait un plan B, intervint Comète. Un lot de dragonnets de rechange, à garder sous la patte, au cas où ils n'apprécieraient pas ce qu'on deviendrait en grandissant.

Il agita ses ailes.

– Et c'est le cas, pas de doute !

– Je t'apprécie, moi, affirma Destiny d'une voix douce.

Comète lui prit les pattes pour les serrer dans les siennes.

– Moi aussi. Je t'apprécie beaucoup plus que tous les autres Ailes de Nuit que j'ai rencontrés et qui ont été élevés « correctement ». Je pense que, en réalité, nous avons eu de la chance de ne pas grandir ici, d'une certaine façon.

Elle hocha la tête, toujours mélancolique cependant.

« Et moi, j'ai eu encore plus de chance de grandir entouré de dragonnets comme mes amis. »

La cruauté de leurs gardiens avait largement été compensée par l'attitude protectrice d'Argil, la loyauté féroce de Tsunami, la finesse et l'humour de Gloria et… tout, tout ce qui faisait de Sunny Sunny.

Pris d'un soudain pincement de culpabilité, il lâcha les pattes de Destiny.

– Tu fais toujours cette tête quand tes amis te manquent, remarqua la dragonnette.

Il acquiesça, surpris d'apprendre que ses émotions se lisaient à ce point sur son visage.

– Parfois je me dis qu'il n'y a peut-être pas un seul autre dragon comme eux dans tout Pyrrhia.

– Et tu as sans doute raison, soupira-t-il.

« Enfin… si, il y a toi, Destiny. »

Il lui posa délicatement la main sur l'épaule.

– Essaie de dormir.

Elle ferma docilement les yeux, tandis qu'il retournait dans son coin. Il attendit d'être sûr qu'elle s'était assoupie. Au bout d'un moment, sa respiration ralentit, et il chercha le trou où il avait caché le Visiteur de Rêves.

– Comète ?

Le dragonnet, surpris, sursauta, manquant se cogner au plafond.

Il se retourna et vit Legénie sur le seuil du dortoir, qui scrutait la pièce avec curiosité.

– Je n'étais pas revenu ici depuis bien longtemps, s'esclaffa-t-il. Loracle m'a dit que je te trouverais sans doute là. Je sèche sur un problème délicat et j'espérais que tu pourrais m'aider.

Comète se tourna vers le mur, en s'efforçant de ne pas regarder sa cachette. Il n'avait pas le temps de discuter avec son bourreau de père. Il devait contacter Gloria ou quelqu'un d'autre qui pourrait la prévenir de faire protéger Sunny.

Mais quand Legénie tendit une aile vers lui, il comprit qu'il ne pouvait pas refuser – à moins de trouver une excuse imparable.

– Viens avec moi, lui dit son père. Tu as déjà vu notre magnifique bibliothèque ?

Comète le suivit à contrecœur, jetant un dernier regard à son lit par-dessus son épaule.

« Je reviens tout de suite, Sunny. Je vais faire en sorte qu'il ne t'arrive rien, je te le promets. »

CHAPITRE 20

Quand ils entrèrent dans la bibliothèque, Legénie inspira profondément.

– Ah… l'odeur des parchemins, ça m'apaise toujours, expliqua-t-il avec un geste circulaire de la patte.

– Moi aussi, reconnut Comète malgré lui.

Il ne voulait plus rien avoir en commun avec son père.

Ça l'effrayait d'imaginer ce qu'il aurait pu devenir s'il avait grandi sur l'île des Ailes de Nuit. Legénie l'aurait-il pris sous son aile ? Comète l'aurait-il aidé à torturer les dragons de pluie sans aucun remords, sans la moindre culpabilité ? Aurait-il inventé de nouvelles expériences à leur faire subir, sans jamais penser qu'il s'agissait de vrais dragons, sans jamais prendre conscience du mal qu'il leur faisait ?

Il se serait nourri d'animaux pourris, il serait allé en cours avec les autres dragonnets de nuit, il se serait disputé avec Mordante et il se serait cru, comme le reste du clan, supérieur à tous les dragons de Pyrrhia.

Sauf qu'il ne possédait aucun pouvoir et qu'il aurait donc été traité comme un paria, même s'il avait grandi sur l'île. Il n'aurait jamais été à sa place ici.

Non qu'il en ait envie, de toute façon… mais il n'avait pas non plus envie d'être bon à rien.

– Voyons…, fit Legénie, en étudiant l'immense catalogue sur le parchemin étalé sur la table centrale.

Chaque extrémité s'enroulait autour d'un support que l'on pouvait tourner à l'aide d'une manivelle, de façon à le parcourir aisément.

Legénie chercha la lettre M et s'arrêta à MÉDECINE.

– Mmm…, fit-il en tapotant la liste du bout de la griffe avant de pivoter vers les niches creusées dans le mur, où étaient rangés les parchemins.

– Aide-moi à trouver une idée, fiston. La reine est furieuse que le dragonnet du ciel soit blessé. J'ai bien peur qu'il soit mort d'ici demain si on ne trouve pas un moyen de lutter contre le poison d'Aile de Sable. Ce qui visiblement est ma mission, va savoir pourquoi. Comme si ce n'était pas assez de devoir fabriquer en deux jours des casques de protection antivenin pour la tribu entière, sur la base de mon prototype imparfait, mais qui, selon la reine, devra faire l'affaire pour le moment.

Il s'interrompit afin de reprendre son souffle et tira des rouleaux des étagères pour les coincer sous son aile.

– Deux jours ? répéta Comète d'un ton qu'il espérait détaché.

– Au cas où le Conseil voterait pour une attaque immédiate, répondit Legénie avec un reniflement de dédain. Je leur ai pourtant expliqué que mes recherches n'étaient pas terminées et que je ne pouvais pas leur garantir que l'opération se passerait bien.

« Je crois même que je peux garantir tout le contraire », pensa Comète en se remémorant l'expression déterminée de Gloria.

Legénie fouetta l'air de sa queue.

– Alors si tu as la moindre suggestion, je suis tout ouïe. Le problème, c'est que, bien évidemment, je n'ai jamais étudié le venin d'Aile de Sable. J'avais pour instructions de ne pas contrarier nos alliés. Mais si c'est le même genre que celui des Ailes de Pluie, il n'y a pas d'antidote.

Comète cligna des yeux, stupéfait. Son père n'avait pas découvert que l'antidote du venin d'Aile de Pluie était le venin d'un dragon de la même famille ?

Il était impressionné qu'aucun prisonnier n'ait fini par révéler cette information. Il les avait sous-estimés : les dragons de pluie étaient sans doute plus malins et plus forts qu'il ne le croyait.

Il était intéressant de noter également que les Ailes de Nuit semblaient détenteurs d'un immense savoir, avec leur bibliothèque pleine de parchemins, et que pourtant ils ignoraient comment soigner une blessure au venin d'Aile de Sable. Sunny n'avait mis qu'un instant à soutirer cette information à Flamme.

« Peut-être est-ce l'inconvénient d'être isolé, pensa Comète. Ils restent à l'écart pour paraître plus puissants, mais en même temps, ils se coupent d'immenses ressources de savoir… S'ils ne s'estimaient pas à ce point supérieurs à tous les autres dragons, peut-être arriveraient-ils à les écouter… et ils apprendraient beaucoup. »

Legénie, plongé dans la lecture d'un parchemin, marmonnait, accablé :

– Ça m'étonnerait. J'ai essayé sur le venin d'Aile de Pluie et ça n'a pas fonctionné. Et ça non plus…

« C'est fou tout ce qu'on pourrait apprendre si les Ailes de Nuit étudiaient les bonnes choses, comme les propriétés médicinales des plantes de la forêt tropicale, au lieu de torturer des dragons innocents et de se concentrer sur leur abominable plan. »

Comète s'aperçut qu'ils se tenaient sous une pancarte indiquant :

TOP SECRET – EXCLUSIVEMENT RÉSERVÉ AUX AILES DE NUIT.

Il tira un rouleau au hasard, intrigué.

Il s'agissait d'un traité cosigné par deux auteurs qui développaient plusieurs plans de conquête de la forêt de Pluie. L'un proposait d'éliminer d'abord tous les dragons de pluie, tandis que l'autre suggérait plutôt de les réduire en esclavage, ce qui serait plus utile sur le long terme.

Écœuré, Comète rangea le parchemin à sa place avec une telle vigueur qu'il se froissa et faillit se déchirer.

Son père se tourna vers lui.

– Alors, tu as une idée ?

Il poursuivit son chemin sans attendre sa réponse.

– Nous allons sans doute être obligés de contacter Fièvre, même si je crains qu'elle n'accepte de nous divulguer une information aussi précieuse qu'en échange d'une chose qui lui sera aussi utile – comme la localisation de notre île.

Legénie se gratta le crâne en plissant le museau, l'air inquiet.

– Personnellement, je pense qu'il vaudrait mieux éviter de lui donner quelque pouvoir sur nous.

– Tout à fait, approuva Comète. Je n'ai aucune confiance en elle.

Son père hocha la tête.

– Hélas, les alliances ne sont pas toujours une histoire de confiance, j'en ai bien peur.

Il prit un autre parchemin qu'il déroula.

Comète se balançait d'une patte sur l'autre, mal à l'aise. Il savait quel était l'antidote du venin d'Aile de Sable. Mais devait-il le lui révéler ? D'un côté, il semblait dangereux de confier aux Ailes de Nuit plus de secrets qu'ils n'en connaissaient déjà. Il pouvait aisément se figurer comment ils exploiteraient cette information à leur avantage : par exemple, en attaquant les Ailes de Sable sans craindre leur arme mortelle. Ou bien, ils pourraient arracher tous les cactus du désert et les stocker dans leur forteresse pour que seuls les Ailes de Nuit aient la capacité de guérir d'une blessure d'Aile de Sable.

D'après ce qu'il avait vu des Ailes de Nuit jusque-là, il leur viendrait sans nul doute une idée encore plus abominable que Comète ne pouvait même pas imaginer.

Mais, d'un autre côté, Fuego était à l'agonie et sans le remède au cactus, il n'avait aucun espoir de survie. Si Comète prévenait Legénie, ils avaient peut-être encore le temps d'envoyer quelqu'un sur le continent chercher ce dont ils avaient besoin pour sauver le dragonnet du ciel.

Car n'était-ce pas le plus important ? Comète ne pouvait pas le laisser mourir. Ses amis auraient sûrement choisi de sauver Fuego quelles qu'en soient les conséquences, non ?

« Sunny, oui, en tout cas. Argil aussi. Gloria… je ne sais pas. Elle considérerait sûrement la situation dans son ensemble. Et Tsunami dirait que c'est bien mon genre d'hésiter si longtemps au lieu de passer à l'action. Bon, très bien. Puisque je n'arrive pas à me décider, je vais faire comme Sunny voudrait. »

Comète ouvrit la bouche pour révéler l'antidote à Legénie, mais avant qu'il ait pu prononcer un mot, trois Ailes de Nuit en armure firent irruption dans la bibliothèque.

– Legénie ! aboya l'un des gardes. Tu es demandé dans la salle du conseil immédiatement !

Le père de Comète se releva d'un bond et entreprit de ranger les parchemins avec des gestes rapides et précis, vérifiant au passage leur étiquette pour être sûr de les remettre dans la bonne niche. Ce faisant, il questionna les gardes :

– Pourquoi ? Que se passe-t-il ?

– L'extraction a échoué, expliqua l'un d'eux. Ils ont essayé de s'introduire dans la forêt afin de la capturer alors qu'elle surveillait le tunnel, mais il devait y avoir une quarantaine de dragons cachés dans les environs, à croire qu'ils étaient là pour la protéger. Tu vas voir dans quel état ils ont mis nos trois soldats.

– Tu dis « ils », mais on sait tous que c'est l'Aile de Mer qui leur a causé le plus de blessures, précisa un autre garde.

Comète s'efforça de contenir la joie qui bouillonnait sous ses écailles. Il espérait qu'aucun de ces dragons de nuit ne pouvait deviner ce qu'il éprouvait. Ils devaient parler de Tsunami. Elle s'en était tirée, tout au moins pour le moment. Parce qu'il avait prévenu ses amis.

Le premier garde secoua la tête.

– J'espère que Sa Majesté ne m'enverra jamais chercher cette dragonnette. Je préfère me crever les yeux qu'essayer de l'approcher.

– J'ai entendu dire qu'elle avait failli arracher l'oreille de Grand-Sage d'un coup de dents, fit le second.

– Les guérisseurs sont sur place, mais la reine te demande également, Legénie, enchaîna le troisième. Dépêche-toi.

Le père de Comète rangea le dernier rouleau de parchemin avant de les suivre. Personne n'ayant interdit au dragonnet de venir, il leur emboîta donc le pas, espérant en apprendre davantage avant qu'ils ne s'aperçoivent de sa présence.

Un concert de rugissements enragés emplissait la salle du conseil. Trois dragons étaient écroulés à l'entrée… ils avaient visiblement croisé une Tsunami en furie. Ils avaient les ailes lacérées, la queue mordue, tordue, et le museau en sang. Deux guérisseurs nettoyaient et pansaient leurs plaies avec un air effaré.

– Plus nous attendons, plus ils se renforcent ! cria l'un des membres du conseil. Ils risquent de nous attaquer à tout instant !

– On devrait boucher le tunnel pour les empêcher de passer ! renchérit un autre. C'est le plus sûr moyen d'assurer notre sécurité.

– Nous avons encore quelques jours devant nous, je pense, intervint Somptueuse de son poste près de l'écran de la reine. Car que faites-vous de notre plan ? De l'avenir du clan ? Nous avons besoin de ce tunnel.

– Il faut attaquer immédiatement, avant qu'ils nous attaquent ! vociféra l'un des vieux dragons pendus au plafond.

– Sans les Ailes de Sable ? intervint Loracle.

Comète vit que le grand dragon était perché non loin de la princesse, il ne semblait pas encore avoir remarqué sa présence. Le dragonnet se cacha derrière Legénie et les trois soldats, observant la scène dans l'interstice de leurs ailes.

– Notre plan se déroule tout à fait comme prévu, affirma Loracle. Nous avons choisi notre alliée et nous avons… presque tous les Dragonnets du Destin. Mais il nous faut un peu de temps pour les préparer et rassembler nos forces avant l'attaque. Selon le plan, nous avions encore deux ans devant nous…

– Regardez nos soldats ! l'interpella un autre Aile de Nuit en désignant les dragons affalés à l'entrée de la grotte. Nous n'avons pas deux ans, nous n'avons même pas deux jours. Vos dragonnets font n'importe quoi ! Par leur faute, même les Ailes de Pluie sont devenus dangereux ! Ils menacent tout notre plan. Il faut intervenir maintenant, éliminer les Ailes de Pluie et neutraliser les dragonnets avant qu'ils ne causent davantage de dégâts.

– Nous ne sommes pas prêts, gronda un dragon avec une dent en moins. D'après Legénie, nous n'en savons pas encore assez sur les Ailes de Pluie.

– On sait comment les tuer ! On n'a pas besoin d'en savoir plus !

– Mais où sont nos armes supplémentaires ? Où est

notre armure antivenin ? Où est notre casque spécial ? Qu'est-ce que Legénie a fabriqué durant ces trois derniers jours ?

– Il faut un peu plus de trois jours pour fabriquer quatre cents casques, répliqua le savant, crispé, à l'entrée de la grotte.

Soudain, Somptueuse se redressa de toute sa taille et déploya ses ailes. Le silence se fit presque instantanément dans la salle du conseil. Tous les dragons se tournèrent face à l'écran de pierre percée, attentifs, tandis qu'elle se penchait pour écouter les instructions de la reine. Comète imagina la voix rauque de Conquérante qui résonnait dans sa chambre secrète.

Enfin, Somptueuse releva la tête et scruta l'assemblée d'un regard sombre.

– La reine Conquérante a pris sa décision, annonça-t-elle. Nous ne pouvons attendre davantage.

Elle pivota sur elle-même, défiant quiconque de protester, mais personne ne s'y risqua.

– Nous profiterons de l'obscurité de la nuit pour aller tuer tous les Ailes de Pluie et nous emparer de la forêt comme prévu.

Pas un bruit ne perturba le silence terrifiant qui s'ensuivit. Les Ailes de Nuit étaient pétrifiés, aux aguets.

Somptueuse prit une profonde inspiration avant de déclarer :

– Ce soir, à minuit, nous passerons à l'attaque.

Royaume de Glace

Royaume du Ciel

Bastion de Fournaise

Sous les montagnes

Royaume de Sable

Repaire du Scorpion

Montagnes de Jade

TROISIÈME PARTIE
LA VÉRITÉ

CHAPITRE 21

Comète filait dans les couloirs déserts. Tous les Ailes de Nuit de la forteresse s'étaient regroupés dans les environs de la salle du conseil, tendant l'oreille pour entendre ce qui s'y disait. Il lui avait suffi de jouer un peu des coudes pour se frayer un passage dans la foule et s'en extraire, mais ensuite, il ne croisa plus personne jusqu'au dortoir.

« Je vais les prévenir. Pour une fois, je peux vraiment servir à quelque chose. Il faut juste que j'arrive à contacter mes amis. »

Sous ses ailes dressées en tente, Destiny dormait encore, ses côtes se soulevaient régulièrement au rythme de sa respiration. Ils étaient seuls dans la pièce ; Comète avait aperçu les autres dragonnets à la sortie de la salle du conseil.

Il se rua sur sa couchette et tendit la patte vers le trou où il avait caché le Visiteur de Rêves.

« Même en pleine journée, il doit bien y en avoir un

qui dort. Peut-être à nouveau Kinkajou. Ou un autre Aile de Pluie, s'il le faut. Gloria fait peut-être sa sieste solaire. Il faut que je transmette le message à quelqu'un, peu importe qui. Il le faut. Sinon, ce soir, ils vont tous se faire massacrer. »

Mais ses griffes se refermèrent sur le vide.

Le souffle coupé de stupeur, il se mit à quatre pattes sur le lit afin de chercher dans tous les trous de la pierre. Il jeta la couverture à terre pour fouiller la couchette d'un bout à l'autre. Il vérifia dans les lits voisins, tandis que son cœur s'affolait, battant de plus en plus vite.

Mais il n'y avait aucun doute possible.

Le Visiteur de Rêves avait disparu.

– Non, non, murmura-t-il en grattant frénétiquement la pierre à l'endroit où il l'avait caché.

Comment avait-il pu se volatiliser ? Quelqu'un avait dû le voir. C'était sûr, désormais : quelqu'un avait soulevé sa couverture la veille et avait compris ce qu'il tenait entre ses griffes. Quelqu'un l'avait espionné dans l'ombre et le lui avait pris dès qu'il avait eu le dos tourné.

Mais qui ? Loracle ? Le grand dragon l'aurait sûrement puni s'il l'avait surpris avec le Visiteur de Rêves… mais peut-être n'avait-il pas encore eu le temps de lui annoncer son châtiment.

« Concentre-toi sur le plus important : qu'est-ce que tu vas faire maintenant ? »

– Comète ?

En se retournant, il s'aperçut que Destiny était réveillée. Elle se tenait juste derrière lui, l'air perplexe. Elle se percha sur la couchette voisine et le dévisagea.

– Qu'est-ce que tu fabriques à t'agiter en tous sens comme un charognard à qui on a croqué la tête ?

– J'ai perdu quelque chose, expliqua Comète. Ou plutôt j'avais laissé un truc ici et il a disparu alors que j'en ai affreusement besoin. Tu as vu quelqu'un fureter dans le coin, aujourd'hui ?

Elle secoua la tête.

– Pourquoi ? Qu'est-ce que c'est ?

– C'est...

Il hésita. Que pouvait-il lui révéler ? Destiny était apparemment le seul dragon en qui il pouvait avoir confiance sur cette île et il avait bien besoin de renforts. Mais accepterait-elle de trahir son clan ?

– Tu es d'accord pour aider les Ailes de Pluie ? la questionna-t-il de but en blanc.

– Ces pauvres dragons ! s'exclama-t-elle en battant des paupières. Bien sûr que oui !

– Pas seulement ceux qui sont emprisonnés ici, tout le clan court un grand danger. Les Ailes de Nuit ont l'intention d'envahir la forêt de Pluie en passant par le tunnel dont je t'ai parlé. Ils veulent tuer tous les dragons de pluie... et ils ont prévu d'y aller ce soir !

La dragonnette écarquilla les yeux.

– Mais pourquoi ?

– Pour s'approprier leur territoire. Voilà, Destiny. Si tu m'aides à sauver les Ailes de Pluie, ça veut dire qu'on empêche les Ailes de Nuit de mettre leur plan à exécution. Et que notre clan restera coincé sur cette île. C'est affreux car ils mènent une vie très dure, ici, je le vois bien. Mais je ne peux pas les laisser faire ça aux Ailes de Pluie.

– Moi non plus, répondit Destiny d'un ton ferme. Dis-moi ce que je dois faire.

– Eh bien… le problème, soupira Comète, c'est que je n'en ai aucune idée.

Elle lui donna un petit coup d'aile.

– Tu ne peux pas me motiver à fond, comme ça, puis me dire que tu n'as aucun plan ! On doit avertir les Ailes de Pluie, c'est bien ça ?

Il se retourna vers son lit.

– C'est ce que je voulais faire, mais maintenant que je n'ai plus mon Visiteur de Rêves, je…

Soudain, il fit volte-face et se rendit compte qu'elle était déjà à la porte.

– Attends, Destiny !

Il la rejoignit d'un bond, l'attrapa par la queue et la tira jusqu'à lui.

– Où tu vas comme ça ?

Elle le dévisagea comme s'il avait perdu la tête.

– Bah… prévenir les Ailes de Pluie, c'est bien ce qu'on a décidé, non ?

– Tu veux dire… dans la forêt de Pluie ?

Son cœur cognait à tout rompre et il avait l'impression que ses pattes allaient le lâcher, mais dans sa tête une petite voix hurlait : « OUI, OUI, C'EST CE QU'IL FAUT FAIRE ! VAS-Y ! VAS-Y ! »

Il se mit à faire les cent pas.

– On ne peut pas y aller en volant, ça prendrait trop de temps. Il faut qu'on passe par le tunnel, mais c'est impossible. Il doit y avoir un million de dragons qui le surveillent. Je ne suis pas Argil ni Tsunami ; je ne suis même pas capable de me battre contre un seul dragonnet, alors un escadron entier d'Ailes de Nuit adultes…

– Mais il faut quand même tenter le coup, affirma Destiny. Alors, allons-y !

Elle porta ses pattes à ses tempes et sourit.

– J'ai une vision… On va réussir. Allez, on fonce au tunnel et on voit jusqu'où on peut avancer.

Comète fit la grimace.

– Je ne voudrais pas mettre en doute tes pouvoirs de médium, mais je peux te dire exactement où on va se retrouver : dans la cellule voisine de celle de Lassassin si on a de la chance… ou sinon, au fond du cratère !

Elle laissa retomber ses pattes et réfléchit un instant.

– Et… et si je distrayais les gardes pendant que tu te faufiles à l'intérieur ? J'ai eu une vision qui dit que ça pourrait marcher !

Il secoua la tête.

– C'est comme ça que Lassassin a procédé pour introduire Argil sur l'île, mais je doute qu'ils se laissent prendre une deuxième fois. Il faut qu'on soit plus malins. Il doit bien y avoir un moyen de les embrouiller. Voyons... Qui est autorisé à pénétrer dans ce tunnel ?

Il pianota des griffes sur le sol.

– Les soldats qui sont allés capturer Tsunami... On pourrait se faire passer pour l'équipe chargée par la reine de kidnapper Sunny.

Destiny fixa le bout de ses pattes, pas franchement convaincue.

– C'est ça, deux dragonnets... ils ne nous croiront jamais !

Comète prit un parchemin sur le lit de Télépathe et le fit tournoyer nerveusement entre ses griffes.

– Alors comment... ?

Soudain, il eut un éclair de génie.

– Oh, oh... tu as une idée, toi ! constata Destiny.

– Oui, et ça vaut la peine d'essayer... mais il faut qu'on soit trois pour que ça marche.

Au cours de ses balades nocturnes, Destiny avait trouvé la salle de soins et elle put y conduire Comète sans la moindre hésitation.

Le dragonnet jeta d'abord un coup d'œil à l'intérieur. Comme il l'espérait, les guérisseurs étaient encore dans la salle du conseil, occupés à soigner les soldats qui avaient affronté Tsunami. La vaste pièce était pratiquement déserte. Seuls quelques dragons dormaient sur d'étroits lits de pierre, souffrant pour la plupart de brûlures à la lave, visiblement. Deux des Ailes de Nuit avaient des cicatrices récentes de venin d'Aile de Pluie. Comète supposa que c'était ceux que Gloria avait blessés en s'évadant. Ils dégageaient une légère odeur de pavot et d'anis, plantes qu'on devait leur administrer pour calmer la douleur.

Un feu brûlait dans une cheminée rustique au milieu d'un des murs et, juste devant, se trouvait Fuego, profondément endormi.

Il avait la tête bandée, mais Comète voyait mieux maintenant les blessures que Vipère lui avait infligées sans le vouloir. Une vilaine balafre partait du coin de sa gueule jusqu'à l'œil du côté opposé. Elle suintait – du sang et également un liquide plus foncé.

– Oh, Fuego, murmura Destiny, la voix éraillée.

– C'est moins terrible que je ne le pensais, chuchota Comète pour la rassurer. Elle n'a touché qu'un de ses yeux, ce qui signifie qu'il y verra d'un œil. Au moins, il ne sera pas complètement aveugle.

– Si on arrive à le sauver, tempéra Destiny.

– Tu as raison…

– Ça me fend le cœur de devoir le réveiller, murmura-t-elle.

Il prit une profonde inspiration.

– Je m'en charge.

Il effleura l'épaule du dragonnet du bout de l'aile.

– Fuego, Fuego, réveille-toi. C'est important.

L'Aile du Ciel ouvrit tant bien que mal son œil valide, poussa un gémissement en les reconnaissant et le referma aussitôt.

– Il faut que tu viennes avec nous, l'informa Destiny.

– On sait comment te guérir, renchérit Comète. Mais pour que ça marche, tu dois nous suivre immédiatement.

Fuego murmura quelque chose qui ressemblait à :

– Pourquoi vous voudriez m'aider ?

– Parce qu'on est amis et que ça sert à ça, les amis, répondit Destiny.

– *Pffff*, souffla le dragonnet.

Comète lui donna un petit coup dans les côtes.

– Parce qu'on veut se servir de ta sale tête pour quitter l'île.

Il y eut un silence.

Fuego se redressa pour le dévisager.

– Ça, c'est plus plausible, comme explication, dit-il d'une voix plus forte, même si elle était encore un peu pâteuse et qu'il dodelinait de la tête comme s'il avait le crâne plein de laine de mouton.

Comète déploya une aile. Le dragonnet rouge se laissa lentement glisser de son lit pour s'appuyer sur son épaule. Destiny fila vers la porte, leur fit signe que la voie était libre et les conduisit au balcon le plus proche, surplombant les grottes-prisons.

Comète regarda en contrebas. Il apercevait la plage de sable noir d'où partait le tunnel pour la forêt de Pluie. Le portail qui pouvait le mener à ses amis... gardé sans doute par d'innombrables Ailes de Nuit qui, d'un seul coup d'œil, pouvaient décider de les envoyer au cachot pour le restant de leurs jours... ou tout au moins jusqu'à la prochaine éruption, qui les tuerait.

« Tu n'as pas le temps d'avoir peur, Comète. C'est la seule solution. Et tu dois le faire. »

Soutenant Fuego chacun d'un côté, les deux dragonnets de nuit s'élancèrent dans les airs pour gagner le tunnel.

CHAPITRE 22

Une fois sur la plage de sable noir, ils n'eurent aucun mal à repérer le tunnel menant à la forêt de Pluie. Le groupe d'Ailes de Nuit armés jusqu'aux dents attroupés au pied d'une petite falaise où s'ouvrait une grotte était un indice assez évident.

– Prends l'air assuré, conseilla Comète à Destiny, en repensant à la manière dont Tsunami avait berné les soldats Ailes de Mer. Comporte-toi comme si on faisait juste ce qu'on a à faire.

– Pas de problème, parce que c'est le cas, répondit-elle.

Comète comprit alors qu'elle devait rarement manquer de confiance en elle. Contrairement à lui. Il ne lui restait plus qu'à suivre son propre conseil. En espérant que les gardes n'étaient pas encore au courant de la décision qui venait d'être prise de passer à l'attaque le soir-même.

Ils se posèrent sur le parapet rocheux, à l'entrée de la

grotte, titubant sous le poids de Fuego. Le dragonnet rouge s'affalait lentement entre eux deux, l'air groggy, au bord de l'évanouissement.

– Hep, reste avec nous ! le supplia Comète en serrant sa patte dans la sienne.

– Qu'est-ce que c'est que cette histoire ? tonna le plus costaud des gardes.

Il s'avança pour les toiser, scrutant surtout Fuego.

« Allez, on y va ! pensa Comète. C'est le moment de repenser à quand on s'amusait à faire semblant et à jouer des petites scènes dans la grotte des gardiens. »

– Vous n'avez pas eu le message... Ah, je m'en doutais ! pesta-t-il.

Il avait espéré prendre un ton ferme et autoritaire, comme Tsunami, mais sa voix paraissait plus haut perchée et angoissée qu'il ne l'aurait voulu.

« Et alors ? C'est normal que j'aie l'air un peu stressé, non ? Puisque je ne suis pas Tsunami, alors il faut que j'arrive à les convaincre en tant que Comète, le M. Je-sais-tout trouillard. »

Il désigna Fuego.

– C'est l'un des dragonnets de la prophétie. Comme vous pouvez le constater, il a été blessé par un aiguillon d'Aile de Sable.

Il souleva légèrement le pansement de sorte que les gardes puissent apercevoir la plaie suintante. Ils reculèrent tous d'un pas en étouffant un cri horrifié.

Comète se redressa de toute sa taille, croisant les ailes sur sa poitrine.

– Ce venin est extrêmement puissant. La reine nous a chargés de l'emmener dans la forêt de Pluie et, de là, nous passerons au royaume de Sable pour trouver un antidote.

– Vous deux ? fit le chef des gardes, sceptique.

– Je sais... ça m'inquiète un peu aussi, je l'avoue, reconnut Comète, expliquant du même coup pourquoi il avait les pattes tremblantes. Mais elle a dit que j'étais le seul dragonnet qui ne risquait pas de se faire attaquer par ceux de la forêt de Pluie. Ils me connaissent. Ils pensent que je suis de leur côté. Non, mais vous imaginez... un Aile de Nuit ami avec une Aile de Mer et un Aile de Boue, franchement ? Ou pire... une Aile de Pluie ?

Quelques gardes hochèrent la tête, mais leur chef n'avait toujours pas l'air convaincu.

– Il faut que je vérifie que cet ordre a bien été validé, annonça-t-il en faisant signe à l'un des autres d'approcher.

– Bien sûr, approuva Comète avec une légère note de panique dans la voix. Je me doutais que ça allait se passer comme ça ! Elle va vraiment être furieuse, confia-t-il à Destiny avant de se tourner à nouveau vers le garde. Je leur avais bien dit que vous nous retarderiez en envoyant quelqu'un à la forteresse. Je leur ai dit que cet

Aile du Ciel serait mort avant même qu'on ait pu mettre une patte dans le tunnel ! Mais personne ne m'écoute ! Sa Majesté a affirmé qu'en le voyant vous comprendriez l'urgence de la situation, que je n'avais pas à m'en faire.

Il se tordit les griffes.

– Mais j'avais raison, la preuve. J'ai toujours raison dans ces cas-là.

– Hum, toussota le garde, qui commençait à se laisser gagner par la nervosité du dragonnet. Il est vraiment à l'article de la mort ?

– Je vous comprends, poursuivit Comète en se frottant anxieusement le museau. Je réagirais exactement comme vous si j'étais à votre place. Elle nous fera sans doute tous exécuter, mais qu'est-ce qu'on y peut, hein ?

Il inclina la tête en direction du messager.

– Vas-y. Dis-lui que ce n'est pas grave de toute façon, vu qu'il sera mort le temps que tu reviennes.

Il poussa Fuego du bout de la griffe. Le dragonnet du ciel en rajouta volontiers, prenant l'air d'un poisson à l'agonie.

– Mais on ne peut pas le laisser mourir ! intervint Destiny. On n'a pas d'autre Aile du Ciel, je te rappelle. Sans lui, pas de prophétie, pas de plan, pas de forêt de Pluie, pas de nouveau royaume pour notre clan.

Les gardes commençaient à chuchoter dans le dos de leur chef, tendant le cou afin d'apercevoir Fuego.

– Mais il doit vérifier l'ordre, tu as entendu ? répliqua

Comète. Tu ne veux quand même pas qu'il laisse deux dragonnets de nuit aller se balader dans le tunnel avec un Aile du Ciel ? Parce qu'on risquerait… on risquerait de…

Il s'interrompit pour dévisager le garde.

– Au fait… Que craignez-vous qu'on fasse ?

– Eh bien… je n'en sais rien, avoua celui-ci en passant sa lance d'une patte à l'autre. Je suis le protocole, moi, c'est tout…

– Ah, tu vois ? fit Comète en se tournant vers Destiny. C'est le protocole.

Fuego laissa échapper un râle d'agonie.

L'une des sentinelles osa alors prendre la parole :

– Il faut qu'on les laisse passer, chef. La reine a raison : ce dragonnet est le seul qui puisse accéder à la forêt de Pluie. C'est là qu'on l'a capturé. À part lui, personne ne pourra trouver un remède pour l'Aile du Ciel.

Comète la gratifia d'un regard reconnaissant qui était tout à fait sincère.

Tripotant sa lance, mal à l'aise, le chef le fixa.

– Pas de blague, hein ? Tu soignes l'Aile du Ciel et tu reviens.

– On sera de retour d'ici la tombée de la nuit, promit Destiny. Peut-être même qu'on aura des infos sur ce qu'ils mijotent, là-bas. Ils vont probablement tout lui raconter.

Elle désigna Comète du menton.

– Il paraît qu'ils lui obéissent à la griffe et à l'œil.

– C'est logique, commenta l'un des gardes.

– Allez, on les laisse passer, reprirent deux autres en chœur.

Leur chef jeta un dernier coup d'œil vers la forteresse, puis finit par s'écarter de leur chemin, à contrecœur.

Comète releva Fuego, appuyant son aile sur ses épaules puis, avec Destiny, ils le traînèrent dans le long tunnel qui menait à la grotte du fond où un trou dans la paroi rocheuse irradiait d'ondes maléfiques, exactement comme ceux qu'ils avaient trouvés dans la forêt de Pluie.

Les gardes Ailes de Nuit les regardèrent passer. Comète s'attendait à tout instant à ce que l'un d'eux se mette à hurler : « C'est un piège ! Ils mentent ! Arrêtez-les ! »

Il se répétait leur histoire : « Fuego a besoin d'un antidote contre le venin d'Aile de Sable. Il faut qu'on l'emmène pour le soigner. »

Ça avait l'avantage d'être vrai, ce qui facilitait les choses.

Lorsqu'ils atteignirent le trou, l'une des gardes s'avança brusquement vers eux et Comète évita de justesse de lui rentrer dedans. Il se trouve qu'elle voulait juste les aider à soulever Fuego. Comète la remercia d'un signe de tête et rejoignit d'un bond l'Aile du Ciel.

« On a réussi. Mais on n'est pas encore tirés d'affaire. »

Le tunnel était juste assez large pour voler. Destiny passa la première, Fuego la suivait en battant péniblement des ailes, au ralenti, et Comète venait le dernier.

Au fil du trajet, l'atmosphère se réchauffa et se chargea petit à petit d'humidité. Le bourdonnement des insectes et le brouhaha des singes commençaient à résonner entre les parois de pierre. Destiny tourna la tête pour sourire à Comète, mais il ne put lui rendre son sourire – pas encore, il attendait de sentir la terre épaisse de la forêt sous ses griffes.

Ils aperçurent alors une lumière verte au loin. Destiny accéléra avec un petit sursaut de joie et déboucha dans la forêt la première…

Comète entendit son hurlement… brusquement interrompu.

Il écarta vite Fuego du passage et s'extirpa du tunnel. Dans la chaleur moite de la forêt, les branches ployaient sous le poids de grappes de fleurs rose foncé. Une poignée de paresseux tourna lentement la tête afin de scruter les nouveaux arrivants.

– Stop ! ordonna une voix. Les pattes en l'air ! Ne bougez plus ! Que je voie vos griffes !

Comète ne savait pas quel ordre suivre, c'était un peu contradictoire. Il pivota sur lui-même et repéra Destiny couchée à terre, au bord du ruisseau. Elle avait un Aile de Pluie orangé assis sur le ventre, en train de la bâillonner avec des lianes.

Une dragonne de pluie se matérialisa petit à petit devant lui, changeant de couleur de manière à ne plus se fondre dans le décor.

– Tu es mon prisonnier ! vociféra-t-elle. Vite, prends la fuite !

– Mangue, arrête de brailler n'importe quoi comme ça, soupira une voix familière.

Tsunami sauta à bas d'une branche, sourcils froncés.

– Réfléchis un peu à ce que tu... Comète !

Elle s'interrompit au milieu de sa phrase pour pousser un cri de joie.

Au même moment, un dragon surgit du feuillage et s'écrasa sur Comète. Le dragonnet se retrouva enveloppé dans de grandes ailes marron tandis qu'Argil le serrait contre son cœur.

– Tu as réussi à t'échapper ! s'étonna Tsunami en poussant l'Aile de Boue pour l'étreindre à son tour. C'est incroyable ! Mais comment... comment... comment est-ce possible ?

– Je vais tout vous raconter, mais il faut d'abord que je voie Gloria, répondit-il.

Il jeta un regard aux alentours, avec le secret espoir que Sunny soit également cachée dans la forêt, mais il ne la vit pas. Il se tourna vers Fuego, qui s'était évanoui.

– Et ce dragonnet du ciel a besoin du cactus qu'on a cueilli dans le désert. Il a été griffé par un aiguillon d'Aile de Sable.

– Oh, le pauvre, fit Argil en s'agenouillant près du corps inerte de Fuego.

Il prit délicatement son museau entre ses pattes pour examiner la blessure.

Lorsqu'il fit un petit signe, six autres Ailes de Pluie apparurent. En un instant, ils déployèrent une sorte de hamac qu'ils passèrent sous le dragonnet afin de le transporter au village.

– Emmenez-le à la hutte des guérisseurs, le plus vite possible, ordonna Argil.

– C'est dingue, quand même, de pouvoir se balader dans les rêves des autres, comme ça ! Gloria nous a répété tout ce que tu lui avais dit l'autre jour, expliqua Tsunami en nouant sa queue à celle de Comète. Sauf que… elle ne m'avait pas prévenue qu'elle allait me coller des gardes du corps Ailes de Pluie. Non, mais quelle blague ! Tu imagines, dès que quelqu'un t'approche, il y a sept dragons violet pétant qui apparaissent comme par magie en poussant des cris de singe hurleur ?

– Bah… moi, ça ne me dérangerait pas, répondit Comète.

Il avait l'impression que, en lui réchauffant les écailles, le soleil faisait fondre les ténèbres qui avaient commencé à s'insinuer dans son âme.

– Je peux te dire que tu leur as fichu une de ces frousses, aux Ailes de Nuit. C'est quelque chose !

Tsunami sourit, ravie.

– Qui est-ce ? demanda Argil en désignant Destiny.

– Une amie, s'empressa de répondre Comète, tout confus de voir qu'elle était encore bâillonnée. On peut lui faire confiance. Elle s'appelle Destiny... C'est la dragonnette de nuit de rechange dont j'ai parlé à Gloria...

D'un geste, Tsunami ordonna à l'Aile de Pluie de la relâcher. Aussitôt, Destiny les rejoignit d'un pas sautillant, déroulant les lianes qu'elle avait autour du museau.

– Oh, là, là ! Quel endroit splendide ! Je n'ai jamais rien vu d'aussi beau ! s'extasia-t-elle dès qu'elle put ouvrir la gueule. Même dans mes visions, vraiment !

Elle prit les deux pattes d'Argil entre les siennes et les serra vigoureusement.

– Il y a un truc comestible dans le coin ? Je n'ai rien mangé depuis une éternité ! Je meurs de faim !

Comète sentit son estomac gargouiller tandis qu'elle continuait à bavarder gaiement. Hélas, il avait plus urgent à régler que de se rassasier. La guerre menaçait cette forêt paisible. Serait-elle toujours aussi belle demain ? Dans son esprit défilèrent toutes les scènes affreuses auxquelles ils avaient assisté depuis qu'ils avaient quitté la grotte des gardiens – l'arène du palais du Ciel, les Ailes de Boue égorgés gisant dans la gadoue, les Ailes de Mer affolés, tentant d'éviter les boules de feu qui pleuvaient sur le palais d'Été.

Il avait du mal à imaginer cela ici, du mal à imaginer ces magnifiques arbres en feu, du mal à imaginer qu'on ose attaquer ces paisibles et joyeux dragons…

Malheureusement, il avait vu la cruauté des Ailes de Nuit à l'œuvre et il savait qu'ils étaient prêts à tout pour trouver un nouveau royaume. Prêts à commettre toutes les atrocités possibles et imaginables pour quitter leur île volcanique.

Si Destiny dévorait avec appétit la pile de fruits qu'Argil lui avait donnée, Comète avait l'impression qu'il ne pourrait rien avaler tant que ses amis ne seraient pas en sécurité.

« Même si ça risque de ne jamais être le cas », constata-t-il avec dépit.

– Il faut que je parle à Gloria, dit-il. Les Ailes de Nuit ont prévu de vous attaquer cette nuit.

Tsunami étouffa un cri… et tous les arbres qui l'entouraient l'imitèrent. Elle se tourna pour lancer un regard noir aux branches apparemment vides.

– Je vous ai dit de rentrer au village ! protesta-t-elle. Je n'ai pas besoin de gardes du corps. Je sais me défendre toute seule !

Personne ne répondit. Tsunami soupira :

– C'est fou la loyauté que ces Ailes de Pluie ont développée envers Gloria si rapidement ! Pas la peine d'essayer de les convaincre de lui désobéir, tu perds ton temps. Ils lui sont dévoués jusqu'à la dernière écaille.

– C'est génial, commenta Comète.

« Au moins, l'un de nous a réussi à se faire accepter de son clan. »

– Pour l'entraînement au combat, c'est très bien, reprit Tsunami. Mais on a un petit problème de chevilles qui enflent, si tu vois ce que je veux dire…

Elle fit signe à l'Aile de Pluie qui avait bâillonné Destiny. La dragonnette lui jeta un regard méfiant, mais son radieux sourire orangé n'avait rien de menaçant.

– Conduisez ces Ailes de Nuit auprès de la reine, ordonna Tsunami. Argil et moi, nous ne pouvons pas quitter notre poste de garde, expliqua-t-elle à Comète. J'ai bien peur que, par une belle journée ensoleillée comme celle-ci, les Ailes de Pluie aient tendance à s'endormir debout.

– Tu as raison…

– Mais si vous mettez au point un plan de bataille, prévenez-moi, ajouta-t-elle avec véhémence.

– Bien sûr, acquiesça Comète en déployant ses ailes.

Combien de temps leur restait-il avant la nuit ? Les Ailes de Nuit allaient-ils seulement attendre la tombée du jour, une fois qu'ils s'apercevraient que Comète était parti ? Et si ça les poussait à attaquer plus tôt ? Ils risquaient d'envahir la forêt de Pluie à tout instant… Ils étaient peut-être même déjà en route !

Le dragonnet contempla le trou d'un œil inquiet.

– Sois prudente, Tsunami.

– Je suis prête à les recevoir, ne t'en fais pas, répliqua-t-elle, toutes griffes dehors.

Comète et Destiny suivirent le dragon orange dans la canopée, où le soleil était encore plus intense. Destiny esquiva une nuée de petits oiseaux violets qui lui frôlèrent le crâne en piaillant. Elle tournait la tête de-ci, de-là, suivant du regard les papillons d'azur scintillant. En zigzaguant, elle surprit même une grosse panthère tachetée qui faillit tomber de la branche où elle faisait la sieste.

– C'est fou, cet endroit, je n'en reviens pas ! s'exclama-t-elle.

– Tu vas voir, le village des Ailes de Pluie est splendide, assura Comète.

– Je plains les Ailes de Nuit, tu sais…

Destiny inclina le museau pour savourer les rayons du soleil sur ses écailles et poursuivit :

– Tu imagines, s'ils avaient grandi ici ? Tu crois qu'ils seraient pareils… ou qu'ils seraient joyeux et gentils, comme les Ailes de Pluie ? Ce n'est pas de leur faute s'ils sont nés sur cette île sinistre… Peut-être qu'ils auraient été formidables – ou tout du moins meilleurs – s'ils avaient vécu ailleurs.

– Peut-être…, murmura Comète. Oui… sans doute. Mais je pense qu'on est un bon dragon en fonction des choix qu'on fait, au jour le jour, et non du lieu où l'on vit, des personnes qui nous ont élevé ou de l'éducation qu'on a reçue. Les Ailes de Nuit ont décidé sciemment d'enlever les Ailes de Pluie pour les torturer. Du coup, j'ai un peu de mal à m'émouvoir de leur sort.

– C'est vrai, reconnut Destiny qui resta étonnamment silencieuse durant le reste du trajet.

Le dragon orange les escorta jusqu'à une hutte qui ressemblait à celle que Comète avait vue en rêve. Les larges ouvertures de tous côtés laissaient entrer à flots l'air frais et le soleil. Gloria était assise derrière une table basse en bois – sauf que, dans la réalité, il n'y avait pas de rouleaux de parchemin dessus. Trois jeunes Ailes de Pluie de différents tons de vert se tenaient devant elle, en train de faire leur rapport sur ce qui se passait aux quatre coins de la forêt.

En les voyant arriver, Gloria déploya les ailes.

– Comète ! s'écria-t-elle gaiement.

Elle se pinça la patte.

– Non, je ne rêve pas, cette fois. Tu es bien là.

Il se posa auprès d'elle.

– On a réussi à s'échapper, Destiny et moi – au fait, je te présente Destiny – parce qu'il fallait que je te prévienne…

Il scruta les arbres environnants.

– Mais… où est Sunny ?

– En train d'apprendre à lire à un dragonnet ou d'aider les guérisseurs à soigner Palm, j'imagine, fit-elle en agitant vaguement la patte. M'avertir de quoi ?

– Les Ailes de Nuit ont prévu de vous attaquer ce soir à minuit, annonça-t-il. Peut-être plus tôt s'ils découvrent que je suis parti.

– Cette nuit ?

Gloria porta ses pattes à ses tempes.

– Va chercher Mangrove, ordonna-t-elle en se tournant vers l'un des dragonnets. Et toi, ramène-moi Grandeur.

Les deux jeunes acquiescèrent avant de filer.

– J'ai quelques idées pour organiser la défense, commença Comète.

– J'espère que l'une de ces idées est « attaquer d'abord », parce que c'est mon plan.

Elle jeta un coup d'œil dehors pour voir la position du soleil dans le ciel.

– L'armée peut être prête à décoller dans une heure. OK. Mener des Ailes de Pluie à la bataille, c'est à peine plus difficile que de faire voler cent mouches en ligne droite.

– Comète ?

Dès que le dragonnet aperçut l'éclat doré de ses écailles du coin de l'œil, son cœur se gonfla de bonheur.

Il se retourna pour faire face à Sunny.

CHAPITRE 23

Sunny ouvrit grand ses chaleureuses ailes dorées tandis que Comète la prenait dans les siennes pour la serrer contre lui. Quand ils étaient ainsi, il se sentait parfaitement à sa place, même si ce n'était que pour un bref instant.

– Je suis tellement contente que tu sois sain et sauf ! fit-elle en reculant d'un pas pour vérifier qu'il n'était pas blessé. Je rendais visite à Palm quand ce dragonnet du ciel est arrivé, alors j'ai montré aux guérisseurs comment extraire le lait de cactus et l'étaler sur sa plaie et là, quelqu'un a dit que deux Ailes de Nuit l'avaient amené ici… et j'ai tout de suite deviné que c'était toi. Je voulais qu'on aille te chercher, tu sais, mais Gloria a refusé.

Elle plissa le museau en prononçant le nom de la nouvelle reine.

– Elle avait raison. C'est bien trop dangereux, là-bas, affirma Comète.

– Tu parles ! Cite-moi un endroit que nous ayons

traversé ces derniers temps et qui ne soit pas dangereux, répliqua Sunny. Et puis, justement, raison de plus pour venir à ton secours ! Enfin, je n'étais pas trop inquiète parce que, de toute façon, pour accomplir la prophétie, il fallait que tu t'en tires, alors… Et tu vois, tu as réussi à t'en sortir tout seul, je suis super impressionnée !

Comète sentait bien qu'il souriait d'un air un peu benêt, mais il ne pouvait pas s'en empêcher.

Destiny se racla la gorge et s'interposa entre eux en demandant :

– Et tu es… ?

– Sunny ! répondit la petite Aile de Sable.

Elle pencha la tête pour contempler la dragonnette.

– Waouh ! Super, tes écailles argentées ! Ça te fait un bracelet… comme si tu étais née avec ton trésor personnel !

Destiny se détendit un peu. Elle contempla sa propre patte, l'air pensif.

– Oh… c'est vrai… je n'avais jamais pensé à ça. J'allais justement te dire que tes écailles étaient d'une couleur magnifique. Tous les Ailes de Sable que j'ai croisés jusqu'ici étaient pâles, ternes… un peu poussiéreux.

– Je sais ! Je suis bizarre ! s'écria gaiement Sunny. Tu es l'Aile de Nuit de rechange, c'est bien ça ? D'après Gloria, Comète ne tarit pas d'éloges sur toi.

Destiny lança à l'intéressé un regard ravi qui l'angoissa affreusement.

– Alors, raconte… C'était comment, le camp des Serres de la Paix ?

– Vraiment étrange, répondit Destiny en se penchant vers Sunny, les ailes croisées sur la poitrine. On était obligés de se déplacer sans arrêt pour que personne ne nous trouve. On parlait toujours de la paix mais, en réalité, on ne faisait qu'éviter les soldats en attendant que la prophétie s'accomplisse.

– Mais ce devait être génial de vivre au milieu de dragons de différents clans ! s'écria Sunny, les yeux brillants. On doit découvrir leurs différences et leurs ressemblances… voir leurs particularités tout en constatant que ce sont tous des dragons, dans le fond.

– Oui, c'est justement ce que je me disais ! approuva Destiny. J'étais la seule Aile de Nuit, alors j'essayais toujours de voir de quel clan j'étais la plus proche, mais…

– … en fait, tu t'es trouvé des points communs avec tous, devina Sunny.

– Exactement !

– Bien, bien, les coupa Gloria. Vous êtes affreusement adorables toutes les deux, mais je préférerais que vous alliez chercher votre âme sœur ailleurs, ou alors concentrez-vous sur le plan de bataille, et aidez-moi !

– Le plan de bataille ! s'écrièrent en chœur Sunny et Destiny.

Gloria lança un regard intrigué, et même passablement

amusé, à Comète. Celui-ci se dandina sur place, tout gêné. Il était content que Sunny et Destiny s'entendent aussi bien, mais sans qu'il sache vraiment pourquoi, ça le mettait légèrement mal à l'aise.

Par chance, Mangrove arriva juste à ce moment-là, accompagné de l'élégante dragonne que Comète avait vue dans le rêve de Kinkajou.

– On va tenir notre réunion près du tunnel, décida Gloria. J'aimerais avoir l'avis de Tsunami et d'Argil.

Elle déploya ses ailes et s'élança de sa plateforme à travers les arbres.

Destiny et Sunny décollèrent à leur tour et volèrent côte à côte, sans cesser de bavarder durant tout le trajet. Comète suivait, s'efforçant de rester concentré sur l'attaque imminente. Après quelques minutes à peine au soleil et au grand air, il avait du mal à croire qu'il avait vraiment séjourné sur l'île des Ailes de Nuit… et encore plus qu'une armée de dragons furieux se préparait à détruire tout ça avant le lever du jour.

Une fois qu'ils furent tous rassemblés, avec l'entrée du tunnel dans leur champ de vision, mais hors de portée de voix, Gloria demanda à Comète de lui rapporter tout ce qu'il avait entendu dans la salle du conseil.

– Bon, il y en a au moins quelques-uns qui nous craignent, nota-t-elle lorsqu'il eut fini.

– La plupart, même, affirma Comète. En fait, je pense que c'est pour ça qu'ils ont enlevé et étudié des Ailes de

Pluie, au lieu d'attaquer tout de suite. Ils ont une peur bleue de votre venin.

Gloria montra les dents en sifflant.

– Et ils font bien.

– Ils ont raison de redouter le tien, intervint Tsunami, mais pour le reste du clan… Je ne suis pas sûre qu'aucun d'entre eux osera cracher son venin sur un autre dragon, même pour se défendre. On leur a répété toute leur vie de ne jamais, au grand jamais, s'en servir comme d'une arme. J'ai fait de mon mieux, mais c'est difficile de changer l'état d'esprit de tout un clan en trois jours.

– Je sais, soupira Gloria en faisant les cent pas.

– Et d'abord, pourquoi on devrait changer leur état d'esprit ? répliqua Sunny. Elle me plaît bien leur philosophie.

– J'en suis capable, moi, affirma Grandeur. D'attaquer un autre dragon avec mon venin, je veux dire… si la sécurité du clan est en jeu. Mais effectivement, je ne pense pas que ce soit le cas de tous les Ailes de Pluie.

Elle jeta un regard à Mangrove.

– Je vais essayer, dit-il. Pour Orchidée. Elle est encore en vie, c'est bien vrai ?

Comète acquiesça.

– Et elle t'attend, renchérit Destiny. Comète lui a dit que tu la cherchais, elle a promis de tenir le coup jusqu'à ton arrivée.

Une pâle vague rose ondula sur les écailles de Mangrove.

– Ça m'inquiète un peu d'attaquer en premier, avoua Argil. On va forcément devoir sortir à l'autre bout du tunnel, d'accord ? S'ils sont malins, ils n'ont qu'à nous guetter pour nous cueillir un à un. Alors que si on les attend ici, qu'on les laisse prendre l'initiative, on pourra les surprendre, on sera en position de force.

– Je ne veux pas qu'ils mettent une seule patte dans ma forêt de Pluie ! cingla Gloria. Si jamais ils sentent qu'ils perdent la bataille, ils risquent de tout incendier par pure cruauté. De plus, on doit libérer les prisonniers. Alors, même si on repousse leur attaque, on sera quand même obligés de franchir ce tunnel à un moment ou à un autre et on aura déjà épuisé nos forces en se défendant. Non, on y va les premiers ! Il faut juste qu'on trouve un moyen d'éviter les gardes à la sortie.

– J'ai une idée, annonça Sunny.

– Adapter la couleur de vos écailles au décor, c'est un premier pas, fit Tsunami en même temps. Ils ne vous verront pas arriver dans le tunnel si vous êtes tous camouflés. Ensuite, on débarque et on les attaque en espérant les surprendre.

– J'en doute, commenta Comète. Dès que Loracle s'apercevra de mon départ, le tunnel sera placé sous haute surveillance.

– Je pense que c'est une bonne idée, affirma Sunny. L'idée que j'ai eue…

– Il faut qu'on sélectionne les Ailes de Pluie les plus courageux pour la première vague d'attaque, décréta Gloria. Tsunami, tu vas me faire une liste en fonction de tes observations au cours de l'entraînement.

La dragonnette de mer s'esclaffa :

– Une liste des plus courageux ? Tu me demandes beaucoup, là. Ce que je peux te faire, c'est une liste de ceux qui sont moins endormis que les autres.

– On ne parle pas ainsi de ses sujets à la reine ! rétorqua Gloria d'un ton faussement hautain avant de reprendre sa voix normale. Je pense que les Ailes de Pluie vont vous surprendre. Je me suis efforcée de tous les recevoir, un par un, et ils sont bien plus complexes qu'il n'y paraît.

– Personne ne veut savoir ce que c'est, mon idée ? insista Sunny.

– Si, moi ! s'écria Comète, mais Gloria était déjà en grande conversation avec Mangrove.

– Quand on forme les escadrons, il faut s'assurer d'avoir chaque fois deux Ailes de Pluie de la même famille. Ainsi, en cas d'accident de venin, on aura l'antidote. Je sais que Sunny a étudié la question, on pourra utiliser son rapport.

Comète eut un pincement de jalousie en voyant Sunny se pencher à l'oreille d'Argil pour lui murmurer quelque chose. Il avait parfois l'impression qu'ils étaient inséparables, comme si elle avait davantage confiance en lui qu'en tout autre dragon. Et il aurait tout donné pour être aussi important à ses yeux... Sauf qu'il n'avait rien de commun avec Argil. Et que pour être honnête, s'il avait dû confier sa vie à quelqu'un, il aurait également choisi l'Aile de Boue.

– Je ne sais pas comment les préparer à affronter le feu des Ailes de Nuit, soupira Tsunami. La plupart de ces dragons n'ont jamais vu la moindre petite flammèche de leur vie. Ils risquent de trouver ça joli et d'avoir envie d'y toucher, si ça se trouve !

Gloria enroula sa queue autour de ses pattes, contemplant le ciel à travers les branchages. Vu sa tête, Comète devina qu'elle pensait à tous les Ailes de Pluie qui allaient mourir, inévitablement. Devenir du jour au lendemain reine de tout un clan, c'était déjà une tâche ardue, mais mener des dragons au combat, surtout des dragons manquant cruellement de préparation, c'était un défi qu'aucun d'eux n'avait envie de relever.

« Nous, on voulait mettre fin à la guerre, pas en commencer une autre. Les Ailes de Pluie ont-ils la moindre chance face à ces Ailes de Nuit en armure, déchaînés, mus par l'énergie du désespoir ? Allons-nous tous mourir aujourd'hui ? Nous ne sommes que des dragonnets. Nous ne devrions pas mener quiconque à la mort. Mais quoi qu'on fasse, c'est ce qui va arriver. On n'a plus le choix, maintenant. »

– J'ai essayé de dessiner un plan de l'île d'après mes souvenirs, dit Gloria. J'aimerais que tu y ajoutes un maximum de détails, Comète. On enverra tout de suite un groupe dans les grottes libérer les prisonniers.

– La reine Splendeur est détenue à l'intérieur de la forteresse, au cachot, avec Lassassin.

– Oh..., fit Gloria tandis que différentes couleurs se peignaient sur ses écailles. Il faut qu'on détache des troupes pour aller là-bas, alors... Peut-être que Tsunami pourra les mener...

– LES FLÉCHETTES TRANQUILLISANTES ! hurla brusquement Argil, faisant sursauter tout le monde.

Gloria le dévisagea.

– Quoi ?

– Les fléchettes que les Ailes de Pluie ont utilisées pour nous endormir à notre arrivée dans la forêt, lui rappela Argil.

Il poussa la dragonnette de sable en avant.

– D'après Sunny, les guérisseurs en ont des centaines en réserve. Les dragons de pluie s'en servent tout le temps. Ils jouent à qui piquera l'autre sans se faire voir.

– C'est vrai ! s'écria Mangrove en battant de la queue. On organise des patrouilles pour neutraliser les dragons étrangers qui s'aventurent dans la forêt, comme vous cinq, c'est trop drôle !

– Chaque Aile de Pluie possède une sarbacane, souligna Sunny. Fournissez-leur un maximum de fléchettes… ça leur servira d'armes chez les Ailes de Nuit.

– GÉNIAL ! s'exclama Gloria en déployant ses ailes, maintenant violet vif zébré d'éclairs dorés. Voilà comment les Ailes de Pluie doivent se battre !

– C'est Sunny qui a eu l'idée, précisa Argil en désignant la petite dragonne de sable.

– Comme ça, on a peut-être une chance de s'en sortir sans trop de blessés, poursuivit Gloria, surexcitée. Argil et Sunny, vous êtes chargés d'armer nos troupes. Récupérez toutes les fléchettes que vous pourrez trouver. Mangrove, Grandeur, il est temps d'aller avertir le village. Que ceux qui veulent se battre viennent ici, au bord du ruisseau dans une heure. Nous passerons à l'attaque avant la tombée de la nuit.

Tandis que les autres prenaient leur envol, elle se tourna vers Comète.

– On va s'occuper de la carte, toi et moi. Dis-moi tout ce que tu sais.

Tsunami déroula la feuille géante où elle avait tracé le contour de l'île à l'aide d'une sorte de jus de fruit foncé.

« C'est la guerre, Comète ! Pas le temps de paniquer ! se dit-il en se penchant sur la carte. Tu ne peux pas jouer les poltrons maintenant. N'oublie pas que tu as lu le récit des plus célèbres batailles de l'histoire de Pyrrhia, ça va te servir. Il est temps de prouver que tu as toute ta place au sein de la prophétie. »

CHAPITRE 24

Deux heures plus tard, l'armée de la reine Gloria était sur le départ.

Le soleil commençait juste à plonger derrière les arbres. Il ne faisait pas encore nuit, mais ça n'allait pas tarder.

Comète planta ses griffes dans la boue de la rive, luttant contre la terreur grandissante qui l'envahissait. La clairière bourdonnait d'activité, mais c'était très étrange car la plupart des dragons étaient invisibles, soigneusement camouflés dans le décor. Comète n'arrêtait pas de se faire bousculer et cogner sans voir par qui.

Tsunami tentait vainement de les rassembler et d'obtenir le silence pour le grand discours censé motiver les troupes. Le fait qu'elle ait tant de mal à y parvenir n'annonçait rien de bon pour les combats, nota le dragonnet avec angoisse.

– Comète ! fit Gloria en se matérialisant à ses côtés.

Ses écailles adoptèrent brièvement un bleu pâle et

anxieux avant de reprendre la teinte vert foncé du feuillage.

– Ça va ?

– Mouais, fit-il en se balançant d'une patte sur l'autre. Enfin… un peu stressé.

– Tu préfères rester ici ? lui proposa-t-elle. Je comprendrais, tu sais.

– Non ! protesta Comète. Je veux dire, non, impossible. Je ne peux pas.

Il lança un regard vers Sunny, qui était en train de répartir les fléchettes tranquillisantes dans de petits sacs à pendre au cou des Ailes de Pluie. Elle ne possédait aucune défense naturelle – ni venin, ni camouflage, ni écailles à l'épreuve du feu comme Argil, ni même l'aiguillon venimeux de son clan. Il ne pouvait pas la laisser aller au combat sans lui. Rester à l'abri pendant que ses amis allaient affronter le danger ? Comment pourrait-elle l'aimer après ça ?

– Je n'aurai pas peur, promis.

– C'est normal, d'avoir peur, le rassura Gloria. J'ai peur, tu sais. Il faudrait être fou pour ne pas avoir peur… être fou ou être Tsunami, ce qui revient au même. Mais il faut lutter contre la peur et faire ce qu'il faut quand même. Non, ce que je voulais dire, c'est : veux-tu rester ici parce qu'on va attaquer ton clan ? Si c'est trop te demander, je comprendrais que tu préfères rester à l'écart.

– Ce n'est pas mon clan, répondit Comète. C'est vous, mon clan. Toi, Sunny, Tsunami et Argil.

– Aaah ! Grosse bête, va ! grommela Gloria, mais le bout de ses ailes prit une teinte rosée et il sut qu'elle pensait comme lui, même si elle ne l'aurait jamais admis tout haut. En route ! fit-elle en lui donnant une bourrade dans l'épaule, une démonstration d'affection très rare de sa part. Allons changer le monde !

Elle s'approcha de l'entrée du tunnel et, d'un mouvement de queue, fit signe à la première vague d'Ailes de Pluie de la suivre. Ils se massèrent derrière elle, attentifs à ses ordres.

Comète jeta un nouveau regard vers Sunny.

« Je risque de mourir ce soir… Et alors elle ne saura jamais. Je risque de mourir sans jamais lui avoir dit ce que je ressentais ! »

Il tendit le museau vers le soleil couchant. Il avait réussi à berner les gardes Ailes de Nuit. Il s'était échappé de leur île sinistre. Il était sans doute capable de dire trois petits mots à une dragonnette.

Lorsqu'il baissa la tête, Sunny était plantée juste devant lui. Son cœur se serra comme si un dragon le broyait au creux de sa patte.

– Tout va bien se passer, affirma-t-elle en secouant ses ailes. Pense à la prophétie. Il faut qu'on soit en vie pour mettre fin à la guerre, pas vrai ? Alors on ne peut pas mourir ce soir, tu vois. C'est rassurant, non ?

– J'aimerais être aussi optimiste que toi, dit-il.

– Ce n'est pas une question d'optimisme, objecta-t-elle, mais de foi. Nous sommes là pour une bonne raison. Ce que nous allons faire aujourd'hui fait partie d'un plus grand destin et nous devons rester en vie pour l'accomplir.

Quand elle lui souriait, il avait une drôle de sensation, comme des éclairs qui crépitaient sous ses écailles.

– Sunny…, commença-t-il, hésitant. Je voulais… enfin, il y a quelque chose… quelque chose que je veux te dire… depuis longtemps.

– Je t'écoute, fit-elle en penchant la tête, attentive.

De l'autre côté de la clairière, Gloria avait déplié ses ailes pour réclamer le silence. C'était maintenant ou peut-être jamais, en fonction de ce qui allait arriver ce soir.

– Je t'aime.

Sunny battit des paupières. Encore et encore.

– Je… je t'aime aussi, Comète.

– Non, pas comme ça. Je… je veux dire que je pense sans arrêt à toi, et j'ai tout le temps envie d'être avec toi et ça me fait du mal quand on est séparés et, chaque fois que je dois prendre une décision, je me demande : « Qu'est-ce que Sunny voudrait que je fasse ? » Et j'ai l'impression que tu es la seule dragonne au monde qui me voit tel que je suis et qui m'apprécie quand même…

En prononçant ces mots, il eut une pensée gênée pour Destiny et l'aperçut justement, à l'autre bout de la clairière, près de Gloria. Elle fixait la reine des Ailes de Pluie avec de grands yeux, impressionnée. Pourtant, ce qu'il ressentait pour elle, et ce qu'il ressentait pour Sunny… Non, impossible que ce soit pareil…

– Je devais te le dire, s'empressa-t-il de compléter, au cas où quelque chose arriverait à l'un de nous deux ce soir. Quoique… si jamais il t'arrivait quelque chose, je ne sais pas comment je pourrais continuer à respirer, à penser, à faire quoi que ce soit.

– Oh, nom d'une lune, Comète, arrête ! souffla Sunny. C'est… là, maintenant… que veux-tu que je te dise… ? Je ne sais pas… alors que…

Elle déploya ses ailes pour désigner d'un geste impuissant les troupes de dragons qui les entouraient.

– C'est bon, fit Comète en s'apercevant qu'il le pensait sincèrement. Ne dis rien. Tu n'es pas obligée. Je voulais juste que tu le saches, au cas où.

Elle plissa le front, contrariée, mais il noua sa queue avec la sienne et contempla leurs griffes qui s'enfonçaient dans la terre meuble du rivage.

– Promets-moi juste de t'en sortir vivante, dit-il.

– Tu parles, je n'ai aucun rôle à jouer dans cette bataille ! répliqua-t-elle avec véhémence. Promets plutôt, toi, de t'en sortir vivant.

Il ouvrit et ferma la bouche, regrettant de ne pouvoir lui faire cette promesse.

– Voilà ! fit-elle. Alors, arrête de parler comme

un rouleau de parchemin, et dis-moi juste « à tout à l'heure », OK ?

– À tout à l'heure ! dit-il, et l'espace d'un instant, il y crut sincèrement.

– Bonne chance ! Assomme un Aile de Nuit de ma part, ajouta-t-elle tandis que Comète s'éloignait.

Elle le rattrapa pour le serrer dans ses ailes une dernière fois puis, un instant plus tard, il rejoignit Gloria, complètement sonné.

« Je l'ai fait. Je lui ai dit. Ça y est. Et le monde ne s'est pas écroulé. »

La reine des Ailes de Pluie écarta les ailes et le silence se fit dans la clairière.

– Vous savez que je n'aime pas faire de grands discours, commença-t-elle. Alors faisons simple. Nous allons libérer nos amis, nous allons nous assurer que personne ne nous prenne notre forêt et nous allons le faire à notre manière d'Ailes de Pluie, d'accord ? Et par les trois lunes, évitez de parler, d'éternuer ou de vous endormir dans le tunnel, c'est compris ?

Elle se tourna vers le dragon qui se tenait à ses côtés. Comète mit un instant à reconnaître son frère, Jambu. Il n'arborait pas sa belle couleur framboise habituelle, mais un noir profond qui se confondrait facilement avec les parois du tunnel. Expert en tir de fléchettes, il s'était porté volontaire pour passer le premier. Comète se demandait s'il était réellement courageux ou s'il ignorait juste ce qu'il risquait, mais de toute façon, maintenant, ça revenait au même.

Jambu se hissa à hauteur du trou et se faufila à l'intérieur; Gloria l'imita, puis Mangrove, Liana, Grandeur et trois autres dragons de pluie armés de sarbacanes.

Selon le plan, Comète et Destiny devaient suivre. De sorte que, une fois les gardes endormis, ils puissent conduire les troupes jusqu'aux grottes-prisons, puis au cachot de la forteresse. Le dragonnet prit une profonde inspiration et jeta un coup d'œil par-dessus son épaule, espérant croiser le regard de Sunny.

Effectivement, elle le fixait. Ses écailles dorées étincelaient dans la lueur faiblissante du soleil couchant.

« Je vais y arriver. »

Comète grimpa dans le trou, presque immédiatement suivi de Destiny, qui faillit lui marcher sur la queue. Ils n'échangèrent pas un mot, mais il était un peu rassuré de sentir sa présence dans son dos.

À l'intérieur du tunnel régnait une chaleur étouffante et un silence angoissant. Les Ailes de Pluie se mouvaient bien plus vite qu'il ne l'aurait cru; il ignorait quelle avance ils avaient prise sur eux, car même avec son excellente vision nocturne, il ne discernait pas grand-chose dans cette pénombre. Le couloir commença à descendre en pente douce. Il avançait aussi vite que possible, les ailes soigneusement repliées sur les flancs pour masquer ses écailles argentées.

Devant lui, il entendit un bref *zzt !*, puis un second, et sept autres encore à la suite. Les fléchettes tranquillisantes jaillissaient des sarbacanes, surgissant de l'obscurité, neutralisant les gardes avant même qu'ils aient remarqué quoi que ce soit et donné l'alarme.

Puis Comète distingua des bruits étouffés qui se succédaient rapidement : les dragons de pluie sautaient hors du tunnel, pénétrant un à un dans la grotte. C'est alors qu'il aperçut la lueur dansante d'un feu. Un instant plus tard, il s'extirpa du tunnel et sentit la roche volcanique chaude et râpeuse sous ses griffes.

Neuf gardes Ailes de Nuit étaient couchés autour de lui, comme s'ils s'étaient brusquement assoupis. Leurs poitrines se soulevaient lentement, paisiblement, et leurs lances gisaient sur le sol, inoffensives.

Gloria se tourna vers Mangrove en les désignant. Elle fit un signe que Comète ne sut interpréter, mais que l'Aile de Pluie comprit, visiblement. Il rassembla les armes et les tendit aux dragons qui affluaient encore dans le tunnel. Elles furent ainsi passées en relais jusqu'à la forêt de Pluie pour être rangées en sécurité, bien loin des griffes des Ailes de Nuit.

« Malgré tout, ils sont encore dangereux, car on ne peut pas leur ôter leurs dents, leurs griffes ni leur feu. Mais enfin, une arme de moins entre leurs pattes, c'est déjà ça de pris ! »

Jambu et Grandeur étaient déjà repartis. En dressant

l'oreille, Comète repéra le *zzt zzt* des fléchettes neutralisant les gardes postés à l'entrée de la grotte.

Combien de temps leur stratagème allait-il pouvoir durer ? Combien d'Ailes de Nuit pourraient-ils endormir avant que quelqu'un ne s'en aperçoive ? Et une fois que l'un d'eux aurait donné l'alarme, combien de temps leur resterait-il avant que les Ailes de Pluie ne commencent à mourir ?

– La voie est libre, annonça Grandeur dans un souffle, tel un bruissement de feuilles.

Les écailles de Gloria avaient pris des tons de gris, noir et rouge pour s'accorder aux parois de la grotte. Comète ne la voyait pas mais il sentit ses ailes effleurer les siennes ; c'était à son tour de conduire les troupes.

Il lança un regard en arrière. Tsunami, Argil et Sunny étaient censés rester hors de vue durant la première phase du plan car quiconque repérerait des écailles bleues, marron ou dorées sur cette île saurait que des intrus avaient franchi le tunnel et les Ailes de Nuit se jetteraient instantanément sur eux. Ils devaient donc demeurer cachés durant la phase de déploiement, en attendant les combats. D'un côté, Comète se réjouissait que Sunny soit en sécurité, mais de l'autre, il aurait préféré que Tsunami ou Argil mènent les troupes plutôt que lui.

« Mais c'est le plan le plus rusé – la meilleure manière de procéder. »

Suivi de près par Destiny, il enjamba les gardes de nuit assoupis et traversa la grotte. Il entendait les vagues se briser sur la plage, en contrebas. Dehors, le ciel, toujours gris et écrasant, s'était chargé de gros nuages bas, illuminés de temps à autre par un flash d'éclairs crépitants, le tout baigné dans la lueur rougeoyante du volcan.

Par contraste avec le grand soleil de la forêt de Pluie, l'atmosphère de l'île lui semblait encore plus enfumée et sinistre. Lorsqu'il s'avança sur le parapet rocheux, quittant la grotte, il sentit la roche vibrer sous ses pattes et se figea.

« C'est perturbant. »

– Quelle vision cauchemardesque ! chuchota Grandeur dans son dos.

– C'est encore pire que tout ce que j'avais imaginé, soupira Jambu. Comment peuvent-ils vivre ici ?

– Prends ça, Comète, ordonna Gloria en lui tendant l'une des lances prises aux gardes. On en aura peut-être besoin et ça choquera moins entre tes griffes. Si c'est moi qui la tiens, on croira qu'elle vole toute seule dans les airs.

Comète acquiesça, même si le poids de la lance au creux de sa patte le dérangeait. Il risquait davantage de s'arracher un œil sans le vouloir que d'arriver à se défendre avec cet engin. Il la tint aussi loin de lui que possible en s'élançant dans les airs.

– Emmène-nous d'abord aux grottes-prisons, fit la

voix de Gloria non loin de lui. On laissera Mangrove et les autres libérer les détenus pendant que, toi et moi, on se rendra au cachot de la forteresse.

– Toi ? s'étonna Comète.

Ça lui faisait vraiment bizarre de s'adresser à elle sans la voir. Il avait l'impression de parler tout seul.

– C'est la mission la plus dangereuse. En tant que reine, tu ne devrais pas prendre autant de risques, non ? Tu pourrais envoyer quelqu'un d'autre chercher Splendeur.

Il vira sur l'aile pour descendre vers la rivière de lave et les grottes.

Il sentit des courants d'air sur ses écailles, preuve que les dragons invisibles volaient à ses côtés. Il ignorait combien le suivaient mais il espérait que leurs battements d'ailes n'allaient pas alerter les Ailes de Nuit.

Il n'y en avait pas beaucoup en vue – un ou deux aux balcons de la forteresse, plus les gardes postés devant les grottes-prisons. Comète supposa que les autres se préparaient à l'attaque.

– Je ne suis pas le genre de reine qui envoie ses sujets au front en restant bien à l'abri. Et même si je demandais à quelqu'un d'autre d'aller libérer Splendeur, c'est moi qui dois aller voir Conquérante.

Comète étouffa un cri de surprise.

– Conquérante ? Tu es sûre que c'est une bonne idée ?

– N'est-ce pas toi qui as suggéré une approche diplomatique ? fit Gloria d'un ton amusé.

« Oui, mais c'était avant que je connaisse vraiment les Ailes de Nuit. »

– Notre priorité est de libérer les prisonniers, poursuivit-elle, mais si j'arrive à lui faire peur... en la menaçant de révéler son secret, par exemple, alors peut-être nous laissera-t-elle en paix dorénavant.

– J'en doute, intervint Destiny. Les Ailes de Nuit veulent vraiment s'installer dans votre forêt.

– Eh bien, dommage pour eux, mais ça ne se produira pas ! répliqua sèchement Gloria.

– Chut ! souffla Comète.

Ils arrivaient en vue de la première grotte-prison. Il descendit en piqué, sentant un déplacement d'air tandis qu'un des Ailes de Pluie le doublait. Un instant plus tard, les deux gardes debout à l'entrée de la grotte portèrent une patte à leur cou, l'air perplexe, puis s'affalèrent par terre au ralenti.

– Par chance, la prison suit le cours de la rivière et les gardes postés devant les cellules suivantes ne voient pas ce qui arrive à leurs collègues.

Du ciel, en revanche, il assista à l'évanouissement successif de tous les dragons qui surveillaient les grottes. Les Ailes de Pluie se déployèrent, suivant les instructions que Gloria avait données à chacun avant de quitter la forêt. Comète aperçut ici l'éclat d'écailles scintillantes, là la blancheur de dents immaculées tandis que les Ailes de Pluie se posaient deux par deux au bord de la rivière de lave, changeaient de couleur puis s'engouffraient dans les grottes.

– Vous avez vu Orchidée dans l'une de ces cellules, n'est-ce pas ? fit Gloria en se tournant vers Destiny. Tu te rappelles laquelle ?

La dragonnette hocha la tête et amorça un virage dans les airs pour rejoindre la grotte la plus près de la forteresse. À leur approche, les deux gardes levèrent le museau. Ils n'avaient beau voir que deux dragonnets de nuit dans le ciel, l'un d'eux plissa le museau, sentant visiblement que quelque chose clochait. Comète eut un coup au cœur quand il se tourna vers le gong pour alerter le reste du clan.

Puis un *zzt zzt* siffla à son oreille. Il vit les deux gardes vaciller et s'écrouler. Ils furent aussitôt traînés à terre et écartés du passage.

– On a eu chaud, murmura Comète avant de s'apercevoir qu'il parlait vraiment tout seul, cette fois.

Lorsqu'il se posa, il entendit les pas pressés des Ailes de Pluie s'enfoncer dans les profondeurs de la grotte.

– Je ne veux pas rater ça, chuchota Destiny en s'y engouffrant à son tour.

Comète la suivit et arriva juste à temps pour voir Mangrove apparaître devant Orchidée, ses écailles noir grisâtre devenues d'un seul coup roses de bonheur, mêlées de vert anxieux.

La dragonne poussa un cri de joie, étouffé par son

bâillon métallique. Ils se jetèrent dans les ailes l'un de l'autre, entrelaçant leurs queues.

– Je suis là, répétait-il. Je n'ai jamais renoncé. Jamais, jamais je ne t'aurais abandonnée.

Elle ne pouvait pas ouvrir la bouche, mais le camaïeu de roses qui se peignit sur ses écailles parlait de lui-même.

– Dépêchons-nous ! ordonna Gloria. S'ils sont tous enchaînés au mur comme ça, on a du boulot ! Comète, passe-moi la lance.

Comète tendit l'engin qu'une force invisible lui arracha des griffes. Une ombre en forme de Gloria s'approcha d'Orchidée et inséra avec précaution les piques dans le fermoir du bâillon de fer.

– Liana, Grandeur, vous avez vu comment je procède ? demanda Gloria.

– Oui ! confirmèrent en chœur deux voix flottantes.

Comète sursauta. Il ignorait que les deux dragonnes les avaient accompagnés.

– Voilà comment on défait leurs attaches, expliqua Gloria en tournant la lance entre ses pattes.

Quand la muselière tomba à terre avec un *clonk !* métallique, elle s'attaqua aux chaînes scellées dans la paroi de pierre.

– Oh, Mangrove... J'ai eu si peur que tu ne cherches pas à savoir où j'étais, avoua Orchidée. Je me disais que tu allais m'oublier, trouver quelqu'un d'autre...

– Jamais, jamais, jamais, répondit-il avec ferveur.

– Tu as senti ? La terre a bougé ! paniqua Orchidée.

– Je crois bien que c'est moi, avoua Mangrove en tendant sa patte tremblante. Comme si toute l'émotion accumulée en moi essayait de sortir.

« Euh… moi, je crois bien que c'était une vraie secousse sismique », pensa Comète.

Il avait également senti une vibration à travers la pierre, qui s'était propagée dans ses griffes avant de cesser brusquement.

– Et voilà ! déclara Gloria.

Sa lance vola dans les airs jusqu'à un autre Aile de Pluie.

Orchidée secoua les ailes pour faire tomber les chaînes et les ouvrit tout grand, roses et rayonnantes comme le soleil levant.

– Orchidée, je te présente notre nouvelle reine, Gloria, dit Mangrove. C'est grâce à elle qu'on t'a retrouvée. Et c'est également elle qui a convaincu tout le monde de venir te libérer.

– Il faut surtout remercier Mangrove, corrigea Gloria. C'est lui qui s'est aperçu de ta disparition et qui n'arrêtait pas de se plaindre. Si on n'avait pas levé une armée pour te secourir, il serait venu tout seul.

– Merci, Votre Majesté, fit Orchidée en esquissant une révérence.

– Ça fait trop bizarre ! Tu imagines, si les gens se mettaient à appeler une de tes amies « Votre Majesté » ? chuchota Comète à Destiny.

– Et ça doit aussi être un peu étrange de la voir commander des troupes entières de dragons, non ? répondit-elle.

– Grandeur, Liana, prenez l'apparence d'Ailes de Nuit, et faites le tour des grottes avec les lances des gardes, ordonna Gloria. Montrez aux autres comment libérer les prisonniers, soyez aussi discrets et rapides que possible, puis retournez tous au tunnel. Mangrove et Orchidée, faites une petite pause le temps de reprendre le contrôle de vos écailles, puis rentrez chez nous.

– Je veux venir avec vous, protesta Mangrove. Vous allez avoir besoin de renforts dans la forteresse.

– J'en ai, affirma Gloria.

« J'espère qu'elle ne parle pas de moi », pensa Comète, paniqué.

– Nous nous sommes donné beaucoup de mal pour qu'Orchidée et toi, vous soyez réunis, alors profitez-en un peu, tous les deux. Je te préviendrai si on a besoin de toi.

Mangrove et Orchidée s'inclinèrent devant elle.

Sentant des ailes frôler les siennes, Comète sursauta avant de comprendre qu'il s'agissait de Gloria, qui se dirigeait vers la sortie.

– En route, Comète ! fit-elle. Allons dire deux mots à la reine des Ailes de Nuit !

CHAPITRE 25

La forteresse se dressait devant eux, dans un silence pétrifié, inquiétant. Ils prirent leur envol dans l'air chargé de fumée. Comète avait la gorge et le museau qui piquaient encore plus qu'avant, et il entendait Gloria et Destiny tousser dans son dos.

Il se frotta les yeux et scruta la forme noire du bâtiment en cherchant où une armée entière d'Ailes de Nuit avait bien pu se rassembler. Incapable de quitter son bain de lave, la reine Conquérante ne serait pas en mesure de diriger les troupes. Somptueuse allait devoir agir en souveraine et prendre les décisions qui s'imposaient pour mener l'attaque.

Comète se demandait s'ils avaient déjà remarqué son absence. Si ce n'était pas le cas, Loracle avait quand même dû rendre visite à Fuego et constater qu'il n'était plus là. Comment avait-il réagi ?

« Il a peut-être cru que Fuego avait tenté de regagner le continent par la voie des airs, pensa-t-il. Ce serait bien s'il l'avait suivi... »

Il ne tenait franchement pas à croiser Loracle dans les couloirs de la forteresse.

– J'espère qu'on a toute une armée invisible avec nous, murmura-t-il, de plus en plus anxieux.

– C'est moi, ton armée invisible, répliqua Gloria d'un ton léger.

– Je suis sérieux. On ne devrait pas se balader par ici tout seuls.

– Au fait, dis-moi..., reprit-elle. Les cachots que tu as vus... tu sais comment les ouvrir ? À ton avis, les lances débloquent les portes ou il faut une clé ?

Comète ferma les yeux un instant pour se représenter la prison.

– Il faut des clés, je crois.

– Alors, on va commencer par la reine, décida Gloria. Comme ça, elle nous dira où trouver les clés.

Comète ne voyait pas bien comment elle comptait obliger Conquérante à faire quoi que ce soit, mais Gloria savait se montrer beaucoup plus persuasive que lui – surtout depuis qu'elle était investie de son autorité de reine. Il se dirigea donc vers l'accès le plus proche de la salle du conseil.

Ils progressèrent sans bruit dans les couloirs. Des éclats de voix résonnaient ici et là. Comète distinguait des bribes de phrases – une dispute pour savoir qui porterait une armure, un monologue épique sur de vieux souvenirs de guerre et une conversation comparant les difficultés rencontrées pour tuer un Aile de Pluie ou un Aile de Boue.

Des images des Ailes de Boue égorgés à la frontière de leur royaume lui revinrent en mémoire.

« Pourquoi les avoir éliminés ? »

La réponse s'imposa aussitôt à lui : « Pour les dissuader de pénétrer dans la forêt. Leur faire croire qu'un monstre sanguinaire y rôdait, que c'était dangereux de s'y aventurer, afin qu'ils n'aient pas l'idée d'envahir eux aussi la forêt. Qu'elle reste libre, à disposition des Ailes de Nuit… Et ça explique aussi l'histoire des singes hurleurs ! »

Jambu leur avait raconté que ces animaux avaient brusquement changé de cri et s'étaient mis à brailler comme des dragons à l'agonie.

« Je parie que mon père leur a fait un truc, toujours pour effrayer les Ailes de Boue. »

Toutes les actions des Ailes de Nuit étaient motivées par leur plan pour envahir la forêt de Pluie. En soupirant, Comète pénétra dans la pièce où se trouvait l'entrée secrète, et jeta un coup d'œil à la carte. Si seulement les Ailes de Nuit avaient eu un autre endroit où aller… sauf qu'ils avaient parcouru tout Pyrrhia – détruisant les repaires des charognards pour des raisons qui lui échappaient – alors, s'il y avait eu une autre possibilité, ils l'auraient sûrement trouvée.

– Quelqu'un approche, chuchota Gloria un instant avant que Comète ne distingue le cliquetis de griffes sur la pierre, précédé par l'haleine fétide d'un Aile de Nuit.

Destiny bondit vers la carte, mais avant qu'elle ait pu en soulever le coin pour se faufiler en dessous, un frottement d'écailles se fit entendre à l'entrée et ils se retrouvèrent face à face avec Somptueuse.

Le sol trembla sous leurs pattes.

– Qu'est-ce que vous faites là ? s'étonna la princesse des Ailes de Nuit.

Sa rivière de diamants pendait de travers, comme si elle avait dormi avec et oublié sa présence. Elle avait les yeux rouges, irrités par la fumée.

– Pourquoi vous n'êtes pas avec les autres ?

– On… on s'est perdus, tenta Comète.

La princesse plissa le museau.

– Oh, mais vous êtes les deux dragonnets de la prophétie. Loracle vous a cherchés partout, il était dans une rage ! Écoutez, comme je le lui ai dit, la prophétie, c'est une chose, mais le plus important, c'est que nous remportions la bataille de ce soir. Le clan tout entier doit se battre, sans exception. Tout le monde est dans le grand hall. Prenez le tunnel par ici, puis la quatrième à gauche, et demandez votre chemin là-bas, d'accord ?

– Et vous ? fit Destiny. Pourquoi vous n'êtes pas avec les autres ?

– Je dois d'abord m'entretenir avec la reine, répondit Somptueuse, en regardant malgré elle vers la carte.

– Eh bien, c'est parfait alors, fit la voix de Gloria, surgie de nulle part, nous allons tous discuter avec la reine !

La princesse se raidit, serrant ses ailes contre elle. Comète vit juste un flash d'écailles colorées tandis que Gloria plaquait ses griffes sur la gorge de Somptueuse.

– N'essayez pas d'appeler au secours, lui conseilla-t-elle. Je ne suis pas une Aile de Pluie ordinaire. Si je crache, mon venin ira droit dans vos yeux et sachez que je n'ai pas peur de m'en servir.

– La mortelle dragonne…, murmura Somptueuse.

– C'est bien moi, confirma Gloria. Nous allons tous pénétrer dans la grotte de la reine. Vous passerez devant en gardant bien en tête que mes crocs venimeux sont tout près de vous.

Somptueuse opina du chef à plusieurs reprises, complètement paniquée. Elle souleva la carte en toute hâte et se rua dans le passage. Un bruissement d'ailes indiqua que Gloria lui emboîtait le pas. Destiny et Comète les suivirent.

Sous leurs pattes, le sol de pierre était bouillant, encore plus chaud qu'avant. Une nouvelle secousse ébranla la montagne alors qu'ils avançaient.

– Hum, toussota Comète, pris d'un horrible pressentiment. Ce volcan ne serait pas à tout hasard en train d'entrer en éruption ?

Dans la pénombre, Somptueuse se figea et se tourna vers lui.

– En principe, non. D'après les estimations de nos savants, nous avons encore deux ans avant une nouvelle éruption de grande ampleur.

– Comment peuvent-ils en être si sûrs ? Quelqu'un a eu une vision ? supposa Destiny.

Somptueuse fit volte-face et reprit sa course sans répondre.

Tandis que la roche tremblait à nouveau, Comète se tendit.

– Je n'aime pas ça, glissa-t-il à l'oreille de Destiny. Je n'y connais pas grand-chose en volcans… mais je suis sûr que c'est mauvais signe quand ils se mettent à faire ça.

– Pauvres Ailes de Nuit, murmura la dragonnette.

– Hum… tu veux dire, pauvres de nous, si on ne sort pas d'ici bientôt, corrigea Comète.

Ils débouchèrent soudain dans la grotte de la reine. Conquérante était assise au centre de son chaudron de lave bouillonnante, les fixant de ses yeux furieux qui reflétaient la lumière rouge environnante.

Comète étouffa un cri en apercevant un autre dragon dans un coin de la pièce : son père, Legénie. Le savant s'affairait, tentant d'articuler différentes pièces métalliques sur le sol. Comète se rappela les avoir vues dans son laboratoire. Assemblées, elles formaient une armure qui couvrait un dragon entier, avec un espace pour verser quelque chose entre les écailles et le métal.

« De la lave ! comprit-il soudain. Voilà comment Conquérante compte se rendre dans la forêt de Pluie. Legénie lui a construit un réservoir de lave portable. »

Son esprit scientifique étudia aussitôt le projet en détail.

« Mais comment maintenir la lave chaude ? Et ne risque-t-elle pas de faire fondre le métal ? »

Il se rendit alors compte que son père lui avait menti au sujet de la reine : il devait être l'un des rares dragons à connaître son secret et il l'aidait à le garder.

À leur entrée dans la pièce, Legénie leva les yeux et croisa le regard de son fils. Il parut surpris, mais il avait l'air distrait, comme s'il avait bien plus urgent à régler, et il retourna bien vite à son invention sans lui adresser un mot.

– Idiote ! grinça Conquérante en direction de sa fille.

Somptueuse baissa piteusement la tête, l'air moins royal que jamais.

– Préparatifs ? siffla la reine.

– Les troupes sont en train de se rassembler. Mais… mère, je ne peux pas les mener à la bataille toute seule.

On devrait reporter l'attaque. Si Legénie dit que ton armure n'est pas prête…

– Bientôt… ce soir…

– Je ne pense pas, objecta nerveusement le savant dans son dos.

Il lâcha une plaque incurvée qui tomba dans un fracas métallique assourdissant.

– Votre Majesté, je ne comprends pas pourquoi vous tenez absolument à les accompagner. Il me faut davantage de temps pour fignoler…

– Je dois… y aller…, gronda la reine. Peux pas… compter sur elle…, ajouta-t-elle en jetant un regard méprisant à sa fille.

– Tu as bien raison, répondit Somptueuse en tripotant ses diamants. Je ne sais même pas ce que tu veux que je fasse. Je venais donc te le demander quand…

– Elle est tombée sur moi, compléta Gloria.

Legénie poussa un cri lorsque, sous ses yeux effarés, les écailles scintillantes de la dragonne de pluie devinrent visibles, abandonnant le gris camouflage pour adopter un bleu roi veiné de doré. Elle était si majestueuse, en décalage complet avec ce décor enfumé et rougeoyant.

– Enfin, pour être exacte, tombée entre mes griffes, corrigea-t-elle.

Elle les agita dans les airs en fixant la reine Conquérante.

– Vous êtes ? rugit cette dernière.

– La reine Gloria des Ailes de Pluie. Je suis venue vous donner une chance de renoncer à votre plan avant que nous vous réduisions à néant.

La dragonne laissa échapper un gloussement qui lui fit visiblement mal à la gorge. Elle se figea, portant les pattes à son cou, puis plongea son corps entier dans la lave avant de refaire surface.

– Amusant, déclara-t-elle.

– Pas tellement, répliqua Gloria. Si vous n'avez pas apprécié l'attaque de l'Aile de Glace, attendez de recevoir une gouttelette de venin d'Aile de Pluie. J'ai bien peur que votre bain de lave ne fasse pas passer la douleur, ce coup-ci.

Des volutes de fumée s'échappèrent des naseaux de Conquérante tandis qu'elle contemplait Gloria.

– Oh, par les trois lunes, gémit Somptueuse, qui se tordait les griffes. Qu'est-ce que vous voulez, à la fin ?

– Pour commencer, récupérer nos prisonniers, répondit Gloria. Et ensuite, avoir l'assurance que vous ne mettrez plus jamais une patte dans la forêt de Pluie. Et que vous laisserez mon clan tranquille à jamais. Nous détruirons le tunnel reliant nos royaumes, vous abandonnerez vos grands projets d'invasion et on ne reverra plus une écaille d'Aile de Nuit dans les parages durant les douze prochaines générations.

Comète toussota avec insistance jusqu'à ce que Gloria lui lance un coup d'œil.

– Ah, oui… vous ne vous mêlerez plus de la prophétie et laisserez les dragonnets – vrais et faux – mettre fin à la guerre et sauver le monde comme ils l'entendent.

– Jamais, grinça Conquérante. Jamais.

– Jamais quoi ? demanda Gloria. Parce que vous n'avez pas vraiment d'autres solutions, là.

– J'en vois une…, fit la reine, te tuer.

Gloria montra les dents, menaçant la reine des Ailes de Nuit, lorsque Somptueuse intervint d'une voix suppliante :

– Écoutez, je vous en prie ! Vous nous condamnez à une mort certaine. Non seulement le volcan menace notre avenir, mais il nous tue à petit feu. Nous n'avons presque plus de proies à manger. Nous mourons de faim. Il y a de moins en moins d'œufs chaque année. Et nous ne ressemblons plus à des Ailes de Nuit. Vous ne le voyez donc pas ? Le clan est à l'agonie ! Il nous faut un nouveau territoire !

– Eh bien, ce n'est pas une raison pour prendre le nôtre, espèces de larves d'assassins bouffies d'orgueil !

– Et pourquoi pas ? s'étonna Legénie, réellement surpris.

– Parce que tout un clan y vit déjà.

Les écailles de Gloria se teintaient de plaques rouges ici et là – signe que sa colère montait –, mais elle les camoufla bien vite.

– Et si vous touchez à une griffe de mes Ailes de Pluie, vous le regretterez.

– Attendez ! intervint Comète.

Son cerveau tournait à plein régime. Une nouvelle idée venait de se faire jour dans son esprit, comme un parchemin qu'on déroule.

– Attendez... peut-être... peut-être qu'il y a moyen de trouver un compromis. Gloria, réfléchis un instant. La forêt est immense... les Ailes de Pluie le répètent sans arrêt. Et si on laissait les Ailes de Nuit s'y installer et bâtir leur propre village dans un coin... ? Si et seulement si ils acceptent de te reconnaître en tant que reine, bien sûr.

Il y eut un silence choqué.

– QUOI ? rugit Conquérante.

– Imagine un peu... un nouveau territoire paisible et accueillant pour les Ailes de Nuit... et, en échange, ils doivent juste renoncer à la violence et à la cruauté pour t'obéir. Je suis sûr que tu serais une aussi bonne reine pour les Ailes de Nuit que pour les Ailes de Pluie.

– Hum..., fit Gloria. Il y aurait une certaine ironie à devenir reine d'un clan qui m'a toujours considérée comme une fainéante et une bonne à rien.

– JAMAIS ! gronda Conquérante, mais prise d'une violente quinte de toux, elle dut s'interrompre durant une longue minute.

Comète sentit le sol trembler sous ses pattes encore plus fort, cette fois.

La reine Conquérante réussit à articuler une phrase entière de sa voix rauque :

– Jamais nous ne nous coucherons devant les Ailes de Pluie.

– Euh… En fait, ça m'a plutôt l'air d'un bon plan, mère, intervint Somptueuse, toute nerveuse.

Conquérante cracha un éclat de glace qui crépita en tombant dans la lave.

– Tu n'as jamais voulu être reine… Tu es une princesse pitoyable…

– Je sais, reconnut Somptueuse. C'est affreux d'être reine.

Conquérante laissa échapper un long sifflement. Comète distingua alors un autre bruit, une sorte de grondement lointain qui se rapprochait, de plus en plus puissant.

– Et que faites-vous de notre vraie reine ? demanda Legénie.

Comète plongea ses yeux dans les profondeurs bleues glacées de ceux de Conquérante.

– Je pense qu'elle sait parfaitement qu'elle ne pourra pas rejoindre la forêt de Pluie. Jamais vous n'arriverez à construire un engin permettant de la maintenir en vie jusque là-bas. Elle va mourir ici, écrasée par le volcan, ensevelie par la lave, avec son royaume. Et si elle veut que son clan survive, elle n'a pas d'autre choix que de le confier à la reine Gloria.

D'un battement de queue rageur, la reine Conquérante envoya une gerbe de lave aux alentours, manquant de peu leurs pattes.

– C'est moi, leur reine. Moi.

– Attends, Comète. Tu ne m'as pas demandé mon avis, objecta Gloria. Comment veux-tu qu'on fasse confiance aux Ailes de Nuit ? Ceux-là même qui ont enlevé et torturé des dragons de notre clan. Comment veux-tu qu'on leur pardonne ? Je ne peux pas les laisser s'installer si près de nous.

Elle secoua la tête.

– Je ne pense pas que ça puisse marcher.

Legénie pâlit en entendant les mots « enlevé et torturé ». Il détourna le regard, fixant l'armure qu'il tenait entre ses griffes.

– Si, ça peut marcher ! affirma Somptueuse, au désespoir. Donnez-nous une chance, je vous en prie ! Je vous promets que nous pouvons nous améliorer.

– Quelle honte ! râla Conquérante.

– Cela ne vous concerne plus, répliqua Comète.

Et il s'aperçut que sa voix ne tremblait même plus quand il s'adressait à la reine des Ailes de Nuit. Il avait raison, il le sentait, et ça l'aidait à surmonter sa peur.

– Vous êtes coincée ici. Nous négocions avec Somptueuse, dorénavant.

Il se tourna vers la princesse.

– Venez, allons discuter ailleurs.

– NON ! rugit la reine, furieuse. Vous n'avez pas le droit ! Je ne vous laisserai pas faire ça.

Elle agrippa les bords du chaudron de ses griffes

étincelantes et, sous les yeux horrifiés de Comète, s'extirpa de la lave. Elle se percha sur le rebord et ouvrit les ailes, dans une gerbe de gouttelettes orangées. Son énorme tête allait de l'un à l'autre, les fixant de ses yeux noirs. Elle était gigantesque, aussi grande que Loracle, et elle luisait, dégoulinante de lave – la lave qui recouvrait ses écailles, filtrait entre ses griffes, coulait le long de sa queue.

– Mère, arrêtez ! cria Somptueuse.

– Votre Majesté ! Vous ne pouvez pas sortir ! protesta Legénie. Attendez… mon armure…

Il tripotait frénétiquement les morceaux de métal éparpillés autour de lui.

– C'est *moi*… qui vais mettre mon clan à l'abri, siffla-t-elle.

Elle se posa lourdement sur le sol de pierre, mais le tremblement perdura trop longtemps pour être uniquement causé par son poids. C'était un tremblement de terre. « Très puissant », constata Comète en voyant des morceaux de roche se détacher des parois de la grotte.

– Il faut sortir d'ici au plus vite, Gloria !

La reine Conquérante fit un pas vers eux, puis se figea, portant la patte à son cou. Elle laissa échapper un sifflement rauque avant de faire un autre pas. Elle dardait frénétiquement sa langue, secouée de frissons. Quand elle leur jeta un regard, Comète vit que le bleu glacier se propageait rapidement autour de ses yeux.

– Mère ! gémit Somptueuse. Retournez dans la lave.

Elle tenta de l'agripper par le bout d'une aile tandis que, de l'autre côté, Legénie s'efforçait d'assembler son armure autour de ses pattes. Mais même si l'invention fonctionnait, Comète voyait bien qu'il était trop tard.

Avec un cri perçant, Conquérante repoussa sa fille et le savant pour se jeter sur Gloria. Celle-ci recula d'un pas si bien que la reine des Ailes de Nuit s'étala de tout son long par terre. Ses pattes tremblaient violemment ; ses ailes étaient secouées de spasmes ; sa queue s'agitait en tous sens. Son cou se couvrit d'une couche de givre blanc, qui se propagea rapidement à tout son corps.

La lave gouttait de plus en plus vite à mesure que la glace s'étendait sur son corps, remportant la bataille. Somptueuse se plaqua contre le mur en gémissant, aussi loin que possible de la reine à l'agonie. Comète aurait voulu détourner le regard mais, bizarrement, il en fut incapable. Il sentit Destiny enfouir son museau au creux de son épaule.

Ce fut le cou de la reine qui gela le premier, puis son torse, ses oreilles, ses ailes, son museau… son corps tout entier, du bout de la queue à la pointe des griffes. En un instant, Conquérante se retrouva prise dans l'étau de glace, la gueule béante, semblant figée dans un cri de fureur – mais trop tard, plus un son ne pouvait en sortir.

Somptueuse et Legénie toisèrent leur reine, les yeux écarquillés d'horreur et de stupeur.

Puis l'île entière fut ébranlée, comme si un dragon géant l'avait saisie entre ses griffes. Terrifié, Comète sentit son estomac se retourner.

Le volcan entrait en éruption.

CHAPITRE 26

– Il faut décamper *illico* ! décréta Comète en agrippant Gloria pour la tirer vers la porte.

Il poussa également Destiny devant lui et ils filèrent dans le tunnel.

– Attendez ! cria Somptueuse dans leur dos.

Destiny voulut s'arrêter, mais il la força à continuer. Il n'y avait plus de temps à perdre en négociations diplomatiques. Des pas résonnèrent derrière eux. Ils discuteraient avec la princesse plus tard, ailleurs… en tout cas, pas au beau milieu d'un volcan en éruption.

La carte s'accrocha dans les cornes de Comète et se déchira alors qu'il surgissait hors du passage secret. Il fonça droit devant, arrachant le plan de sa tête pour le coincer sous l'une de ses ailes, sans ralentir.

– Où sont les cachots ? le questionna Gloria.

– On n'a pas le temps ! hurla Comète.

Ne sentait-elle pas le sol trembler ? Une pluie de

cendres s'abattait sur eux. Des fissures fendillaient les parois de pierre de la forteresse, tels des éclairs.

– On ne peut pas abandonner Lassassin.

Gloria saisit Destiny par les épaules.

– Montre-moi le chemin, j'y vais toute seule. Comète, sors d'ici et évacue l'île.

Lassassin ? Comète ouvrit et referma aussitôt la bouche. Il n'avait pas compris que Gloria avait l'intention de sauver le tueur Aile de Nuit, ni que c'était assez important à ses yeux pour affronter une éruption volcanique.

« Mais elle a raison. Il a risqué sa vie pour nous. Pour elle. »

Destiny tendit la patte en direction des cachots et Gloria fila sans plus discuter.

« Je ne peux pas la laisser y aller toute seule ! »

Le cœur de Comète battait si fort qu'il menaçait de faire exploser sa poitrine. Il revit les squelettes pétrifiés de la salle du trésor ; les crânes sortant de la vague de lave qu'il avait vus avec Loracle. Il sentait la chaleur du volcan qui se propageait à travers les murs de la forteresse, déterminée à le faire frire.

Il n'avait qu'une seule envie : filer dans le tunnel pour retrouver le plus vite possible la fraîcheur de la forêt de Pluie.

Mais Gloria ne savait pas où elle allait ni ce qu'elle allait trouver là-bas.

Il tourna les talons et se retrouva face à Somptueuse qui se tordait encore nerveusement les pattes, l'air complètement dévastée.

– Où sont les clés des cachots ? cria-t-il.

– Les… les… euh… il y a un trousseau caché au fond d'une niche à braises dans l'escalier menant à la prison. Mais… qu'est-ce qu'on va faire pour le volcan ? Ça y est ? C'est la fin ? La grande éruption qui va tous nous tuer ?

« Oui. »

– Non, pas forcément, répondit Comète en s'efforçant de paraître moins paniqué qu'il ne l'était. Conduisez Destiny dans le grand hall et exposez les termes de notre accord aux Ailes de Nuit. S'ils acceptent de jurer loyauté à la reine Gloria, nous pourrons envisager de les accueillir dans la forêt de Pluie. Ceux qui sont d'accord, évacuez-les immédiatement par le tunnel. Ceux qui refusent, dites-leur de gagner le continent par la voie des airs. Il faut qu'ils s'éloignent avant l'éruption. La lave et la fumée risquent de contaminer une large région.

– Mais Gloria n'a pas encore dit oui, souligna Destiny.

– Je saurai la convaincre, promit-il solennellement. Allez, vite !

Il serra brièvement Destiny dans ses ailes, sentant ses écailles glisser contre les siennes, puis la relâcha et s'empressa de courir rejoindre Gloria.

Il la trouva à l'intersection suivante, hésitant sur le chemin à prendre, furibonde.

– Par ici ! dit-il.

Il lui passa devant et dévala les marches menant aux cachots.

Ils n'avaient pas le temps de discuter et, de toute façon, le grondement sourd du volcan couvrait toute tentative de conversation. Plus ils descendaient, plus la chaleur était intense, le vacarme assourdissant et les secousses puissantes.

« On va mourir là-dessous », pensa Comète avec une certitude soudaine.

Il s'arrêta devant chaque niche de l'escalier pour chercher à tâtons autour des braises, et se brûla les pattes plus d'une fois. Finalement, dans la dernière, il sentit un objet lourd et métallique pendu juste à côté de l'ouverture. Quand il tira dessus, les clés tombèrent au creux de sa paume.

Dans la prison, Splendeur tremblait comme une feuille au milieu de son cachot, la tête enfouie sous ses ailes.

– Ça va aller, annonça Comète à travers les barreaux, tout en essayant chaque clé l'une après l'autre dans la serrure. Nous voilà ! On vient vous sauver. On rentre dans la forêt de Pluie.

Splendeur releva la tête, clignant des yeux. Ses écailles étaient vert acide de peur, elle paraissait hagarde.

Jetant un coup d'œil par-dessus son épaule, Comète

s'aperçut que Gloria avait poursuivi son chemin. Elle était devant la cellule de Lassassin, cramponnée aux barreaux. L'Aile de Nuit passa une patte dans l'interstice et la posa sur la sienne. Ils échangèrent un regard qui voulait dire merci et beaucoup plus.

Le verrou finit par cliqueter et la grille s'ouvrit devant Comète. Splendeur s'approcha en titubant.

– Attendez-moi là, ordonna-t-il avant de filer à la cellule de Lassassin.

– Mais pourquoi on ne part pas tout de suite ? gémit l'ancienne reine.

Gloria prit les clés des pattes de Comète et recommença l'opération pour trouver celle qui ouvrirait la porte de Lassassin. Difficile de dire si ses pattes tremblaient de nervosité ou si c'était simplement parce que toute la montagne était maintenant ébranlée sans discontinuer.

– Tu n'es pas obligée de faire ça, affirma Lassassin en regardant Gloria dans les yeux.

– Ah bon ? Vraiment ? fit-elle sans relever la tête, concentrée sur les clés. D'accord, ça va me faire gagner du temps. Bonne chance avec le volcan, alors.

Comète suivit des yeux les fissures qui se propageaient au plafond. Il repéra alors un symbole au-dessus du cachot de Lassassin. Un symbole qu'il avait vu sur l'une des clés.

– On va essayer celle-là, fit-il en prenant la clé en

question des mains de Gloria pour l'enfoncer dans la serrure.

Il tourna… et la grille s'ouvrit.

Lassassin tira sur ses chaînes tandis que les deux dragonnets se ruaient dans la cellule. Splendeur les suivit, agitant frénétiquement les ailes dans un tourbillon vert.

– Il y a quelque chose qui se diffuse dans les murs ! cria-t-elle. On va tous mourir.

Comète se tourna vers le couloir de la prison et vit la lave luire dans les fissures des parois.

– Elle a raison, confirma-t-il à voix basse.

– Allez-y, tous les deux, ordonna Gloria en s'attelant à déverrouiller les chaînes de Lassassin. On vous suit.

– Allons-y ! Vite, vite ! braillait Splendeur.

– Une minute, fit Comète.

Il retint son souffle tandis que Gloria essayait les clés une à une.

– On n'a pas une minute ! sanglota Splendeur. Ça va exploser, y aura de la lave partout, on sera tout fondus et tout morts !

Un grondement féroce lui répondit, accompagné d'une violente secousse qui leur fit perdre l'équilibre. Gloria se releva tant bien que mal afin de glisser la toute dernière clé dans le cadenas.

– C'est bon ! s'écria-t-elle quand les chaînes tombèrent enfin dans un fracas métallique. Viens !

Elle prit Lassassin par la patte pour l'aider à se mettre

debout. Ils se ruèrent dans le couloir, Comète et Splendeur sur les talons.

La montagne tremblait si fort que les secousses les gênaient dans leur course. Comète n'arrêtait pas de se cogner dans les murs ou dans les autres. Il gardait les yeux rivés sur l'escalier, droit devant lui.

– Attention à vos pattes ! prévint Lassassin.

Des braises échappées de leur niche d'éclairage étaient éparpillées sur les marches. Gloria en balaya plusieurs d'un coup de queue, serrant les dents à leur contact brûlant.

Ils montèrent l'escalier quatre à quatre, les ailes au-dessus de la tête pour se protéger des pierres qui tombaient du plafond. Comète marcha sur un charbon ardent et ravala un hurlement de douleur. Cet escalier n'en finissait pas, il avait l'impression d'avoir claudiqué pendant une éternité sur les marches de pierre quand ils débouchèrent soudain à l'étage du dessus.

– Par ici !

Lassassin traversa le hall en courant pour s'engouffrer dans un couloir que Comète n'avait pas repéré auparavant.

Un craquement sinistre leur parvint de la salle du conseil. Comète crut entendre un dragon hurler. Il poussa Splendeur devant lui. Même Gloria était verte, maintenant. La terreur les submergeait, les deux Ailes de Pluie étaient incapables de maîtriser la couleur de leurs écailles. Ils suivirent Lassassin dans le dédale de couloirs de la forteresse… et finirent par apercevoir le ciel tout au bout. Ou plutôt l'épais nuage de cendres et de fumée qui entourait dorénavant le volcan.

– Essayez de ne pas respirer, conseilla Gloria à Splendeur, on n'est pas très loin du tunnel.

Comète s'élança dans le vide, battant furieusement des ailes dans l'air enfumé. Il distinguait la rivière de lave qui serpentait en contrebas, de plus en plus large, de plus en plus puissante. Il aperçut également une foule grandissante de dragons noirs sur la plage, dont certains s'affrontaient à coups de dents et de griffes.

– Il faut qu'on les emmène dans la forêt de Pluie, lança-t-il à Gloria entre deux quintes de toux. Ou sinon le clan des Ailes de Nuit risque d'être rayé de la carte en même temps que cette île.

– Ce serait bien fait pour eux, répliqua-t-elle, mais il comprit à son expression qu'elle ne laisserait pas pareil drame arriver.

Des blocs de pierre incandescents jaillissaient du volcan en sifflant avant de retomber au sol comme des bombes. L'un d'eux frôla l'aile de Comète de si près qu'il sentit sa chaleur lui roussir les écailles.

Gloria pivota dans les airs afin de scruter les grottes-prisons, au-dessous d'elle.

– J'espère que tous mes Ailes de Pluie s'en sont sortis sains et saufs.

Comète prit alors une décision qui l'étonna lui-même, mais les mots avaient quitté sa bouche avant qu'il puisse les ravaler.

– File à la forêt de Pluie t'assurer que tout se passe bien et préparer ton clan pour la suite, dit-il. Je vais rassembler les Ailes de Nuit afin de les évacuer par le tunnel.

Elle lui lança un regard surpris, mais ne discuta pas.

– On vous attend avec nos lances, nos crocs et nos fléchettes, répliqua-t-elle. Venez, tous les deux.

Elle adressa un signe de la queue à Lassassin et Splendeur qui se ruèrent à sa suite. Comète les vit plonger vers la grotte, où deux flashes d'un vert scintillant apparurent, lorsque deux Ailes de Pluie à demi camouflés s'écartèrent pour les laisser passer.

Comète distingua alors l'éclat de lances flottant dans les airs, juste devant l'entrée, et comprit, la gorge serrée, que les dragons de pluie n'avaient permis à aucun Aile de Nuit de pénétrer à l'intérieur. Il avait confié à Destiny et à Somptueuse la mission de les prévenir, mais les Ailes de Pluie ne les connaissaient pas – ils avaient à peine croisé Destiny – et ils n'avaient aucune raison de leur faire confiance.

En revanche, lui, ils l'écouteraient. S'il réussissait à convaincre son clan de reconnaître Gloria comme reine… s'il pouvait les conduire jusqu'à la forêt de Pluie…

Mais s'il n'y arrivait pas…

Il y avait tant de choses qui pouvaient mal tourner. Les Ailes de Pluie risquaient de paniquer et d'attaquer les Ailes de Nuit à la sortie du tunnel, même si Gloria était là. Ou bien, les Ailes de Nuit pouvaient mentir afin de sauver leurs écailles et attaquer les Ailes de Pluie une fois arrivés dans la forêt.

Le volcan pouvait aussi tous les tuer avant qu'ils aient le temps d'aller où que ce soit.

Une nouvelle explosion fit pleuvoir des éclats de pierre tout autour de lui. Comète se raidit en sentant qu'ils lui égratignaient les flancs.

« Ce n'est plus le moment de se poser des questions, pensa-t-il en repliant les ailes pour descendre en piqué vers la plage. Maintenant, on s'en sort tous ensemble… ou on meurt. »

CHAPITRE 27

Visiblement, le clan tout entier s'était rassemblé sur la plage. Comète volait en larges cercles, scrutant la foule, quand il aperçut Somptueuse et Destiny perchées sur un rocher, qui agitaient les ailes, tentant vainement d'obtenir l'attention de tous les dragons.

– Ils ne nous laisseront jamais passer ! protesta un Aile de Nuit aux flancs striés de griffures. Il faut conquérir la forêt de Pluie par la force !

– On ne peut pas se battre contre eux, rétorqua un autre. Ils ont infiltré l'île en secret, neutralisé tous nos gardes et se sont échappés avec les prisonniers sans même qu'on s'aperçoive de leur présence. On aura à peine mis une patte dans le tunnel qu'ils nous auront déjà tués.

Le volcan cracha une nouvelle gerbe de pierres incandescentes dans les airs. La plupart des dragons noirs se jetèrent à terre en hurlant de peur.

– Écoutez-moi ! s'écria Comète, en voletant sur place au-dessus de Somptueuse. Il y a un moyen de s'en sortir en toute sécurité. Je vous promets que les Ailes de Pluie se montreront cléments si vous reconnaissez Gloria comme votre reine.

– Comment une Aile de Pluie pourrait-elle diriger notre clan ? demanda une voix que Comète reconnut comme celle de sa sœur.

Mordante déploya ses ailes en agitant une patte dans sa direction.

– Toujours mieux que la reine Conquérante en tout cas, répondit Comète, vu qu'elle est morte.

Un silence choqué se fit dans le clan. Tous le fixaient, incrédules. Comète repéra Legénie qui se dandinait dans la foule, affolé, des rouleaux de parchemin plein les pattes. Puis il vit Loracle, dans le fond, qui le toisait d'un œil noir. Son expression le fit frissonner du bout des ailes à la pointe de la queue.

– Mais Somptueuse…, objecta l'un des Ailes de Nuit sans grande conviction.

– J'approuve ce plan, affirma la princesse. C'est la seule solution pour sauver notre clan.

– Gloria veillera sur vous tous, promit Comète avec fermeté. Elle sera une reine juste et loyale, et vous serez en sécurité dans la forêt de Pluie au lieu d'être coincés ici.

La fumée était tellement dense qu'il distinguait à peine

le premier rang de dragons qui se tenaient devant lui. Une fine couche de cendre grise recouvrait leurs écailles et s'infiltrait entre leurs griffes.

Le volcan laissa échapper un grondement monstrueux.

– Je suis pour ! annonça Lagriffe, qui était sur le devant de la foule. Ce sera toujours mieux que ça.

– Mais comment être sûrs qu'ils ne vont pas tous nous tuer ? demanda un autre dragon.

– Je lui fais confiance, affirma Somptueuse.

– Et ce qui risque de vraiment tous vous tuer, c'est ça, renchérit Destiny en tendant la patte. Le volcan. Alors allons-y ! Partons loin d'ici ! Vive la reine Gloria !

Et elle s'éleva dans les airs, prenant la direction du tunnel.

– Vive la reine Gloria ! répéta Lagriffe en décollant à son tour.

– Vive la reine Gloria ! cria un autre Aile de Nuit puis un autre et encore un autre.

Comète aurait aimé que Gloria les entende. C'était sans doute la chose la plus incroyable qui lui était arrivée : un clan qui s'était toujours considéré comme supérieur s'inclinait maintenant devant elle – elle qu'ils traitaient autrefois de moins que rien.

Il fila en avant et découvrit que les gardes Ailes de Pluie avaient quitté le parapet rocheux. À la place, à l'entrée de la grotte, se tenaient Argil, Tsunami et Sunny. Son cœur se gonfla de joie lorsqu'il les vit.

– J'espère que tu sais ce que tu fais, lui dit Tsunami quand il se posa près d'elle. C'est un très mauvais plan, on ne peut pas se fier aux Ailes de Nuit.

– Moi, je trouve que c'est une excellente idée ! affirma Sunny avec enthousiasme. La meilleure idée du monde !

Comète ne s'était même pas demandé ce que la dragonnette penserait de son plan, pour une fois. Il lui adressa un sourire timide, ravi d'avoir sans le vouloir fait quelque chose qu'elle approuvait.

– On ferait mieux de se dépêcher, conseilla Argil en jetant un coup d'œil vers le volcan qui crachait des étincelles orange vif dans le ciel. Vite !

Il tendit la patte aux Ailes de Nuit qui approchaient.

Lagriffe fut le premier à atterrir sur le parapet.

– Vive la reine Gloria ! s'écria-t-il avant de s'engouffrer dans la grotte.

Comète le suivit de loin, le vit se hisser dans le trou, puis s'enfoncer dans le tunnel.

Somptueuse venait juste après, tout aussi pressée. Elle s'arrêta un bref instant au niveau de Comète, pour jeter un dernier regard anxieux vers le volcan en furie.

– Je suis tellement heureuse de ne pas avoir à devenir reine, lui confia-t-elle, puis elle fila.

« Elle prend la fuite avant tout le monde, nota Comète, au lieu d'attendre pour s'assurer que son clan entier a bien été évacué. Les Ailes de Nuit devraient s'estimer heureux qu'elle ne soit jamais leur reine. »

Il recula pour laisser passer un flot de dragons noirs. Certains criaient :

– Vive notre nouvelle reine !

Et d'autres :

– Hourra pour Gloria !

– C'est quand même pas normal, murmura l'un d'eux.

– Pense qu'on pourra enfin manger à notre faim, répliqua celui qui l'accompagnait.

– Et cette odeur… ! renchérit un autre. Tu es déjà allé dans la forêt de Pluie ? C'est fou… comme si l'air était chargé d'eau et de lumière !

– Tu vas pouvoir goûter à la noix de coco, promit un dragon à son voisin.

– De vrais arbres ! murmuraient les rares dragonnets qui passaient. Du soleil ! Des mangues tous les jours !

Comète remonta la file de dragons noirs pour rejoindre ses amis à l'entrée de la grotte. D'énormes nuages noirs obscurcissaient le ciel et les cendres tombaient dru, tels des flocons de neige gris. Une nouvelle coulée de lave dévalait le flanc du volcan. Les secousses se succédaient maintenant sans interruption, de plus en plus fortes, comme si un dragon géant venu de l'océan avançait à pas lourds vers eux.

– On leur demande à tous de dire « vive la reine Gloria » au passage, l'informa Tsunami en retenant un Aile de Nuit par la queue. Hé, toi ! J'ai pas bien entendu !

– Vive la reine Gloria, grommela-t-il.

Comète reconnut Fortaile, l'assistant de son père.

– Essaie encore, avec un peu plus de conviction, insista Tsunami. Ou, sinon, tu peux aller en discuter avec M. Le Volcan, là-bas, si ça ne te plaît pas.

Le volcan gronda obligeamment.

– Vive la reine Gloria ! brailla Fortaile.

– Voilà qui est mieux, commenta l'Aile de Mer en le laissant passer.

Comète fut surpris de voir un dragon marron approcher, au milieu de toutes ces écailles noires. Un instant, il crut qu'il s'agissait d'Argil, sauf que celui-ci se tenait à ses côtés. Puis, avec un pincement de culpabilité, il se rappela l'existence de Tourbe, qui était parti chasser le matin même – il y avait une éternité, semblait-il.

« Je l'aurais laissé ici, je l'avais complètement oublié. »

– Tiens, salut ! fit le dragonnet de boue en se posant près de lui. Euh… Je ne suis pas sûr d'avoir bien compris ce qui se passe… mais on dirait que tout le monde part en urgence, non ? Et il paraît qu'il y a plein de bananes par là-bas, c'est ça ?

– Suis les autres dans le tunnel, lui recommanda Comète. On t'expliquera tout plus tard.

– D'accord, pas de problème, fit Tourbe avant de s'engouffrer dans la grotte à son tour.

– Comète, ce dragon demande à te parler, annonça Argil en le tirant par la patte.

– Oh ! s'écria Comète en levant les yeux. Argil, je te présente Legénie… mon… mon père.

Le dragon noir chétif, chargé d'une brassée de parchemins, se tordait anxieusement les griffes. Il voulut prendre la patte de Comète, fit tomber quelques rouleaux et les ramassa en avouant, tout contrarié :

– J'ai réalisé que, pour cause de circonstances défavorables, nos nouveaux hôtes risquaient de… eh bien… me détester, n'est-ce pas ? Qu'est-ce que tu en dis, fiston ? Tu crois qu'ils vont me laisser vivre parmi eux ? Après tout ce que je leur ai fait ? Je crains bien qu'ils… aient quelques griefs contre moi…

Comète sentait bien que son père avait envie d'être rassuré, sauf qu'il ne voulait pas lui mentir pour le réconforter.

– Oui, ils doivent te haïr, confirma-t-il. Et c'est bien normal, non ?

– Mais…, se défendit Legénie en tordant un parchemin entre ses pattes, mais… c'était pour la science… j'avais des ordres… et…

– Ne te cherche pas d'excuses, répliqua Comète. Voilà ce que je te conseille : quand tu arriveras là-bas, va demander pardon à la reine et accepte sa punition, quelle qu'elle soit.

– Ou sinon, allez trouver refuge ailleurs, intervint Tsunami. Vous pouvez toujours tenter la voie des airs, suggéra-t-elle en désignant la mer du menton.

Legénie agita la queue, paniqué, en suivant du regard les Ailes de Nuit qui s'engouffraient dans la grotte, de plus en plus pressés à mesure que le volcan se déchaînait.

– J'irai demander pardon, promit-il en prenant une profonde inspiration. À notre nouvelle reine, ajouta-t-il.

– Très bien, alors allez-y, fit Tsunami qui s'écarta de son passage.

– Tiens, prends ça, fit Comète en lui tendant la carte indiquant les repaires de charognards, qu'il avait gardée sous son aile.

Il la glissa dans les pattes de son père entre les rouleaux de parchemin. Legénie fila dans le tunnel en les serrant contre sa poitrine.

– Exactement comme toi quand on s'est évadés de la grotte sous la montagne, fit remarquer Sunny en lui donnant un petit coup de coude. Tu te souviens, tu voulais emporter tous les parchemins !

– J'espère qu'on n'a que ça en commun, marmonna Comète avec un battement de queue.

– Laisse-lui une chance, lui conseilla Sunny.

Ce devait bien être la seule dragonne de tout Pyrrhia qui pouvait envisager de pardonner à Legénie les horreurs qu'il avait commises.

– Hé, les gars ! fit Tsunami. Regardez qui est notre dernier Aile de Nuit.

Comète se retourna, même s'il connaissait déjà la réponse.

Les quelques dragons noirs restants passèrent en toute hâte, s'empressant de crier : « Vive la nouvelle reine ! Vive Gloria ! » Puis il ne resta plus sur le parapet rocheux que les quatre dragonnets, face à Loracle.

Il se dressait devant eux, terrifiant, menaçant et furieux, comme lors de leur première rencontre dans la grotte sous la montagne, quelques semaines plus tôt seulement.

Comète se remémora ce qu'il lui avait dit lors de leur « petite conversation en privé » : « Les Ailes de Nuit sont supérieurs à tous les autres clans de dragons. Pour être respecté en tant que chef, conduis-toi comme un chef. Ne laisse personne voir tes faiblesses. Tu ne dois avoir aucune faiblesse. »

Toute sa vie, Comète avait toujours eu l'impression de n'avoir que des faiblesses... mais, après ce qu'il avait accompli aujourd'hui, il commençait à se dire qu'il n'était peut-être pas si nul que ça – avec ou sans super pouvoirs.

– Ça ne marchera jamais ! gronda Loracle. Les Ailes de Nuit ne s'inclineront jamais devant une dragonne d'un autre clan, et encore moins devant une Aile de Pluie. Dès que nous serons en sécurité, nous nous retournerons contre vous.

– D'accord. Alors vous restez ici, cracha Tsunami en désignant le paysage couvert de cendres. Et vous mourrez. Ça ne me dérange pas.

– C'est nous qui vous avons faits ! rugit le grand dragon noir. Les Dragonnets du Destin, c'est notre invention, nous pouvons vous détruire aussi facilement que nous vous avons créés.

– Non, impossible, rétorqua Sunny. Nous avons une prophétie à accomplir et vous ne pouvez rien faire pour l'empêcher de se réaliser.

Loracle fut secoué d'un rire rauque, plus proche de l'aboiement.

– L'empêcher ? Au contraire, cela fait près de dix ans que je fais tout pour qu'elle se réalise.

– Les prophéties, ça ne fonctionne pas comme ça, persista Sunny. On ne peut pas les orienter selon son bon vouloir. Ce qui doit arriver arrivera, c'est justement la définition d'une prophétie.

Le volcan cracha un jet de lave dans les airs et le sol trembla si fort que les dragonnets durent se cramponner aux parois de pierre pour ne pas tomber.

– Bien au contraire, c'est ma prophétie, et j'en fais ce que je veux, répliqua Loracle d'une voix sirupeuse, puisque c'est moi qui l'ai inventée de toutes pièces.

CHAPITRE 28

La terre tremblait sans s'arrêter. Une secousse sismique continue qui faisait claquer les dents de Comète et lui donnait l'impression que le parapet rocheux allait céder sous leurs pattes. Le volcan gronda à nouveau, crachant une seconde rivière de lave qui dégoulina le long de sa pente escarpée.

La silhouette de Loracle se découpait sur ce fond orangé, qui faisait ressortir la cruauté de ses traits.

– Quoi ? s'emporta Tsunami. Qu'est-ce que vous venez de dire ?

« La prophétie n'est qu'une invention. »

Les mots résonnaient dans la tête de Comète, sans toutefois pénétrer dans son cerveau. Il ne parvenait pas à leur donner sens.

« La prophétie des dragonnets, c'est du vent. »

– C'est pas vrai ! protesta Sunny. Vous dites juste ça pour nous énerver.

Le volcan rugit comme vingt dragons à qui l'on aurait marché sur la queue.

– Oh que si, c'est la stricte vérité, confirma Loracle. La reine Conquérante et moi, nous l'avons rédigée après la dernière éruption, qui avait détruit une partie de la forteresse. Nous étions conscients qu'il nous faudrait bientôt un nouveau territoire. Nous avons donc échafaudé ce plan, inventé cette histoire de prophétie pour l'obtenir.

– Mais comment… ? fit Comète en se remémorant le texte prophétique. Quel est le rapport entre la prophétie et l'endroit où vivent les Ailes de Nuit ?

– L'idée de base était de manipuler les dragonnets, en y glissant un Aile de Nuit qui, naturellement, deviendrait le chef de bande, expliqua Loracle. Le premier obstacle que nous avons rencontré fut ton échec cuisant dans cette fonction. Nous aurions ensuite choisi une reine des Ailes de Sable, et nous aurions pris part à la guerre, notre nombre lui assurant la victoire.

– Et en échange, votre alliée – quelle qu'elle soit – vous aurait aidés à conquérir la forêt de Pluie, compléta Comète. Tout pour arranger vos affaires, mais subtilement, de manière à ce que personne ne le remarque. L'obscurité censée faire place à la lumière, c'est les Ailes de Nuit !

– Exactement, c'est le point le plus important de la prophétie, mais il fallait être discrets, expliqua Loracle.

Dans son dos, une énorme colonne de fumée noire s'élevait du volcan.

– Le reste... que du bla-bla et des belles phrases !

– Non ! cria Sunny d'une voix forte qui fit sursauter ses amis. La prophétie est bien réelle. Nous sommes là pour mettre fin aux combats... faire cesser la guerre et sauver le monde !

– J'ai bien peur que non, la détrompa Loracle d'un ton cruel. Vous n'êtes que des dragonnets ordinaires.

– Bah, ça alors, souffla Argil. Pas étonnant que je me sois toujours senti ordinaire.

– Mais non, tu n'es pas ordinaire ! insista Sunny d'une voix chargée de larmes.

Comète ne l'avait jamais vue aussi bouleversée. Il fit un pas vers elle, l'effleura du bout de l'aile, mais elle le repoussa.

– Il y avait bien un œuf d'Aile de Boue rouge sang ! Et le mien, il était tout seul au milieu du désert, non ?

– Nous nous sommes basés sur nos observations scientifiques au sujet des œufs rouge sang. C'est toujours très efficace de glisser une vérité scientifique dans une prophétie, ça impressionne ceux qui sont moins savants. Quant à l'œuf d'Aile de Sable, nous avions prévu d'aller l'enterrer là-bas mais, par une étrange coïncidence, le tien s'y trouvait déjà.

– Ce n'était pas une coïncidence, hoqueta Sunny. C'était le destin.

– Franchement, vous êtes pire que tout, conclut Tsunami en fixant Loracle. Mais, Sunny, pense à ce que ça signifie pour nous... On peut vivre notre vie. On n'est plus obligés de suivre un destin préétabli. On est libres !

– Mais je veux arrêter la guerre ! protesta Sunny. Il y a tant de dragons, à travers tout Pyrrhia, qui croient en la prophétie. Qui croient en nous ! Si on abandonne, qui les sauvera ?

– Personne, répondit Loracle. C'est inutile... Les Ailes de Nuit sont déjà dans la forêt de Pluie, nous n'avons plus aucune raison de participer à la guerre. Elle va continuer indéfiniment, des dizaines de dragons trouveront la mort pour rien, tous les jours, durant des générations. Et ils se demanderont ce que sont devenus les fameux dragonnets qui devaient les sauver... mais qui ont visiblement échoué !

Sunny laissa échapper un sanglot outré, puis tourna les talons, écarta Comète de son passage et s'engouffra dans le tunnel, filant vers la forêt de Pluie.

Loracle fit un pas pour la suivre, mais Comète se dressa en travers de son chemin.

– Vous ne pouvez pas venir dans la forêt de Pluie avec nous, déclara-t-il d'une voix aussi tremblante que la roche sous ses griffes.

Argil et Tsunami encadrèrent leur ami, les pattes croisées sur la poitrine.

– Il a raison, fit l'Aile de Mer, même si vous faisiez

semblant de prêter allégeance à Gloria, nous saurions que vous mentez. Maintenant, nous n'avons plus la moindre confiance en vous.

– Partez ! enchaîna Argil. Survolez la mer, vite. Peut-être parviendrez-vous à rejoindre le continent avant que le volcan n'explose pour de bon.

– Ou pas… et on s'en moque, précisa Tsunami.

Loracle répliqua, incrédule :

– Et qui va m'en empêcher ? Vous trois ?

– Oui, affirma Comète.

– Et moi ! ajouta Destiny en surgissant dans son dos.

Il sentit sa queue effleurer la sienne au passage.

L'immense Aile de Nuit laissa échapper un gloussement méprisant, comme si tout cela l'amusait au plus haut point.

– Voilà tous les dragonnets que je voulais éliminer réunis devant moi. Ça va me faciliter la tâche.

Il ouvrit la gueule pour cracher un jet de flammes puissant.

Et c'est à cet instant précis que le volcan explosa.

C'était incroyable. Inimaginable. Comme si la terre se retournait, renversait la montagne, propulsant un énorme nuage de fumée enflammée dans les airs, qui s'éleva à la hauteur d'une centaine de dragons, puis retomba, recouvrant l'île de pierres, de cendres, de feu, de mort.

– Vite ! cria Comète en poussant Destiny devant lui.

Il s'engouffra dans la grotte, Tsunami sur les talons et Argil juste derrière elle. Les pas lourds de Loracle résonnèrent dans leur dos, mais ils n'avaient pas le temps de s'occuper de lui.

Destiny sauta dans le trou la première. Comète se retourna pour agripper Tsunami et la pousser devant lui.

Ce faisant, il se retrouva face à l'entrée de la grotte et vit une boule de feu foncer droit sur eux, éclairant les parois de sa lueur orange. La silhouette sombre de Loracle se découpa un instant sur ce fond incendiaire puis, soudain, le grand Aile de Nuit disparut, englouti par l'explosion volcanique.

Une seconde plus tard, Comète sentit une chaleur insoutenable lui brûler les écailles comme s'il était tombé dans la lave. Une douleur atroce lui poignarda les deux yeux et il ferma les paupières en hurlant de douleur.

Puis il sentit des ailes l'envelopper, et il comprit qu'il s'agissait d'Argil. Argil et ses écailles à l'épreuve du feu.

L'Aile de Boue le souleva en le protégeant de tout son corps et se rua dans le tunnel.

« Est-ce que le feu va nous suivre ? se demanda Comète dans un brouillard. Comment fonctionne cette magie animus ? Va-t-on se retrouver sains et saufs dans la forêt de Pluie ou le feu va-t-il se propager jusque là-bas... ? »

Des gouttes de pluie martelèrent ses écailles avec un

léger grésillement. Il sentit qu'on le tirait hors du tunnel pour le poser sur la mousse humide. On lui appliquait des feuilles fraîches sur la peau. Il entendait murmurer des centaines de dragons, couvrant les bruits habituels de la forêt – le gazouillis des paresseux, le bourdonnement des insectes, le chant nocturne des grenouilles. Quelqu'un prit ses pattes dans les siennes et il crut reconnaître Sunny. La chaleur de ses écailles qu'il aurait reconnue entre toutes, même les yeux fermés (ou aveugles ?). Elle se blottit tout contre lui en murmurant… – mais pourquoi était-ce la voix de Destiny ?

– Comète, tu as été tellement courageux…

Puis la chaleur disparut si subitement qu'il se demanda s'il l'avait imaginée. Une souffrance intense se diffusa dans tout son corps, il ouvrit la gueule pour hurler de douleur…

… quand il sentit qu'on lui piquait le cou. Il eut juste le temps de penser : « Une fléchette tranquillisante, quelle bonne idée ! », puis tout, tout – la douleur, l'angoisse, Sunny, Destiny, la vérité sur la prophétie, l'horreur de l'éruption – tout se fondit dans le lointain et Comète sombra dans une obscurité aussi noire que ses écailles d'Aile de Nuit.

ÉPILOGUE

La neige tombait, épaisse et drue. Les flocons, portés par un vent glacial, tourbillonnaient avant de se poser sur le sol gelé.

Une Aile de Sable était tapie contre la muraille de sa forteresse, emmitouflée dans une couverture, essayant de se réchauffer en crachant du feu.

– S-s-s'il vous plaît, on ne p-p-pourrait pas rentrer à l'intérieur ? demanda-t-elle à la grande dragonne blanche qui se tenait à ses côtés.

– Non, répondit la reine Glaciale. Tant que nous n'avons pas pris notre décision, personne ne doit être au courant de ces informations.

Ses yeux d'un bleu polaire fixèrent les gardes Ailes de Glace postés hors de portée de voix, scrutant le ciel, à l'affût de la moindre menace. Le givre faisait scintiller ses ailes et ses cornes. Les piques qui hérissaient sa queue étaient aussi pointues et froides que des stalagmites de glace.

Flamme soupira.

– Vous voulez dire tant que *vous* n'avez pas pris votre décision.

– Vos suggestions sont toujours les bienvenues, répondit Glaciale d'un ton posé.

Elle savait qu'il n'y avait aucun risque que l'Aile de Sable s'oppose à la reine des Ailes de Glace.

– J'ai mal au cou !

Flamme piétina en portant la patte à son pansement.

– Ouille ! Vous croyez que je vais avoir une cicatrice ? Oh, je serai dégoûtée si j'ai une marque !

– Vous êtes sûre de ce que vous avez entendu ? la questionna Glaciale. Les Ailes de Nuit ont décidé de soutenir Fièvre et ils veulent forcer les dragonnets à la choisir également ?

– C'est ce qui m'a semblé, confirma Flamme. Mais le plus grave, c'est que cet Aile de Nuit a tenté de me tuer ! Vous allez me venger, n'est-ce pas ?

– Nous les tuerons tous, s'il le faut, répondit Glaciale. Je n'ai rien contre l'idée d'éliminer les Ailes de Nuit. Mais nous devons d'abord discuter de ce que nous faisons des dragonnets de la prophétie.

– Ils ont l'air gentils, affirma Flamme en frottant ses pattes l'une contre l'autre pour les réchauffer. Certains ont une allure un peu bizarre. Et je ne comprends toujours pas ce que cette Aile de Pluie fabrique avec eux. En plus, elle est un peu trop jolie. Je pense qu'il vaut mieux être juste assez jolie, vous ne croyez pas ? Trop jolie, c'est agaçant.

– Tout à fait, acquiesça Glaciale qui l'écoutait à peine. Nous ne voudrions pas qu'ils claironnent partout qu'ils ont choisi Fièvre. Ce serait extrêmement démoralisant pour nos dragons.

– Mais ils ne peuvent pas la choisir, maintenant qu'ils m'ont rencontrée, impossible ! s'écria Flamme. Ils savent dorénavant que je suis merveilleuse et que je ferai une reine fantastique, ils vont me choisir, c'est sûr !

– Mmm, fit Glaciale sans trop s'engager.

Elle n'avait pas la même foi en son pouvoir de persuasion ni en son charme fou que Flamme elle-même. Leur alliance était pour sa part moins liée à son potentiel en tant que future reine qu'au territoire qu'elle avait promis aux Ailes de Glace.

– Bien, juste au cas où ils pencheraient dans la mauvaise direction, je pense qu'il faudrait essayer de les retrouver. J'aimerais avoir une petite conversation avec eux.

– Comme vous voudrez, fit Flamme en frissonnant violemment. Je vais vous les décrire en détail et vous répéter tout ce qu'ils ont dit. Mais je vous en supplie, on peut faire ça à l'intérieur ?

Glaciale hocha la tête d'un air pensif tandis que Flamme se jetait sur la porte.

La reine des Ailes de Glace était très douée pour

assembler les indices et résoudre les énigmes. Elle retrouverait facilement ces dragonnets. Et elle discuterait avec eux pour voir dans quelle direction se portait leur choix.

Mais bien sûr, si ce n'était pas la bonne… bah, quelques dragonnets de moins, ici ou là, se remarqueraient à peine dans ce monde en guerre.

Une silhouette sinueuse faisait les cent pas dans la pénombre en sifflant doucement.

Au pied du rocher où elle était perchée, dans une vallée cachée, des flammes dansaient derrière les fenêtres, pour la plupart dissimulées par des rideaux noirs.

Fièvre plissa les yeux, scrutant le repaire des charognards. Pourquoi Loracle se figurait-il qu'elle s'intéressait à ce trou à rats, grouillant de créatures couinantes à deux pattes ? Elle n'avait pas faim. Elle n'avait même pas franchement envie de brûler leurs misérables huttes. Elle était trop en colère.

Distinguant un bruissement d'ailes porté par le vent, elle fit volte-face, queue dressée, en posture d'attaque.

Mais ce n'était pas un ennemi. Ni Loracle, d'ailleurs. C'était ce poltron de chef des Serres de la Paix, l'Aile de Mer. Et il était accompagné. Elle scruta les deux dragons tandis qu'ils se posaient près d'elle.

– Veuillez excuser mon irruption, reine Fièvre, fit Nautilus en s'inclinant.

– Où est Loracle ?

– J-je l'ignore, bafouilla-t-il. Je pensais qu'il serait arrivé. Je ne l'ai pas revu depuis qu'il est venu prendre les dragonnets de rechange chez nous. Mais je savais qu'il avait rendez-vous avec vous ici ce soir et je voulais lui parler.

– Eh bien, il n'est pas là, cracha-t-elle. Qui est-ce ?

Nautilus poussa devant lui un dragonnet, le couvant d'une aile protectrice. Il s'agissait d'un autre Aile de Mer, chétif, vert et tout tremblant.

– Mon fils, répondit Nautilus, en posant une patte sur sa tête. Poulpe. Loracle l'a abandonné à une mort certaine dans les montagnes mais, par chance, un de nos espions est tombé sur lui.

Ses yeux étincelèrent d'un éclat glacial à la lueur des deux pleines lunes qui éclairaient la nuit.

– Je hais les Ailes de Nuit, murmura Poulpe.

– Moi aussi, renchérit Fièvre.

Elle détestait faire affaire avec Loracle – c'était toujours lui qui fixait les rendez-vous, l'heure et le lieu, sans aucun moyen de le contacter entre-temps. La perspective de pouvoir contrôler les dragonnets de la prophétie l'avait convaincue de supporter ces désagréments… mais jusque-là, elle n'avait rien obtenu de ce qui lui avait été promis.

Pire encore, elle avait perdu des alliés. Sa petite troupe d'Ailes de Sable, bien à l'abri dans la baie des

Mille Écailles, lui était toujours fidèle, évidemment. Elle surveillait leurs moindres faits, gestes et pensées. Elle les avait manipulés, poussés à s'espionner les uns les autres en faisant croire à chacun d'entre eux qu'il était le préféré, en contact direct avec elle. Le plus petit signe d'insubordination ou de faiblesse était instantanément puni de mort.

En revanche, l'alliance qu'elle avait conclue des années auparavant avec les Ailes de Mer lui avait filé entre les griffes, fondant comme neige au soleil. Après la destruction du palais d'Été, la reine Corail s'était réfugiée avec son clan dans leur repaire sous-marin secret et personne ne les avait revus depuis.

Si Loracle ne se montrait pas ce soir, qu'allait-elle faire ? Elle ignorait où se trouvait l'île des Ailes de Nuit. Elle n'avait aucun moyen de le contacter. En fait, elle n'aurait plus d'allié Aile de Nuit, finalement.

Peut-être était-elle d'humeur à incendier un repaire de charognards, en fin de compte…

Nautilus s'assit, enveloppant Poulpe de ses ailes. Ses écailles phosphorescentes s'illuminèrent doucement, comme s'il passait un message secret à son fils.

– Si Loracle ne vient pas, je sais qui il faudra blâmer, affirma Fièvre.

Les deux Ailes de Mer levèrent la tête, surpris.

– Les dragonnets, siffla-t-elle. Pas ce pleurnichard. Les vrais. Ils ont causé les pires ennuis partout où ils sont allés depuis qu'ils ont échappé aux griffes de leurs ravisseurs.

Nautilus secoua la tête.

– Nous préférons parler de « gardiens », corrigea-t-il. Mais vous avez raison. Ils sèment le chaos sur leur passage.

– Le problème, c'est qu'ils ont causé des ennuis aux mauvais dragons, gronda Fièvre.

Elle contempla les masures des charognards, les yeux luisants, les griffes crispées, ressassant ses rêves de revanche.

– Où qu'ils soient, je les traquerai, je les retrouverai et, prophétie ou pas… je les tuerai jusqu'au dernier.

Un escadron d'Ailes de Sable se posa dans la cour du bastion, sous un soleil de plomb. La chaleur décuplait la puanteur des têtes coupées piquées au sommet de la muraille. Fournaise inspira profondément. Elle aimait cette odeur de pourriture mais, surtout, elle adorait voir la mine horrifiée de ses soldats chaque fois qu'elle faisait cela.

Un dragon surgit du bâtiment, traversant la cour brûlante pour la rejoindre. Le motif de losanges noirs ornant les ailes de son frère lui rappelait Fièvre, si bien qu'elle ne pouvait s'empêcher de lui lancer un regard mauvais chaque fois qu'elle le voyait. Mais il avait l'habitude.

– Je ne t'attendais pas avant demain, déclara Brasier en dardant sa langue.

Elle le fixa de ses petits yeux, sans répondre.

Au bout d'un moment, il se reprit :

– Majesté. Je ne t'attendais pas avant demain, *Majesté*.

Elle n'apprécia guère cette note de sarcasme, mais elle ne voulait pas aborder le sujet devant ses troupes. Elle en reparlerait avec lui plus tard, en privé, quand elle pourrait lui planter les griffes dans les écailles pour obtenir des excuses sincères.

– Comment se porte notre invitée ? le questionna Fournaise en congédiant ses soldats d'un signe de la queue.

– Toujours absolument furieuse de se trouver là, répondit-il. Il faudrait peut-être la transférer… dans une pièce vide. Elle a causé des dégâts à ta collection.

Fournaise siffla :

– L'ingrate idiote.

– Des nouvelles des dragonnets ? demanda-t-il en la suivant dans le grand hall.

– Ils ont encore disparu. Mais le bruit court qu'ils auraient incendié le poste de garde le plus au nord du royaume du Ciel et tué tous les soldats… pour se venger de la reine Scarlet.

Brasier croisa ses ailes sur sa poitrine et la toisa.

– Tu crois vraiment que ce soit possible ?

– Je ne sais rien à leur sujet. Dans l'arène, ils ne m'ont

pas paru assez féroces pour tuer quoi que ce soit. Mais ensuite ils ont attaqué la reine Scarlet, ils sont donc bien plus dangereux qu'ils n'en ont l'air.

Elle s'arrêta devant une longue table chargée de victuailles au milieu de la salle.

– Ce que je sais, en tout cas, c'est que je ne les aime pas, murmura-t-elle. Et je regrette de ne pas avoir mis la patte sur tous leurs œufs avant qu'ils n'éclosent.

Elle s'empara d'un faucon mort et lui arracha la tête d'un coup de dents, imaginant faire subir le même sort à une certaine Aile de Mer ou à une saleté d'Aile de Pluie.

– Comment ça se passe avec Ruby ? fit son frère.

– La nouvelle reine des Ailes du Ciel est une vraie plaie, gronda Fournaise. Elle veut « restaurer l'ordre au royaume du Ciel » et « assurer la stabilité de son trône » avant de s'engager dans d'autres batailles à mes côtés. Elle est encore plus pénible que sa mère et elle ne m'obéit pas bien, voire pas du tout. Nous n'avons pas disputé de vraie bonne bataille depuis des semaines. J'envisage de me séparer d'elle.

– C'est frustrant, on dirait, commenta Brasier en prenant une assiette de dattes pour en fourrer deux dans sa gueule.

– Très ! J'ai besoin de tuer quelque chose. Ça fait trop longtemps que je n'ai pas tranché la gorge d'un dragon.

Son frère s'écarta aussitôt, pas aussi discrètement qu'il ne l'aurait voulu cependant.

– Eh bien, dans ce cas… tu as toujours ta prisonnière.

– Non, non, protesta Fournaise. La reine Scarlet est notre *invitée.* Pour l'instant. Je changerai peut-être d'avis quand j'aurai décidé à quoi elle peut m'être utile.

Elle leva les yeux vers le soleil étincelant qui se reflétait sur les pavés de la cour.

– Non, j'ai une autre victime en tête. Ou plutôt cinq, pour être exacte.

– Bien sûr, fit-il en baissant la tête. Il faut juste que tu les trouves avant.

– Oh, pas de problème, je les trouverai. Et tout le monde arrêtera de chanter les louanges des merveilleux Dragonnets du Destin quand j'aurai piqué leurs têtes en haut de ma muraille.

Elle montra les dents et souffla une volute de fumée par les naseaux.

– Crois-moi, mon frère. Je vais nous en débarrasser une bonne fois pour toutes. Bientôt, nous n'entendrons plus parler de cette satanée prophétie.

TABLE

Découvrez un extrait
du tome 5 :

LES ROYAUMES DE FEU

LA NUIT-LA-PLUS-CLAIRE

CHAPITRE 1

Sunny se débattit férocement entre les immenses ailes qui l'emprisonnaient.

– Vite, pendant qu'ils ne font pas attention, entendit-elle siffler.

Une pluie de gouttelettes lui tomba sur la tête lorsque le dragon qui la portait s'engouffra entre les branchages. Elle ne voyait pas grand-chose d'autre que des écailles noires, mais elle comprit qu'on la traînait dans les profondeurs de la forêt, loin de l'entrée des tunnels et de la foule des dragons.

– Lâchez-moi, je dois m'assurer que Comète va bien !

Elle donna un coup de griffes à la patte qui lui bloquait les ailes, mais l'Aile de Nuit se contenta de grogner et de la serrer plus fort.

Des feuilles détrempées glissaient avec un bruit mouillé sous leurs pas. D'après les différents bruits, Sunny devina qu'ils étaient trois, en comptant son agresseur, et qu'ils avaient profité que tout le monde s'affairait autour d'Argil et Comète pour l'enlever.

« C'est... affreux ! »

Il fallait qu'elle en apprenne davantage sur ce qu'ils complotaient. Elle cessa de gigoter et tendit l'oreille.

Les dragons se déplaçaient rapidement et sans bruit, même sans voler. Quelques battements de cœur plus tard, Sunny ne distinguait plus ce que criaient Gloria et Tsunami. Ses ravisseurs avançaient d'un pas assuré, comme s'ils connaissaient parfaitement la forêt.

« Des chasseurs, pensa Sunny en frissonnant. Ils doivent faire partie des dragons qui passaient par le tunnel pour aller capturer des Ailes de Pluie. Mais qu'est-ce qu'ils me veulent ? »

– Ici, c'est bon, déclara l'un d'eux au bout d'un moment.

Ils s'arrêtèrent tous. Sunny avait beau avoir une excellente ouïe, les grondements des dragons rassemblés près des tunnels n'étaient plus que des murmures très lointains. La pluie tombait de plus en plus dru et même le bourdonnement constant des insectes s'était tu.

Sunny fut lâchée sans ménagement dans la boue, qui s'insinua entre ses griffes et lui éclaboussa la queue. Elle se releva d'un bond et siffla sur le dragon qui l'avait laissée choir. Il lui jeta à peine un regard avant de se tourner vers les deux autres.

– Et maintenant ? Qu'est-ce qu'on fait ? demanda-t-il. Tout notre plan est tombé à l'eau. Pas question que je reste ici pour faire la révérence devant une dragonnette de pluie.

– Moi non plus, renchérit une Aile de Nuit qui n'était elle-même guère plus âgée qu'une dragonnette.

Sunny supposa qu'elle devait avoir neuf ans, tout au plus. Elle paraissait misérable, toute trempée, maigre et bossue, et pourtant, lorsqu'elle cracha un jet de flammes, Sunny vit une détermination farouche briller dans ses yeux.

– Où on est censés aller ? siffla le dernier dragon, un autre mâle, moins costaud que celui qui avait porté Sunny.

Il lui manquait quelques dents et le bout de sa queue était tordu, comme si elle avait été cassée et s'était mal remise.

– On nous avait promis la forêt de Pluie. Et d'accord, c'est bien là que je veux vivre, mais pas en tant que dragon de seconde zone. Vous imaginez… devoir obéir aux Ailes de Pluie ?

– Bon, ben, maintenant, on la tient, comme tu voulais. Alors qu'est-ce qu'on en fait ? demanda le gros mâle à la dragonnette en désignant Sunny.

L'Aile de Nuit battit de la queue et fixa cette dernière d'un œil mauvais.

– On va s'en servir pour leur faire du chantage. On n'a qu'à la retenir en otage jusqu'à ce qu'ils conduisent tout le clan au village des Ailes de Pluie et qu'ils couronnent reine l'une d'entre nous.

– Mais qui ? protesta l'autre mâle.

Il cracha une flamme furieuse, carbonisant une branche qui gouttait sur sa tête.

– Somptueuse est trop faible, elle ne nous soutiendra jamais. La reine Conquérante n'avait pas de frère ni de sœur ni d'autre fille. Il n'y a personne pour hériter du trône.

– Moi, je veux bien ! décréta la dragonnette. Si cette Aile de Pluie peut être reine, alors pourquoi pas moi ? Je suis plus grande qu'elle, d'abord.

– C'est vrai, acquiesça le gros costaud.

– Vous n'obtiendrez rien en échange de moi, intervint Sunny. Je ne suis personne. Juste une Aile de Sable bizarre avec une queue qui ne sert à rien.

Elle se tut brusquement. Elle répétait ce genre de choses depuis toujours, mais ça ne l'avait jamais autant déprimée qu'aujourd'hui. Car si la prophétie n'existait pas, alors elle n'était rien de plus qu'une dragonnette bizarre qui ne servait à rien.

« Non, non, ce n'est pas comme ça que ça marche. Si je suis bizarre, c'est parce que j'ai un destin à accomplir. Je suis ainsi pour une bonne raison. Forcément. »

Les Ailes de Nuit la toisèrent, sceptiques.

– Ce serait bien embêtant, fit le gros costaud. Ça m'énerverait d'avoir porté cette petite chose à travers toute la forêt pour rien. Mordante, je croyais que tu avais dit qu'elle avait de la valeur.

« Mordante ! »

Sunny se remémora ce que Comète lui avait raconté au sujet des dragonnets qu'il avait rencontrés sur l'île des Ailes de Nuit. Mordante… c'était sa demi-sœur, non ?

– Tout à fait, si c'est bien celle que je pense, répondit la dragonnette.

Elle lui flanqua un grand coup dans les côtes.

– Tu t'appelles bien Sunny, pas vrai ? Comète n'arrêtait pas de parler d'une fameuse Sunny dans son sommeil.

La petite Aile de Sable se contenta de la dévisager, trop abasourdie pour répondre.

– Ouais, c'est elle, reprit Mordante. Mon frère est fou amoureux d'elle. Il sera prêt à accepter n'importe quoi pour la récupérer.

« Elle a sans doute raison, paniqua Sunny. Il parle vraiment de moi dans son sommeil ? »

Quelques heures à peine s'étaient écoulées depuis que, dans la clairière de la forêt de Pluie, alors que les troupes se préparaient à envahir l'île des Ailes de Nuit, Comète lui avait avoué son amour.

Mais c'était Comète… son ami si futé, si gentil, si stressé… et elle ne l'avait jamais considéré comme un amoureux potentiel. Elle avait encore du mal à croire qu'il était sincère. Les autres dragonnets ne la prenaient jamais au sérieux. Elle avait toujours cru qu'il en était de même pour lui. Qu'il la trouvait trop petite et guillerette pour présenter un quelconque intérêt.

« Reste concentrée. Ne les laisse pas se servir de toi pour atteindre tes amis. »

– Vous n'avez pas vu les brûlures de Comète ? Il est blessé trop sévèrement pour avoir son mot à dire dans les prochaines décisions. Désolée, mais vous ne pourrez rien tirer de moi, vous feriez mieux de retourner là-bas rejoindre les autres Ailes de Nuit.

– Bien essayé, répliqua Mordante.

– Et si elle disait vrai ? s'inquiéta le dragon édenté. Et s'ils ne voulaient pas d'elle ? Si on se présentait et qu'ils nous tuaient ?

– Fortaile ne les laissera pas faire, affirma Mordante en se serrant contre le gros costaud.

« Ils sont ensemble, comprit Sunny. Quel drôle de couple ! »

Fortaile faisait deux fois la taille de Mordante, mais il restait toujours derrière elle, la tête baissée comme s'il attendait des ordres.

– Je sais comment nous allons pouvoir nous en assurer, déclara l'autre mâle.

Il tira un objet plat, ovale et brillant de sous son aile. À la lueur des lunes, il étincelait comme une plaque de verre noir parfaitement poli et tenait tout juste au creux de ses deux pattes. On aurait dit que la pluie déviait de sa trajectoire pour ne pas le mouiller.

– Le Miroir d'Obsidienne..., siffla Fortaile, admiratif. Bien joué, Prédateur. Je me demandais justement si quelqu'un avait pensé à l'emporter.

Il se pencha pour effleurer la surface lisse du bout de la griffe.

– Je ne suis pas étonné que ce ne soit pas Somptueuse. Elle n'avait qu'une seule idée en tête : sauver ses propres écailles.

– Elle ne s'en servait jamais, de toute façon ! railla Prédateur. Même lorsqu'on a eu besoin de savoir ce que complotaient les Ailes de Pluie. Elle n'a pas confiance dans les objets animusés. La reine ne devait pas être au courant que sa fille refusait de l'utiliser.

– Il ne marche plus aussi bien qu'autrefois, regretta Fortaile. Tout le monde raconte que Rocheux lui a fait quelque chose avant de disparaître.

– Qu'est-ce que c'est ? demanda Mordante.

– Un très vieil objet animusé, expliqua Fortaile. C'est l'une des choses les plus précieuses qu'il a fallu aller récupérer dans la salle du trésor quand la lave a recouvert une partie de la forteresse, à l'époque où je n'étais qu'un petit dragonnet. Ça sert à...

Il s'interrompit, jetant un regard méfiant à Sunny.

– Ne t'en fais pas, on la tuera avant qu'elle ait pu répéter quoi que ce soit d'important, lui assura Prédateur.

« Essaie un peu, pensa Sunny, furieuse. Personne n'a encore réussi. »

L'AUTEUR

Tui T. Sutherland a écrit une trentaine de romans pour tous les âges, sous différents noms de plume. Elle a aussi participé à la conception de la série best-seller *La Guerre des clans* en tant qu'éditrice et coauteur, et fait ainsi partie des six auteurs qui signent sous le pseudonyme Erin Hunter. Ces dernières années, Tui T. Sutherland s'est investie, seule, dans la création des *Royaumes de Feu*, un univers de fantasy original et merveilleux, qui renouvelle le genre.

Retrouvez Tui T. Sutherland sur son site Internet : www.tuibooks.com

Le papier de cet ouvrage est composé de fibres naturelles, renouvelables, recyclables et fabriquées à partir de bois provenant de forêts gérées durablement.

Mise en pages : Maryline Gatepaille

Loi n° 49-956 du 16 juillet 1949
sur les publications destinées à la jeunesse
ISBN : 978-2-07-066186-2
Numéro d'édition : 314715
Premier dépôt légal : janvier 2016
Dépôt légal : janvier 2017

Imprimé en Italie par Grafica Veneta